Sandra Trevisi
professeur de français

professeur de français

Marcella Beacco di Giura
professeur de français
collaboratrice *au Français dans le monde*

Pierre Delaisne
professeur de français

avec la collaboration de Sylvie Pons
professeur à l'Alliance Française de Paris

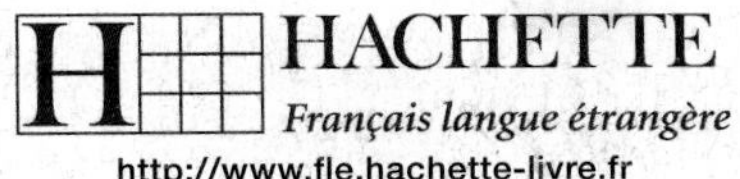

http://www.fle.hachette-livre.fr

Crédits photographiques
Agence Top/Peter Lippmann : 110 bd ; J.-F. Rivière : 11 h. **Anne Joudiou**/46 h, 142 bd. **Bossignac Gilles**/110 hg. **Brigitte Enguerand**/93 h. **Coll. particulière F. Gilot**/119 h. **Coll. particulière Jean-Loup Charmet**/52 h, 112 b, 113 h. **DR**/135 h, 136 h. **Diaf**/A. Le Bot : 62 h ; J. D. Sudres : 142 bg ; J.-P. Langeland : 63 h. **Editing**/P. Schuller : 121 hg ; Desprez : 161 b. **Explorer**/A. Philippon : 142 h ; A. Thomas : 11 h ; A. Autenzio : 51 h, 81 bd ; J.-L. Bohin : 80 b ; D. Clement : 161 h ; Ex-Wysocki : 121 bd ; F. Jalain : 22 hg, 81 hg ; P. Gleizes : 81 bg ; M. Colonel : 65 h ; É. Poupinet : 41 bg ; H. Veiller : 41 bd. **Fotogram-Stone**/C.O. Drigton Tessa : 74 h ; F. Herholdt : 158 b ; H. Grey : 54 hg, 54 hd ; J. Darell : 94 h ; J. Corwin : 45 ; Kaluzny/Thatcher : 85 ; Lorme Resnick : 134 h ; É. Larrayadien : 125 ; M. Mouchef ; 14 h ; Paulk Cheifils : 16 b ; R. Eliott : 645 h ; S. Johnson : 104 h ; W. & D. McIntyre : 5. **Gamma**/A. Brun : 72 h ; S. Caron : 81 hd ; A. Denize : 155 ; D. Simon : 86 b ; F. Reglain : 105 b ; M. Gantier : 153 h ; Ch. Vioujard : 112 h. **Hoa Qui**/G. Bosio : 128 h ; M. Denis-Huot : 152 h ; P. de Wilde : 126 h ; E. Valentin : 69 h. **Jerrican**/Achdou J.-C. Poujauran : 26 h ; Berthy : 23 bg ; Heseltine : 144 h ; Labat : 34 h, 23 hg, 23 hd ; Nicolas : 24 h ; Wolff : 56 h. **Kipa**/J. Morell : 118 hd ; P. Baril : 92 hd ; S. Gaudenti : 100 hd, 100 hg, 101 h ; Steff : 110 hd. **Lipnitzki-Viollet**/53 hg, 60 h, 61 h, 70 h, 71 h, 78 h, 79 h, 92 hg. **Nicolas Vanier**/127 h, 127 b. **Pix**/I. Anger Mauressac : 48 h ; PHGR Baravia : 32 h. **Rapho**/R. Doisneau : 118 hg. **Raymond Cauchetier**/Les films du carrosse : 12 hg, 12 hd, 13 h, 20 hg, 20 hd, 21 h, 30 hg, 30 hd, 31 h, 38 hg, 38 hd, 39 h. **Sipa Image**/Pitamitz : 143 h. **Sipa Press**/Arpajou : 132 h ; Chesnot : 143 bd ; D. Graeme-Baker : 143 bg ; Nivière : 133 h ; Sichov : 140 h, 141 h, 150 h, 151 h, 159 h ; Tschaen : 130 h. **Stills**/E. Caterina : 6 b ; Romeder : 6 h ; T. Oriconot : 7 b. **Sygma**/E. Robert : 80 h ; Moune Jamet : 86 h.

Crédits textes
p. 7, 94, 95, 104 : *Okapi* n° 532, n° 538 – propos recueillis par S. Coucharrière, Hors série *Okapi* septembre 1995 – propos recueillis par Pascal Petit © Bayard Presse ; **p. 12, 13, 20, 21, 30, 31, 38, 39** : François Truffaut : *Baisers volés* © Mercure de France, 1970 ; **p. 22, 23** : © *L'Express* du 4 janvier 1996 ; **p. 47** : © *L'EDJ* du 15 au 21 août 1996 ; **p. 52, 53, 60, 61, 70, 71, 78, 79** : Jules Romains, *Knock ou le triomphe de la médecine*, © éd. Gallimard ; **p. 54** : Michel Chazal : *Mange ta soupe et ... tais-toi*, © éd. du Seuil, 1992 ; **p. 62** : © *Le Monde* du 8 janvier 1997 D.R. ; **p. 63** : © *L'Express* du 16 novembre 1995 D.R.; **p. 65** : © *Biba* n° 197, juillet 1996 ; **p. 80, 81** : © *Atmosphère* n° 6 (1997) ; **p. 92, 93** : © *Bouillon de culture* – France 2 – transcriptions extraites de l'émission du 22/11/96 : « Un soir à l'Opéra » ; **p. 100, 101** : © *Bouillon de culture* – France 2 – transcriptions extraites de l'émission du 20/12/96 : « Pourquoi la philo est-elle si populaire ? » ; **p. 102** : © *Le Monde* du 9 février 1997 D.R. ; © *Le Monde, Dossiers et documents*, octobre 1996 D.R.; **p. 103** : « Interview de Michèle Manceaux : Nicole Notat » © *Marie-Claire*, février 1997 D.R. ; **p. 110, 111** : © *Bouillon de culture* – France 2 – transcriptions extraites de l'émission du 29/11/96 : « La cuisine des amateurs » ; **p. 118, 119** : © *Bouillon de culture* – France 2 – transcriptions extraites de l'émission du 11/10/96 : « Portraits de Picasso » ; **p. 126, 128** : © TF1 éditions/Actes Sud 1995 ; **p. 132, 133, 140, 141, 150, 151, 158, 159 :** © Georges Simenon, *Maigret et la tête d'un homme*, extrait du script de l'adaptation télévisuelle, Fondation Simenon av. du Temple 19 B, CH-1012 Lausanne ; **134, 136** : D.R. ; **p. 142** : © Ifop & *L'Express*, 28 septembre 1995 ; **p. 143** : extrait du discours d'inauguration de la Maison de Culture de Bourges, avril 1964 (André Malraux) D.R. **p. 152, 154** : © éd. Odile Jacob, 1987 ; **p. 155 ©** 1968 by Tilt music-Paris. copyright assigned 1973 to Société d'éditions musicales internationales (S.E.M.I), 5, rue Lincoln, Paris (8e), publié avec l'autorisation de la S.E.M.I-Paris-France.

Les différentes rubriques de l'ouvrage ont été plus particulièrement prises en charge par :
S. Trevisi, J. Canelas et P. Delaisne pour « Découvertes » et « Repérages » ;
M. Beacco di Giura pour « Culture en liberté » et « Civilisation » ;
S. Pons pour la « Grammaire » et les « Tests » ;
avec la collaboration de Massia Kaneman-Pougatch quant à la définition et à la structure du projet.

Conseil en communication : Tout pour plaire
Conception graphique : Encore lui ! ; O'Leary
Réalisation : O'Leary
Secrétariat d'édition : Claire Dupuis
Recherche iconographique : Anny-Claude Médioni
Photogravure : Nord Compo
Illustrations :
  Découvertes et Boîte à outils : Catherine Beaumont
  Cartographie, plans : Laurent Rullier
Couverture : Encore lui !
Photo couverture : J.-F. Castell

ISBN : 2 01 15 5093 9

AVANT-PROPOS

Parce que l'enseignement change, les méthodes changent aussi !

Café Crème 2 s'adresse à des grands adolescents et des adultes ayant suivi 80 à 100 heures d'enseignement du français. Il fait suite à *Café Crème 1*, dont il reprend la structure et garde les rythmes de travail. Le passage de l'un à l'autre se fait sans rupture : l'apprenant retrouve non seulement une méthode de travail qu'il connaît, mais aussi des rubriques et un découpage familiers. La mise en place de nouveaux types d'activités, spécifiques d'un niveau 2, peut alors se faire progressivement.

Comme le niveau 1, *Café Crème 2* se caractérise par :
– un contenu assimilable en 80-100 heures : avec *Café Crème 2*, on peut considérer que les connaissances grammaticales de base seront acquises ;
– un découpage en quatre parties, construites sur le même modèle : chaque partie comprend quatre unités, qui s'articulent autour d'un même type de discours : (l'informatif, l'argumentatif, l'explicatif et le narratif) ;
– une démarche d'apprentissage dynamique et interactive, qui s'appuie sur une progression grammaticale rigoureuse, pensée en termes d'efficacité, et qui vise la mise en place d'une réelle compétence de communication, orale et écrite : on découvre (**Découvertes**), on systématise (**Boîte à outils**), et on s'approprie en réemployant (**Culture en liberté**) ;
– une organisation très précise des acquisitions en fonction de la séquence de classe, ainsi que de la variété des documents et des activités proposés.

De plus, apparaissent des spécificités qui nous semblent importantes à ce niveau :
– place de plus en plus grande faite aux documents authentiques et aux textes longs ;
– très grande souplesse de réemploi des acquis, permettant de prendre en compte de manière différenciée les objectifs fixés par l'enseignant, le niveau des étudiants, leurs goûts, etc. ;
– ouverture à un oral culturel, par l'introduction, dans la phase « Culture en liberté », d'un scénario de film (*Baisers volés*, de François Truffaut), d'une pièce de théâtre (*Knock*, de Jules Romains), d'émissions de télévision (*Bouillon de Culture*, de Bernard Pivot) et d'une série policière (*Maigret,* de Georges Simenon) ;
– attention de plus en plus soutenue à la production orale et écrite, avec, en particulier, une nouvelle rubrique dans la « Boîte à outils » : **Expression**.

Ce travail trouve un double aboutissement à la fin de chaque partie : d'une part, dans les bilans d'évaluation, qui permettent à l'étudiant de mesurer le chemin parcouru et de découvrir ses faiblesses éventuelles pour mieux orienter son effort personnel (**Tests**), d'autre part, dans les documents écrits ou oraux présentés avec un guidage minimum, qui donnent à l'étudiant les moyens d'aborder directement, comme il le fera plus tard sans aide pédagogique, des documents authentiques (**Repérages**).
Car autonomie, plaisir de comprendre et prise de conscience de ses possibilités constituent, à nos yeux, le meilleur encouragement à apprendre !

Le **tableau des contenus** et la **table des matières** se trouvent en pages 190, 191, 192.

Carte de France

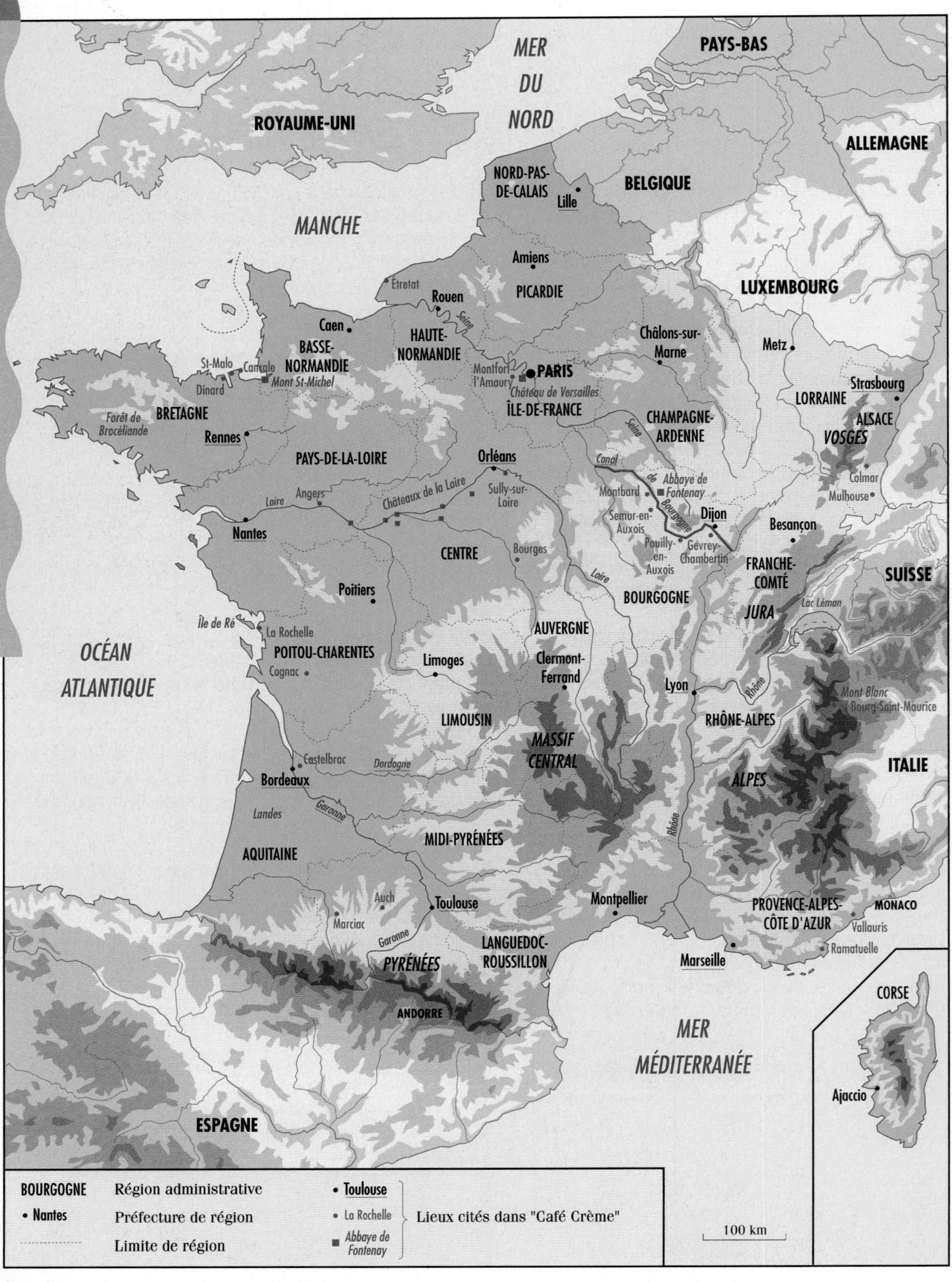

MER DU NORD
ROYAUME-UNI
PAYS-BAS
ALLEMAGNE
BELGIQUE
LUXEMBOURG
MANCHE
NORD-PAS-DE-CALAIS
Lille
Amiens
PICARDIE
Étretat
Rouen
Seine
Caen
BASSE-NORMANDIE
HAUTE-NORMANDIE
St-Malo
Cancale
Mont St-Michel
Dinard
Forêt de Brocéliande
BRETAGNE
Rennes
Montfort-l'Amaury
PARIS
Château de Versailles
ÎLE-DE-FRANCE
Châlons-sur-Marne
CHAMPAGNE-ARDENNE
Metz
LORRAINE
Strasbourg
ALSACE
VOSGES
Colmar
Mulhouse
PAYS-DE-LA-LOIRE
Orléans
Loire
Angers
Châteaux de la Loire
Sully-sur-Loire
Nantes
Canal de Bourgogne
Abbaye de Fontenay
Montbard
Semur-en-Auxois
Dijon
Pouilly-en-Auxois
Gevrey-Chambertin
Besançon
FRANCHE-COMTÉ
CENTRE
Bourges
Poitiers
BOURGOGNE
JURA
SUISSE
Lac Léman
Île de Ré
La Rochelle
POITOU-CHARENTES
Cognac
AUVERGNE
Clermont-Ferrand
Limoges
LIMOUSIN
Lyon
Rhône
Mont Blanc
Bourg-Saint-Maurice
RHÔNE-ALPES
OCÉAN ATLANTIQUE
MASSIF CENTRAL
ALPES
ITALIE
Castelbrac
Dordogne
Bordeaux
Landes
Garonne
AQUITAINE
MIDI-PYRÉNÉES
Auch
Marciac
Toulouse
Montpellier
PROVENCE-ALPES-CÔTE D'AZUR
MONACO
Vallauris
Ramatuelle
LANGUEDOC-ROUSSILLON
PYRÉNÉES
Marseille
ANDORRE
CORSE
MER MÉDITERRANÉE
Ajaccio
ESPAGNE
BOURGOGNE Région administrative
• Nantes Préfecture de région
Limite de région
• Toulouse
• La Rochelle
Abbaye de Fontenay
Lieux cités dans "Café Crème"
100 km

Partie 1
Alors, à ce soir !

UNITÉ
1

Thème
- la musique

Savoir-faire
- donner des informations sur soi
- demander à quelqu'un des informations sur lui
- comprendre un texte informatif écrit

Vocabulaire
- des mots sur la musique

Grammaire
- le pronom relatif : *qui, que*
- la mise en relief : *c'est... qui, c'est... que*
- l'interrogation avec inversion du sujet

Musiques

Les Francofolies

Tous les ans, au mois de juillet, le festival de la chanson francophone, les Francofolies, réunit à La Rochelle des artistes que tout le monde connaît et des jeunes qui débutent.
Le public qu'on y rencontre est jeune et international. Plus de 100 000 personnes assistent aux différents spectacles. Tous les styles musicaux sont présents. C'est la fête dans toute la ville pendant une semaine.

1 Écoutez. Vrai ou faux ?

1. Au mois de juillet, il y a un festival de musique à La Rochelle.
2. Au festival de La Rochelle, il y a seulement des artistes connus.
3. Peu de jeunes vont aux Francofolies.

2 Le texte donne des informations. Repérez :

1. l'information principale : quel événement on annonce ;
2. l'information sur les artistes ;
3. l'information sur le public.

3 Qu'est-ce qui va ensemble ?

1. Nous avons écouté un chanteur
2. J'ai oublié le nom des artistes
3. J'adore les chansons
4. Elle n'a pas aimé le concert

a. qu'il écrit.
b. que tout le monde connaît.
c. qu'elle a écouté hier soir.
d. qui chantent ce soir.

4 Répondez aux questions.

Est-ce que vous connaissez un festival de musique, en France ou dans votre pays ?
Où est-ce qu'il a lieu ? Quand ?
De quel style ? Parlez de ce festival.

Le festival réunit des artistes que tout le monde connaît et des jeunes qui débutent.

Le groupe Indochine

Ils chantent depuis plus de dix ans. Le groupe Indochine participe toujours aux Francofolies. Notre journaliste y a rencontré Nicola, Stéphane et Dominique.

LA JOURNALISTE : *Comment avez-vous découvert la musique rock ?*

NICOLA : Moi, j'ai vécu en Belgique pendant dix ans, de 3 à 13 ans.
Et Stéphane est né en Belgique. À la maison, on écoutait du rock à la radio anglaise.

DOMINIQUE : Vers 17 ans, nous avons acheté des instruments, et nous avons appris à jouer seuls.
On s'amusait à imiter les autres.

LA JOURNALISTE : *Où trouvez-vous l'inspiration pour écrire vos chansons ?*

DOMINIQUE : C'est Nicola qui écrit les paroles.

NICOLA : Je me promène toujours avec un carnet sur moi. Je note des phrases, des mots que j'entends dans la rue, à la télé, que je lis dans les livres.

LA JOURNALISTE : *Pourquoi vous appelez-vous Indochine ?*

NICOLA : Nous avons écrit des noms sur une feuille de papier…
et c'est Indochine que nous avons choisi.

STÉPHANE : Quand on était enfant, on voyait des images de la guerre du Viêt-nam à la télévision.
Et puis, on a toujours aimé l'Extrême-Orient.

DOMINIQUE : Après nos premiers succès, les profs d'histoire nous ont beaucoup critiqués. C'est le nom qu'ils n'aiment pas. Tu sais, quand ils posent des questions sur l'Indochine, les élèves leur répondent que c'est un groupe rock !

LA JOURNALISTE : *Aimez-vous votre métier ?*

NICOLA : On l'adore ! C'est le métier que nous avons choisi.
Mais c'est un métier difficile.
Il faut être fort pour tenir.

5 Écoutez l'interview et répondez aux questions.

1. Où est-ce que le journaliste a rencontré le groupe Indochine ?
2. Comment est-ce qu'ils ont appris à jouer ?
3. Qui écrit les paroles des chansons ?
4. Pourquoi est-ce qu'ils ont choisi Indochine comme nom ?
5. Qu'est-ce qu'ils pensent de leur métier ?

6 Lisez l'interview et repérez les questions du journaliste.

7 Répondez comme dans le texte.

1. Qui écrit les paroles : Nicola ou Stéphane ?
2. Quel nom ont-ils choisi : Extrême-Orient ou Indochine ?
3. Qu'est-ce que les professeurs n'aiment pas : les chansons ou le nom ?

8 Vous interviewez un chanteur ou une chanteuse. À deux, préparez les questions et les réponses, puis jouez la scène.

Comment avez-vous découvert la musique rock ?
Aimez-vous votre métier ?
C'est Nicola qui écrit...
C'est le métier que nous avons choisi.

3 *Les Français se mettent à chanter*

Bonne nouvelle ! Depuis quelques années, les Français découvrent le plaisir du chant, seuls ou en groupe. Le chanteur de salle de bains sort de chez lui. Les chorales se développent partout, en ville et à la campagne.

La chorale « Les voisins du dessus » est née il y a trois ans. Jean-Claude Nardi, musicien, s'est mis à chanter avec sa voisine du dessus, Solène. Solène en a parlé à une autre voisine, Danièle... Incroyable, mais vrai ! Le chœur a déjà chanté dans un théâtre parisien et enregistré un CD. Aujourd'hui « Les voisins du dessus » sont 90. Certains viennent de province pour deux heures de répétition.

Quand les relations entre les gens sont difficiles, la chanson aide à créer des liens : « Toute la journée, je suis stressé au travail et, le dimanche, je me sens seul. Alors je ne manque jamais la répétition du lundi soir », dit Franck, informaticien.

9 Lisez le texte. Trouvez l'information principale de chacun des trois paragraphes.

Vous pouvez vous aider des questions suivantes :
1. Introduction (premier paragraphe) :
Qu'est-ce que les Français découvrent ?
2. Développement (deuxième paragraphe) :
Qu'est-ce qu'on donne comme exemple ?
3. Conclusion (troisième paragraphe) :
Qu'est-ce que la chanson apporte ?

10 Répondez comme dans l'exemple.

1. De qui est-ce qu'on parle dans l'introduction ?
➜ *Des Français, du chanteur de salle de bains, des chorales.*
2. De qui est-ce qu'on parle dans le développement ?
3. Qui parle dans la conclusion ?

11 Vous écrivez un texte sur un fait de société pour un journal. Rédigez l'introduction sur le modèle du premier paragraphe du texte « Les Français se mettent à chanter ».

VOCABULAIRE

1 Qu'est-ce que vous associez au mot *musique* ? Complétez le réseau.

2 Comparez vos réseaux.

À VOUS ! **3 Discutez de vos goûts en musique.**

Quel genre de musique aimez-vous ? Avez-vous un groupe préféré ?
Quel est le dernier concert que vous avez écouté ? Jouez-vous d'un instrument ?

GRAMMAIRE

LE PRONOM RELATIF : QUI, QUE

Le festival réunit des artistes. Ces artistes ont du succès.
➜ *Le festival réunit* ***des artistes qui*** *ont du succès.*

Le festival réunit ***des artistes****. Les jeunes aiment beaucoup* ***ces artistes****.*
➜ *Le festival réunit* ***des artistes que*** *les jeunes aiment beaucoup.*

• Dans la subordonnée relative, **qui** est sujet et **que** est complément direct.

 Devant une voyelle ou un h muet, **que** devient **qu'**.
Le festival réunit des artistes ***qu'****on entend à la radio.*

LA MISE EN RELIEF : C'EST... QUI, C'EST... QUE

Qui écrit les paroles : Nicola ou Dominique ?
➜ ***C'est*** *Nicola* ***qui*** *écrit les paroles.*

Quel groupe est-ce que tu je préfères ?
➜ ***C'est*** *le groupe Indochine* ***que*** *je préfère.*

1 Qu'est-ce qui va ensemble ?

1 J'aime les groupes
2. Nous regardons des films
3. J'adore les chansons
4. J'ai rencontré des amis
5. Je voudrais te montrer le livre

a. que j'ai acheté hier.
b. qui font du rap.
c. que vous ne connaissez pas.
d. qui montrent la vie en France.
e. que j'entends à la radio.

2 Complétez par *qui* ou *que*.

C'est quelqu'un ... vous voyez souvent, ... vous connaissez bien, ... vous connaît bien aussi, ... a fait des études, ... vous parle en français.
Qui est-ce ?

C'est votre professeur de français.

3 Inventez des devinettes. Posez-les aux autres étudiants.

C'est une personne qui..., que... Qui est-ce ?
C'est une chose qui..., que... Qu'est-ce que c'est ?

L'INTERROGATION AVEC INVERSION DU SUJET

__Vous aimez__ votre métier ?
➜ __Aimez-vous__ votre métier ?
• Elle s'emploie dans l'**interrogation totale** (pour vérifier une information avec la réponse *oui* ou *non*).

Où __trouvez-vous__ l'inspiration ?
Pourquoi __vous appelez-vous__ Indochine ?
Comment __avez-vous découvert__ la musique rock ?
• Elle s'emploie dans l'**interrogation partielle** (avec un mot interrogatif placé avant le verbe).

• L'interrogation avec inversion du sujet s'emploie surtout dans la langue écrite. On l'utilise aussi dans la langue parlée quand les questions sont courtes.

 Le pronom personnel se trouve placé **après** le verbe.

 Il y a toujours un trait d'union entre le verbe et le pronom.
Aimes-__tu__ le jazz ?

 On ajoute un **t** entre le verbe et le pronom lorsque le verbe se termine par une voyelle et que le pronom commence également par une voyelle.
Quel temps a-__t__-il fait hier ?
Quel temps fera-__t__-il demain ?

 Quand le sujet est un nom, on met le pronom correspondant après le verbe.
Vos amis aiment-__ils__ le rock ?

❹ 1. Posez les questions avec inversion correspondant aux réponses suivantes.
J'ai 20 ans. ➜ Quel âge avez-vous ?

a. Oui, je suis mariée.
b. Oui, j'ai des enfants.
c. Deux. Deux filles.
d. Je parle français et anglais.
e. J'apprends l'espagnol.
f. Nous habitons à Lyon.
g. Nous allons en vacances en Bretagne.
h. Avec des amis.
i. Au mois d'août.

2. Jouez le dialogue avec votre voisin. Variez la forme des questions.

❺ Trouvez les questions : utilisez les trois formes que vous connaissez.
La soirée musicale commence à 20 h 30.
➜ La soirée musicale commence à quelle heure ?
➜ À quelle heure est-ce que la soirée musicale commence ?
➜ À quelle heure la soirée musicale commence-t-elle ?

1. Oui, j'ai des places qui ne sont pas chères.
2. J'ai découvert ce groupe grâce à des amis.
3. Mes amis vont au concert très souvent.
4. Non, moi je n'aime pas le rock.

❻ Vous répondez à l'annonce de Claude Desnos. Dans votre lettre, vous vous présentez et vous lui posez des questions.

Claude Desnos
12, rue Saint-Louis
78000 Versailles

recherche correspondant(e)s
dans tous les pays
pour échange de lettres en français

♦ÉCRIT♦

Le festival de Sully

Tous les ans, pendant les week-ends du mois de juin, le festival de Sully réunit depuis plus de 20 ans des interprètes connus qui viennent du monde entier. Tous les styles y ont leur place : musique ancienne, classique ou contemporaine, opéra, jazz, chanson... Le public vient de tous les pays pour écouter l'Orchestre national de Lille ou l'orchestre du Capitole (de Toulouse), Barbara Hendricks, Ray Charles ou Claude Nougaro.

POUR AVOIR DES RENSEIGNEMENTS, ON PEUT S'ADRESSER À L'OFFICE DE TOURISME DE SULLY.
FESTIVAL DE SULLY – PLACE CHARLES-DE-GAULLE
45600 SULLY-SUR-LOIRE – TEL : 02 38 36 29 46

❶ À votre avis, qui a écrit le texte et pour qui ?

❷ Classez les informations à l'aide du plan du texte suivant.

1. Titre.
Le festival de...

2. Quand ?
Tous les ans...

3. Quoi ?
Le festival réunit...

4. Développement de l'information.
Tous les styles...
Le public vient de... pour...

5. Conclusion :
comment y aller ?
Pour avoir des renseignements...

❸ À deux, écrivez un petit texte pour annoncer un festival dans votre région. Suivez le plan donné dans l'exercice précédent.

POUR VOUS AIDER À ÉCRIRE...
Dans une énumération, les noms peuvent ne pas être précédés d'un article.
Tous les styles de musique y ont leur place : musique ancienne, classique, opéra, jazz...

♦ORAL♦

❹ Vous chantez dans une chorale. Ce festival vous intéresse. Vous téléphonez au syndicat d'initiative pour demander des informations. À deux, jouez la scène.

Quelles chorales chantent ? Où et quand ?
Les spectacles sont-ils payants ?
Votre chorale peut-elle participer ?

LES CHORALIES
Festival des chorales de France

CHORALES DE TOUS STYLES,
VENEZ CHANTER

du 17 au 21 juillet
à Ramatuelle (Var)

Concerts tous les après-midi et tous les soirs.
Contacter le syndicat d'initiative
au 04 94 79 20 50

Baisers volés (1)

LE RETOUR D'ANTOINE

Baisers volés (1968) est un film de François Truffaut (1932-1984) : les films, disait-il, « sont plus harmonieux que la vie ». Ses personnages fragiles mais libres, vrais, parfois inattendus ne sont pas des héros et ils ne vivent pas d'histoires exceptionnelles. Parmi les succès de Truffaut : *Jules et Jim*, *Domicile conjugal* qui est la suite de *Baisers volés*, *Le Dernier Métro*.

Paris, dans les années soixante. Antoine, qui s'est engagé dans l'armée, vient d'être réformé[1] *: il n'est vraiment pas fait pour la vie militaire.*

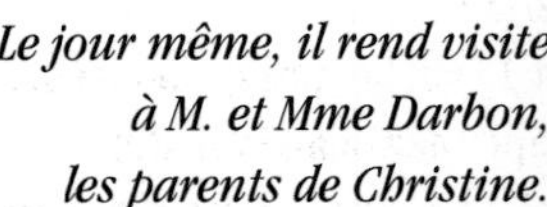

Le jour même, il rend visite à M. et Mme Darbon, les parents de Christine.

EXTRAIT A

MME DARBON : Lucien, regarde qui est là !

M. DARBON : Oh… Antoine !

ANTOINE : Bonjour, comment ça va ?

M. DARBON : Et bien, ça fait plaisir de vous voir après tout ce temps. Ça va ? Vous êtes en permission ?

ANTOINE : Euh… non, non, non. J'ai été réformé. Mon engagement a été cassé.

MME DARBON : Bon, vous avez dîné ?

ANTOINE : Oui… oui… Non, ça va, vous dérangez pas pour moi.

M. DARBON : Je suis sûr que vous n'avez pas dîné… Allez, asseyez-vous… allez !

ANTOINE : Non, ça va… merci bien !

MME DARBON : Christine va être désolée. Elle n'est pas là.

ANTOINE : Oh ! mais c'est pas…

M. DARBON : Vous avez été réformé, mais vous n'êtes pas malade, au moins ? Vous avez une réforme provisoire ?

ANTOINE : Ah !… non, non, non… euh !… C'est une réforme définitive… Instabilité caractérielle[2]. C'est valable même en temps de guerre.

MME DARBON : Oh ça… c'est très bien, bravo !

[1] Réformé : libéré du service militaire.
[2] Une instabilité caractérielle : caractère trop changeant.

Écoutez

1 Extrait A. Choisissez la bonne réponse.

1. Combien de personnes parlent ?
a. deux ; **b.** trois ; **c.** quatre.

2. Elles parlent :
a. d'aventures ; **b.** d'événements extraordinaires ;
c. de la vie de tous les jours.

3. Antoine est réformé parce que :
a. il n'a pas les qualités nécessaires pour être soldat ;
b. il a changé de métier.

2 Extrait B. Répondez aux questions.

1. Que cherche Antoine ?
2. Pourquoi M. Darbon téléphone-t-il à M. Chapiro ?
3. De qui parlent Mme Darbon et Antoine pendant que M. Darbon téléphone ?
4. Où est Christine ?
5. Est-elle partie seule ?

M. et Mme Darbon invitent Antoine à dîner. La conversation se poursuit à table.

EXTRAIT B

M. DARBON : Et maintenant, maintenant, vous cherchez du travail... c'est ça ?

ANTOINE : Oui. Enfin, j'aimerais bien trouver quelque chose.

MME DARBON : Mais dis donc, et Chapiro !

M. DARBON : Quoi, Chapiro ?

MME DARBON : Ben, l'hôtel Alsina !

M. DARBON : Alsina ?... Oh !... mais c'est vrai !... Je l'appelle tout de suite. *(Il s'adresse à Antoine.)* C'est un client du garage. Il a un hôtel à Montmartre. Il cherche un veilleur de nuit[3]. Le sien est mort avant-hier. J'appelle tout de suite. Ça vous irait ?... Ça vous irait pour quelque temps ?

ANTOINE : Oh oui... oui, ça serait bien, ça.

M. DARBON : Je l'appelle.

MME DARBON : Évidemment, vous vous attendiez à voir Christine ?

ANTOINE : *(Déçu.)* Oui... mais ça fait rien... Je vais lui téléphoner demain matin.

MME DARBON : Non, elle est partie pour huit jours. Elle est aux sports d'hiver avec une bande de copains.

[3] Un veilleur de nuit : gardien.

Observez et répétez

▶ Questionner / refuser poliment

3 Écoutez les phrases enregistrées et trouvez les différents sens de *ça va*.

	1	2	3	4
a. Ce n'est pas la peine				
b. Vous allez bien, vraiment ?				
c. Comment allez-vous ?				
d. Je n'ai pas faim, merci.				

4 Écoutez et dites si ces phrases expriment une question ou un refus.

1. Ça va, ça va, ce n'est pas la peine.
2. Les enfants, ça va ?
3. Non, ça va, merci.
4. Ça va, non, ça va.

5 Utilisez *ça va* dans les situations suivantes. Jouez la scène à deux.

1. Vous rencontrez un voisin, vous le saluez. Salut ! Ça va ?
2. On vous offre un café à minuit, vous le refusez. Non, merci, ça va.
3. Dans le train, on vous propose de prendre la place à côté de la fenêtre, vous n'aimez pas cette place.

Exprimez-vous

À VOUS ! 6 M. Darbon téléphone à M. Chapiro, le propriétaire de l'hôtel Alsina. Celui-ci accepte d'embaucher Antoine comme veilleur de nuit. Il demande des informations sur Antoine. Jouez la scène à deux.

Antoine est gentil et un peu timide, c'est un ami de Christine, M. Darbon le connaît depuis deux ans...

M. CHAPIRO : Comment est-ce qu'il est, ce garçon ?
M. DARBON : C'est un garçon gentil...

À VOUS ! 7 Avant de quitter M. et Mme Darbon, Antoine laisse un message pour Christine. Complétez-le.

Chère Christine,
Je ne suis plus à l'armée ! J'avais envie de vous voir, mais vous n'étiez pas à la maison hier...
J'ai déjà un travail ! Je suis...

UNITÉ 2

Thème
- la rencontre

Savoir-faire
- entrer en contact avec quelqu'un
- refuser d'entrer en contact avec quelqu'un
- exposer un problème
- demander, donner des conseils
- comprendre un texte informatif

Vocabulaire
- aborder quelqu'un
- refuser d'entrer en contact avec quelqu'un

Grammaire
- le pronom personnel complément + impératif
- l'interrogation indirecte

Rencontres

1 *On se connaît ?*

BRUNO : Pardonnez-moi, mademoiselle, pardonnez-moi, je vous ai vue… je voudrais…

ARLETTE : Vous êtes perdu ? Vous cherchez votre chemin, peut-être ?

BRUNO : Oh non, pas du tout, je suis du quartier.

ARLETTE : Bon alors, au revoir, monsieur.

BRUNO : Attendez, ne partez pas. J'étais en train de lire le journal à la terrasse du café quand je vous ai vue. Je vous ai reconnue tout de suite.

ARLETTE : Pas moi. Je ne vous ai jamais vu. Au revoir, monsieur.

BRUNO : Mais écoutez-moi. Vous ne vous rappelez pas ?… L'été dernier, à La Rochelle, aux Francofolies ?

ARLETTE : À La Rochelle ? Vous vous trompez, monsieur. Au revoir. Je suis pressée.

BRUNO : Mais ne partez pas comme ça. Dites-moi quand je peux vous revoir, ce soir, demain…

ARLETTE : Laissez-moi tranquille, monsieur.

BRUNO : Mais enfin ! Ne me dites pas que vous ne voulez pas me revoir…

ARLETTE : Ça suffit !

BRUNO : Ne vous fâchez pas !

ARLETTE : Bon ! Vous avez besoin de parler à quelqu'un ? Voici le numéro de téléphone et l'adresse de SOS-amitié : appelez-les ou écrivez-leur, mais ne m'embêtez pas !

❶ Écoutez le dialogue. Vrai ou faux ?

1. Bruno cherche son chemin.
2. Bruno et Arlette sont à la terrasse d'un café.
3. Bruno dit qu'il a rencontré Arlette à La Rochelle.
4. Arlette dit qu'elle connaît La Rochelle.
5. Arlette est contente de rencontrer Bruno.
6. Arlette dit qu'elle ne connaît pas Bruno.

❷ Repérez toutes les formes semblables aux formes observées dans la loupe. Puis classez-les : a. formules de politesse ; **b.** donner un conseil ; **c.** donner un ordre ; **d.** insister.

❸ Bruno essaie à plusieurs reprises d'entrer en contact avec Arlette. Repérez trois exemples. Comparez vos réponses.

Pardonnez-moi...
Appelez-les...
Ne me dites pas...

Pause de midi à la brasserie

BERNARD : Pardon, mademoiselle, cette place est libre ? Je peux m'asseoir ?
CHANTAL : Oui, bien sûr.
BERNARD : Il y a un monde fou, aujourd'hui. Vous êtes du quartier ?
CHANTAL : Non, mais je ne travaille pas loin d'ici.
BERNARD : Vous mangez régulièrement dans ce restaurant ?
CHANTAL : Non, c'est la première fois.
BERNARD : Je peux vous offrir quelque chose ? Qu'est-ce que vous voulez ?
CHANTAL : Mais rien ! Monsieur, l'addition, s'il vous plaît !
BERNARD : Vous partez déjà ?
CHANTAL : Oui, je reprends le travail dans 10 minutes.
LE GARÇON : Voilà, ça fait 12 €.
BERNARD : Dommage. Vous revenez demain ?
CHANTAL : Pardon ? Je n'ai pas entendu.
BERNARD : Je vous demande si vous revenez demain.
CHANTAL : Non. Je ne travaille pas demain. La semaine prochaine peut-être.
BERNARD : Alors, à la semaine prochaine.

Je vous demande si vous revenez demain.

❹ Écoutez et répondez aux questions.

1. Où sont Bernard et Chantal ?
2. Chantal habite-t-elle dans le quartier ?
3. Chantal mange-t-elle tous les jours dans ce restaurant ?
4. Pourquoi est-ce qu'elle part ?

❺ Mettez les phrases suivantes dans l'ordre qui vous semble le mieux adapté pour entrer en contact avec quelqu'un. Ensuite, à deux, formulez la question et la réponse.

Bernard demande à Chantal :
1. si elle habite dans le quartier ;
2. comment elle s'appelle ;
3. s'il peut lui offrir quelque chose ;
4. si la place à côté d'elle est libre ;
5. à quelle heure elle termine son travail ;
6. quand il pourra la revoir.

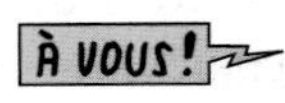

❻ Sur le modèle des deux dialogues précédents, préparez une scène de rencontre et jouez-la à deux.

3 Le courrier du cœur

J'aime mon voisin du dessus. Il ne sait rien de mes sentiments. Il a 36 ans, il est informaticien. J'en ai 22 et je vais à la fac. Je n'ose pas lui parler ouvertement. Qu'est-ce que je dois faire ? Comment est-ce que je peux engager la conversation ? Est-ce que je ne suis pas trop jeune pour lui ? Qu'est-ce qui l'intéresse ? Je ne sais rien de lui. Mes amies me donnent des conseils. Annick me conseille d'inventer une histoire pour attirer son attention. Françoise, elle, pense que c'est lui qui doit faire le premier pas. Mais je n'ai pas envie d'attendre... Je ne pense qu'à lui : je suis très malheureuse. Dites-moi ce que je dois faire.

ALICE

La journaliste répond :
Votre situation est peut-être plus simple que vous le pensez. Ne vous demandez pas si vous êtes trop jeune, ce qui l'intéresse... Inventez plutôt un problème d'ordinateur et demandez-lui de vous aider. Vous pourrez lui offrir l'apéritif pour le remercier et vous verrez bien s'il vous invitera ensuite au restaurant ou au cinéma...

Qu'est-ce que je dois faire ?
Dites-moi ce que je dois faire.
Qu'est-ce qui l'intéresse ?
Ne vous demandez pas ce qui l'intéresse.

7 Lisez le texte et répondez aux questions.

1. Alice a écrit à qui ?
2. Pourquoi a-t-elle écrit ?
3. Est-ce qu'Alice parle souvent à son voisin du dessus ?
4. Est-ce qu'il sait qu'elle est amoureuse de lui ?
5. Pourquoi Alice est-elle malheureuse ?
6. Quels sont les conseils que la journaliste lui donne ?

8 1. Dans la lettre d'Alice, repérez :

a. les informations qu'elle donne sur elle-même et sur son voisin ;
b. les questions qu'elle pose au courrier des lecteurs ;
c. ce que lui conseillent ses amies.

2. Dans la lettre de la journaliste, repérez les conseils.

À VOUS ! **9 Imaginez la suite de l'histoire d'Alice et de son voisin du dessus.**

10 Comment avez-vous rencontré vos ami(e)s ? Racontez une rencontre amusante.

VOCABULAIRE

Pour engager la conversation
Vous êtes bien... ?
Vous ne vous appelez pas... ?
Je crois que nous nous connaissons...
Vous habitez dans la région ?
Vous habitez dans le coin ?
Vous aimez la campagne ?
Vous ne travaillez pas dans la mode ?
Qu'est-ce que vous faites dans la vie ?
On va prendre un verre ?
On va boire un pot ?
Je vous offre quelque chose ?

Pour refuser
Non merci, pas aujourd'hui.
Je suis pressé(e).
Aujourd'hui, je n'ai pas le temps.
Une autre fois peut-être...
Je suis désolé(e), mais je dois...
Vous êtes bien curieux.
On m'attend, je dois partir.
Laissez-moi tranquille.
Je n'ai pas envie de parler.
Vous ne m'intéressez pas.

Pour accepter
Non, mais ça ne fait rien.
Peut-être.
C'est intéressant
C'est très gentil.
Pourquoi pas !
Volontiers.
C'est une bonne idée.

1 **1. Écoutez les trois dialogues. Dans chaque dialogue, relevez la phrase qui permet d'engager ou de poursuivre la conversation.**
2. Choisissez la bonne réponse.

	dialogue 1	dialogue 2	dialogue 3
refuser			
accepter			

2 **À deux, imaginez le dialogue de deux personnes qui ne se connaissent pas. Utilisez les expressions données ci-dessus. Jouez la scène.**

1. Une personne timide veut entrer en contact avec une personne qui parle beaucoup.

2. Une personne sûre d'elle veut entrer en contact avec une personne très connue.

GRAMMAIRE

LE PRONOM PERSONNEL COMPLÉMENT AVEC L'IMPÉRATIF

le pronom direct
Tu te regardes. ➜ *Regarde-**toi**.*
Tu la prends. ➜ *Prends-**la**.*
Vous nous appelez. ➜ *Appelez-**nous**.*
Nous les écoutons. ➜ *Écoutons-**les**.*

le pronom indirect
Tu me téléphones. ➜ *Téléphone-**moi**.*
Nous lui disons. ➜ *Disons-**lui**.*
Vous leur envoyez une carte. ➜ *Envoyez-**leur** une carte.*

• À la forme affirmative de l'impératif, les pronoms se placent après le verbe. **Me** devient **moi**, **te** devient **toi**. Les autres pronoms ne changent pas.

 Il y a toujours un trait d'union entre le verbe et le pronom.

 Devant **y** et **en**, on ajoute un **s** à la deuxième personne des verbes en -er.
 *Aller* ➜ *Va**s**-y.* *Manger* ➜ *Mange**s**-en.*

 À la forme négative de l'impératif, les pronoms suivent la règle générale et se placent avant le verbe.
*Ne **me** regarde pas.* *Ne **me** téléphone pas.* *N'**en** mange pas.*
*Ne **l'**écoutons pas.* *Ne **leur** envoyez pas de carte.* *N'**y** va pas.*

1 Bruno insiste pour entrer en contact avec Arlette. Utilisez l'impératif.

Écouter. ➜ Écoute-moi.

1. Donner un rendez-vous.
2. Accompagner à la gare.
3. Ne pas se fâcher.
4. Téléphoner dimanche prochain.
5. Répondre.
6. Ne pas quitter.

2 Quelqu'un veut rencontrer votre patron. Conseillez-le.

Inviter au restaurant. ➜ Invitez-le au restaurant.

1. Appeler à son bureau.
2. Envoyer un fax.
3. Ne pas téléphoner à la maison.
4. Écrire une lettre.
5. Proposer une rencontre.
6. Inviter à votre conférence.

3 Martine et Alain ont envie de rencontrer des amis. Complétez le dialogue.

ALAIN : J'ai envie de voir Martin et Claude.
MARTINE : (Inviter) ➜ Invite-les.

ALAIN : Je vais les appeler.
MARTINE : Bonne idée. (Téléphoner)
ALAIN : Oh ! J'ai oublié leur numéro. (Chercher), s'il te plaît.
MARTINE : Nous n'avons plus du pain. (Acheter)
ALAIN : D'accord. Il faut aussi des légumes !
MARTINE : Les magasins sont ouverts. (Aller) Tu voulais acheter le journal. (Ne pas oublier)
ALAIN : Je n'ai plus d'argent.
MARTINE : (Prendre) à la banque.
ALAIN : Mais la banque est fermée !
MARTINE : Bon, alors (ne pas aller).
ALAIN : Finalement, je n'ai plus envie de voir personne. Et il y a un bon film à la télé.
MARTINE : Parfait ! (Regarder) ensemble ! Je commande une pizza par téléphone.

L'INTERROGATION INDIRECTE (1)

question directe			question indirecte
BERNARD :	« **Est-ce que** vous revenez demain ? »	➜	Bernard demande à Chantal **si** elle revient le lendemain.
BERNARD :	« **Qu'est-ce qui** vous plaît ? »	➜	Bernard demande à Chantal **ce qui** lui plaît.
ALICE :	« **Qu'est-ce que** je dois faire ? »	➜	Alice demande **ce qu'**elle doit faire.
BRUNO :	« **Quand est-ce que** je peux vous revoir ? »	➜	Bruno demande à Arlette **quand** il peut la revoir.
BRUNO :	« **Où est-ce que** vous habitez ? »	➜	Bruno demande à Arlette **où** elle habite.
BRUNO :	« **Pourquoi** ne parlez-vous pas ? »	➜	Il lui demande **pourquoi** elle ne parle pas.
BRUNO :	« **Avec qui est-ce que** vous travaillez ? »	➜	Il lui demande **avec qui** elle travaille.

Devant une voyelle ou un h muet, **que** devient **qu'**.
*Je ne sais pas ce **qu'**elle veut.*

Devant **il** ou **ils**, **si** devient **s'**.
*Je me demande **s'**il est déjà arrivé.*

4 Retrouvez ce que la personne dit.

Je ne sais pas ce que je dois faire.
➜ Qu'est-ce que je dois faire ?

1. Je ne comprends pas ce que Bernard veut me dire.
2. Je me demande pourquoi il veut me voir.
3. Dis-moi ce que tu penses de cette histoire, si je dois aller à ce rendez-vous.
4. Dis-moi ce qui fait peur à Bernard.
5. Je ne sais plus où il travaillait.
6. Dis-moi quand il a quitté son dernier emploi.

5 L'ami de Céline travaille au Canada. Elle voudrait vivre avec lui. Elle se pose des questions. Qu'est-ce qu'elle se dit ?

Qu'est-ce que je peux faire ?
➜ Elle se demande ce qu'elle peut faire.

1. Est-ce que je dois partir pour le Canada ?
2. Comment est-ce que je vais trouver du travail ?
3. Qu'est-ce que je vais trouver comme travail ?
4. Est-ce qu'il faut savoir parler l'anglais ?
5. Où est-ce qu'on va s'installer ?

EXPRESSION

◆ ÉCRIT ◆

A

Cher Bernard,

J'ai deux billets de théâtre pour mardi soir. Il s'agit de « Faisons un rêve » de Sacha Guitry. C'est une pièce qui a beaucoup de succès. Tout le monde l'aime !
Je sais que tu adores le théâtre. J'espère que tu pourras m'accompagner.
Appelle-moi pour me dire si tu viens.

Bises

Martine

B

Ma chère Chantal,

J'ai loué un petit appartement à La Rochelle pour le mois d'août. C'est dans un vieil immeuble de style, au dernier étage. Il est très agréable et très calme. Je serais ravi de passer des vacances avec toi. Qu'en penses-tu ?
Dis-moi si ça te plaît.

Amitiés

Luc

❶ Qu'est-ce qu'il faut savoir pour écrire un message ? Trouvez, dans les deux textes, les éléments qui correspondent au plan du message.

1. Le but du message.
A : *inviter un ami au théâtre.*
B : *inviter une amie pour les vacances.*

2. À qui ?
A : *Cher…*

3. Quoi ?
A : *J'ai deux billets…*

4. Le développement de l'information.
A : *Il s'agit… C'est…*
B : *C'est… Il est…*

5. La conclusion : l'invitation.
A : *J'espère que…*
B : *Je serais ravi de…*

❷ Vous voulez inviter des amis à visiter une exposition. Écrivez-leur un mot. Suivez le plan donné dans l'exercice précédent.

◆ ORAL ◆

Nous sommes installés dans l'immeuble depuis une semaine et nous pendons la crémaillère[1] samedi soir. Nous serons nombreux et nous ferons peut-être du bruit. Excusez-nous et n'hésitez pas à passer nous voir samedi. Merci !

Agnès et Xavier Saury, 3e étage droite.

❸ Vous avez lu le message affiché dans l'ascenseur de votre immeuble qui vous apprend que vous avez de nouveaux voisins. Vous voulez faire leur connaissance. Vous allez les voir, vous vous présentez, puis ils vous invitent à venir boire un verre chez eux.

1. Pendre la crémaillère : fêter avec des amis son installation dans un nouveau logement.

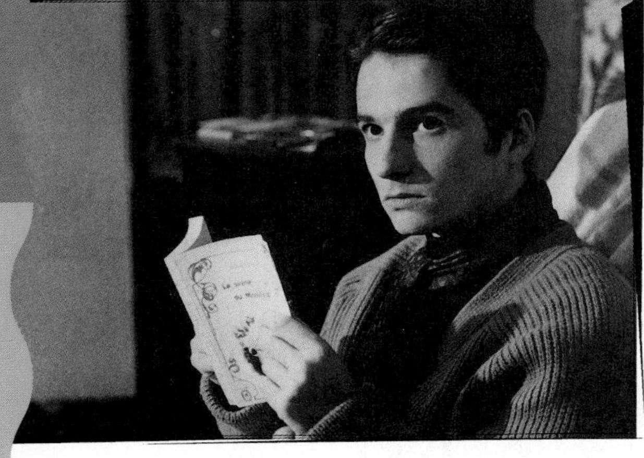

Baisers volés (2)

LA VISITE DE CHRISTINE

Antoine travaille maintenant comme veilleur de nuit à l'hôtel Alsina, à Montmartre. Ce travail lui laisse le temps de lire et de rêver.

Christine, rentrée de la montagne, va voir Antoine à l'hôtel.

EXTRAIT A

ANTOINE : Bonjour, Christine.

CHRISTINE : Bonsoir, Antoine. Je suis très contente de vous voir... Vous n'avez pas changé... Alors, vous en êtes sorti ?

ANTOINE : Ben oui. Oui, tout de même... oui !

CHRISTINE : Oui, c'est ce que mes parents m'ont dit... mais il faudra que vous me racontiez ça.

ANTOINE : Oui, oui, entendu. Et vous, vous êtes... vous êtes rentrée aujourd'hui ?

CHRISTINE : Oui, oui, ce soir. Alors, je suis venue aussitôt... Vous êtes content ici ?

ANTOINE : Oui... ça va. C'est pas mal... c'est tranquille.

CHRISTINE : *(Elle donne à Antoine une boîte de médicaments.)* Mes parents ont peur que vous preniez froid, le soir. Ils m'ont dit de vous amener ça.

ANTOINE : *(La boîte dans la main.)* Qu'est-ce que c'est ?... Des granulés !... Non, c'est très gentil, mais...

CHRISTINE : Ah si... si, si. Prenez-les tout de suite, sinon vous oublierez.

ANTOINE : Bon !

Écoutez

1 Extrait A. Choisissez la bonne réponse.

1. Christine conseille à Antoine :
- **a.** de retourner à l'armée ;
- **b.** de prendre des médicaments.

2. **a.** Antoine est plutôt content de son travail.
- **b.** Il déteste son travail.

3. **a.** Les parents de Christine ont de l'amitié pour Antoine.
- **b.** Ils n'apprécient pas Antoine.

2 Extrait B. Vrai ou faux ?

1. Christine fait des reproches à Antoine.
2. Antoine lui écrivait régulièrement.
3. Antoine essaye de justifier son comportement.

EXTRAIT B 

Antoine prend son médicament. Puis, ils se mettent à parler de leurs problèmes.

CHRISTINE : Vous savez, je pensais qu'on ne se reverrai plus. Vous ne m'avez pas écrit depuis six mois.

ANTOINE : Ben, oui, mais... le plus souvent, j'étais... j'étais en prison ou bien à l'infirmerie. Et puis, au début, quand je vous écrivais... euh... vous ne me répondiez pas tellement souvent.

CHRISTINE : Mais si, je répondais. Pas à toutes vos lettres évidemment. Il y en avait tellement ! Une fois, j'ai compté, j'en avais reçu dix-neuf dans la même semaine. Je me demandais même quand vous preniez le temps d'écrire.

ANTOINE : Oui... moi aussi !

CHRISTINE : Et puis, elles étaient pas toujours très gentilles... Oh dites... quel est votre jour de repos ?

ANTOINE : Le mercredi.

CHRISTINE : Bon, alors vous venez dîner à la maison. Mes parents vous invitent.

ANTOINE : Ah bien... très bien. Entendu... d'accord... volontiers. À mercredi. Au revoir.

CHRISTINE : Au revoir.

Observez et répétez

▶ **Donner un conseil**

3 **Écoutez et repérez dans quelle réplique on donne un conseil.**

1. Qu'est-ce que c'est ?... Des granulés !
2. Prenez-le tout de suite, sinon vous oublierez.
3. Mes parents ont peur que vous preniez froid.

4 **Donnez des conseils et justifiez-les. Attention à l'intonation !**

1. *(La lettre)* Écrivez-la bien, sinon...
2. *(À Jacques)* Téléphone-lui tout de suite, sinon...
3. *(Marie-Claire)* Invitez-la avec Pierre, sinon...

5 **Sur le modèle de l'exercice précédent, donnez des conseils et justifiez-les, dans les situations suivantes.**

1. Votre ami ne fait pas de progrès en français.
➜ *Parle beaucoup, sinon tu oublieras le vocabulaire...*
2. Votre collègue n'a pas envoyé de vœux pour le nouvel an à son directeur.
3. Votre voisine n'a pas arrosé les plantes.

Exprimez-vous

À VOUS ! **6** **Un soir, une jeune femme arrive à l'hôtel Alsina. Elle demande s'il y a une chambre libre. Antoine essaie d'entrer en contact avec elle. Imaginez leur conversation.**

– Monsieur, est-ce qu'il y a une chambre libre ?
– Oui, oui, certainement, oui. Dites-moi, je vous ai déjà rencontrée quelque part...

À VOUS ! **7** **Quand Antoine était à l'armée, Christine ne savait pas quoi faire : répondre à ses lettres ou l'oublier ? Elle a donc écrit au « Courrier du cœur » d'un magazine. Écrivez cette lettre : utilisez les informations de l'extrait B.**

Antoine, mon copain, est parti à l'armée : ça n'allait pas très bien entre nous...

Formes

1 L'appartement-type de l'an 2 000

L'habitat en France est le plus souvent constituée de maisons individuelles (« pavillons ») ou d'appartements dans des immeubles collectifs. Son aménagement intérieur est devenu plus fonctionnel.

Les Français consacrent près de 30 % de leurs revenus au logement, qui occupe la place n° 1 des dépenses des ménages. Certes, le montant des loyers et des charges a doublé en vingt-cinq ans, mais cela n'explique pas tout. Ils rêvent d'une petite maison en province (66 %), si possible à la campagne (39 %), avec un grand espace collectif et plein de chambres. La télé a remplacé le buffet. Et la cuisine s'est transformée en lieu de convivialité. En matière d'électro-ménager, on a tout ce qu'il faut, et on se mettrait bien au téléservice. Parfois, on fait entrer le jardin dans la maison grâce à la véranda : 16 % des ménages en ont une, 43 % en rêvent. Parfois, on fait sortir le chien, qu'on aime de plus en plus petit. Record d'Europe : 6 ménages français sur 10 ont un animal de compagnie.

D'après *L'Express*, 4/01/1996.

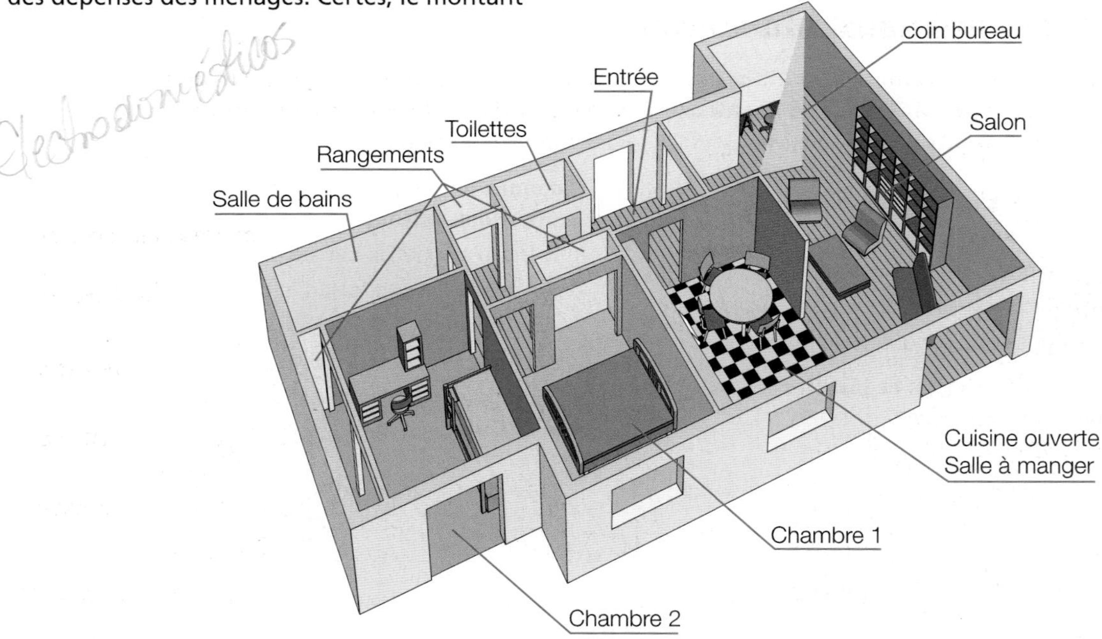

▶ **1.** Observez le plan de l'appartement et lisez le texte. En quoi l'utilisation des pièces est-elle plus fonctionnelle qu'auparavant ? Qu'est-ce qui a changé ?

▶ **2.** L'augmentation des loyers et des frais collectifs de gestion des immeubles *(les charges)* justifie-t-elle les dépenses des Français pour le logement ?

▶ **3.** De quoi rêvent les Français ?

▶ **4.** À votre avis, que veut dire la phrase : *on se mettrait bien au téléservice* ?

▶ **5.** Comment les Français font-ils *entrer* le jardin dans leur maison ?

2 Les dépenses des ménages

Répartition, en pourcentage, du budget d'un ménage-type

Alimentation	18,2 %
Habillement	5,7 %
Logement et équipement de la maison	28,8 %
Loisirs et culture	7,4 %
Santé	10,3 %
Services et autres biens	13,2 %
Transports	16,4 %

D'après *L'Express*, 4/01/1996.

▶ **1.** Est-ce que ces chiffres vous surprennent ? Justifiez vos réponses.

▶ **2.** Faites une enquête sur les dépenses de votre famille, de vos amis.

▶ **3.** Faites la répartition, en pourcentage, de ces dépenses.

▶ **4.** En classe, comparez vos données et calculez les moyennes. Commentez-les.

3 Les animaux à la maison

La fonctionnalité et le confort des appartements s'accompagnent de la recherche de compagnie, d'affection peut-être : les animaux domestiques répondent aussi à ce besoin, ressenti surtout dans les grandes villes où l'on vit souvent seul. 58 % des foyers possèdent :

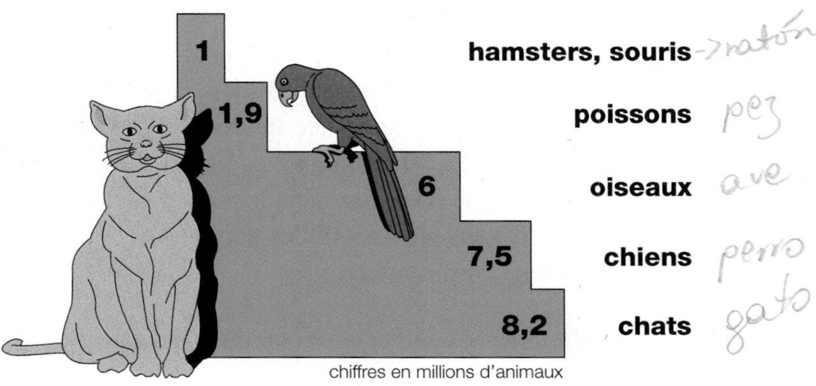

D'après *L'Express*, 4/01/1996.

▶ **1.** D'après vous, pourquoi beaucoup de Français ont-ils un animal à la maison ? Parce que :

- **a.** c'est une mode ;
- **b.** c'est une marque de richesse ;
- **c.** les Français souffrent de solitude ;
- **d.** ils ont de grandes maisons avec jardin ;
- **e.** ils préfèrent les animaux aux hommes ;
- **f.** les hommes ont toujours partagé leur vie avec les animaux.

▶ **2.** Dans votre pays, quels sont les animaux domestiques ?

▶ **3.** Est-ce que vous avez un animal chez vous ? Lequel ? Pourquoi ?

UNITÉ
3

Thème
- les médias, la radio

Savoir-faire
- parler de soi
- poser des questions sur l'identité, le parcours professionnel, répondre à ces questions
- comprendre un texte informatif

Vocabulaire
- révision et élargissement des mots pour exprimer son opinion

Grammaire
- le pronom relatif : *où, dont*
- le pronom démonstratif + relative : *celui qui, celui que*

Contacts

La Maison de la radio

Le 14 décembre 1963, le général de Gaulle inaugure la Maison de la radio sur les bords de la Seine, où se trouve aujourd'hui Radio France. Radio France est l'un des plus importants réseaux radio du monde. C'est d'abord France Inter avec son programme, puis les radios spécialisées comme France Musique, France Culture ou France Info qui donne des informations toute la journée. C'est aussi Radio France Internationale (RFI) qui permet à 30 millions d'auditeurs de garder le contact avec la France et la langue française dans le monde entier. RFI propose des émissions en FM dans les pays où les auditeurs sont les plus nombreux.

...où se trouve aujourd'hui Radio France.
...les pays où les auditeurs sont les plus nombreux.

1 Lisez le texte et répondez aux questions.

1. Où est située la Maison de la radio ?
2. Qui a inauguré la Maison de la radio ?
3. Quelles sont les radios du groupe Radio France ?
4. Est-ce que vous avez déjà écouté Radio France Internationale ?

2 Qu'est-ce qui va ensemble ?

1. La Bretagne est la région
2. Le pays
3. Le Louvre est le musée
4. Paris est la ville
5. Le quartier

a. que les étrangers visitent le plus souvent en France.
b. où je passe mes vacances.
c. où j'habite est très calme.
d. que je préfère, c'est l'Italie.
e. où se trouve la Maison de la radio.

La radio nous regarde

La radio peut accompagner chacun de nous à chaque heure de la journée.

■ AU RÉVEIL

Entre 6 h 30 et 9 heures, la radio nous informe sur l'actualité. C'est d'abord la voix du radioréveil, qu'on arrête pour dormir encore un peu. Puis viennent les informations à l'heure du petit déjeuner. Plus tard, c'est la voix des journalistes qui tient compagnie à celui ou à celle qui se trouve bloqué en voiture, dans les embouteillages.

Après une nuit de sommeil, la radio nous dit que la terre ne s'est pas arrêtée de tourner. Le début de la matinée, c'est l'heure des émissions courtes parce que les auditeurs sont pressés : la toilette, le petit déjeuner, le départ pour le travail. Mais de 9 heures à midi, les émissions sont plus longues et s'adressent à ceux qui ont du temps.

■ LE SOIR

Pendant le retour à la maison et la préparation du repas, la radio nous informe sur les événements de la journée. C'est le moment des débats politiques, mais aussi des émissions sur le cinéma, le théâtre…

■ LA NUIT

Après 21 heures, il y a moins d'auditeurs, mais ceux qui continuent à écouter sont très fidèles. Reportages, dialogues avec le public, récits policiers : la radio « écoute » et fait rêver.

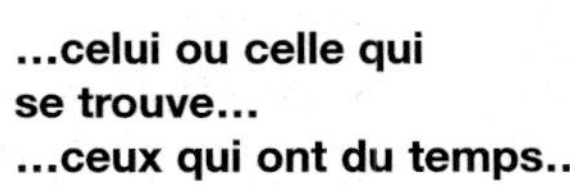

…celui ou celle qui se trouve…
…ceux qui ont du temps…

❸ Lisez le texte et répondez aux questions.

1. À qui s'adressent les émissions de 6 h 30 à 9 heures ?
2. À qui s'adressent les émissions de 9 heures à midi ?
3. À votre avis, pourquoi est-ce que le nombre d'auditeurs diminue après 21 heures ?
4. Quel type d'émissions peut-on écouter le matin ?
5. Quel type d'émissions peut-on écouter le soir ?
6. Quel type d'émissions peut-on écouter la nuit ?

❹ Repérez dans le texte :

1. le titre et les trois sous-titres ;
2. les expressions de temps dans chaque paragraphe.

Premier paragraphe : entre 6 h 30 et 9 heures, d'abord…

❺ Qu'est-ce qui va ensemble ?

1. Celui qui a écouté les émissions sportives
2. Celle qui a mis le radio réveil à 5 heures
3. Ceux qui s'intéressent aux débats
4. Ceux qui adorent la musique
5. Celui qui organise le voyage

a. a réveillé tout le monde.
b. connaît tous les résultats.
c. apprécient l'émission de 19 heures.
d. doit bien connaître la région.
e. écoutent les concerts du soir.

À VOUS ! ❻ Écoutez-vous la radio ? Faites la liste des émissions que vous écoutez pendant la journée en utilisant les expressions de temps que vous avez vues dans le texte. Parlez-en au groupe.

Un boulanger pas comme les autres

Bonjour, ravie de vous retrouver tous et toutes. Nous sommes ensemble jusqu'à midi comme tous les jours. Aujourd'hui, nous recevons des invités qui ont choisi de vivre de façon originale. Pour commencer, nous sommes heureux d'accueillir Robert Trautman qui arrive d'un petit village de Provence, où nous l'avons rencontré la semaine dernière.

LA JOURNALISTE : *Robert, vous avez cinquante ans, je crois.*

ROBERT : Oui, c'est ça.

LA JOURNALISTE : *Très tôt, vous avez appris le métier de boulanger grâce à votre père.*

ROBERT : En fait, je l'ai appris malgré lui. Je voulais être boulanger, mais mon père m'a poussé à faire des études.

LA JOURNALISTE : *Alors, vous avez appris comment ?*

ROBERT : Oh ! je me souviens... j'avais... trois ou quatre ans. Je passais des heures dans la boulangerie et j'observais tous les gestes de mon père.

LA JOURNALISTE : *Et plus tard, vous avez fait des études.*

ROBERT : Oui, j'ai quitté la maison à douze ans pour entrer dans un collège à Strasbourg où j'étais interne. Mais je rentrais dans ma famille aux vacances : je me levais à trois heures du matin pour faire le pain avec mon père. J'adorais ça.

LA JOURNALISTE : *Ensuite, on vous retrouve à Colmar où vous avez été comptable pendant quinze ans.*

ROBERT : Oui, quinze années où j'ai rêvé tous les jours de devenir boulanger...

LA JOURNALISTE : *Et après ?*

ROBERT : Eh bien, un jour, j'ai lu par hasard une annonce dans le journal. Une boulangerie était à vendre dans un petit village de Provence, une région dont je rêvais.

LA JOURNALISTE : *Vous avez donc répondu à cette annonce...*

ROBERT : Oui, j'ai téléphoné le jour même. Je venais de divorcer et j'avais envie d'aller ailleurs. Alors j'ai quitté Strasbourg et je suis venu m'installer en Provence.

LA JOURNALISTE : *Et vous avez créé ce lieu formidable.*

ROBERT : Au début, ça n'a pas été facile. Et puis la boulangerie s'est développée. J'ai eu envie de faire quelque chose de nouveau. J'ai aménagé le vieux moulin du village et j'ai créé le musée des Métiers du pain.

...quinze années où j'ai rêvé de...
...une région dont je rêvais.

7 Écoutez l'interview et racontez la vie de Robert en quelques dates.

1. À quatre ans, il ...
2. À douze ans, ...
3. Aux vacances scolaires, ...
4. Après son divorce, ...
5. Quand sa boulangerie s'est développée, ...
6. Ce matin, ...

8 Dites le pays, la ville, le métier, le modèle de voiture, la marque de parfum, etc. dont vous rêvez, dont vous avez envie.

Le Canada	est	le pays	dont je rêve
...		la ville	dont j'ai envie
...		le métier	...
...		le modèle de voiture	...
...		la marque de parfum	...

À VOUS ! **9 La journaliste a préparé l'émission avec Robert. Elle lui a posé des questions sur son enfance, sa vie professionnelle, etc. À deux, jouez la scène.**

VOCABULAIRE

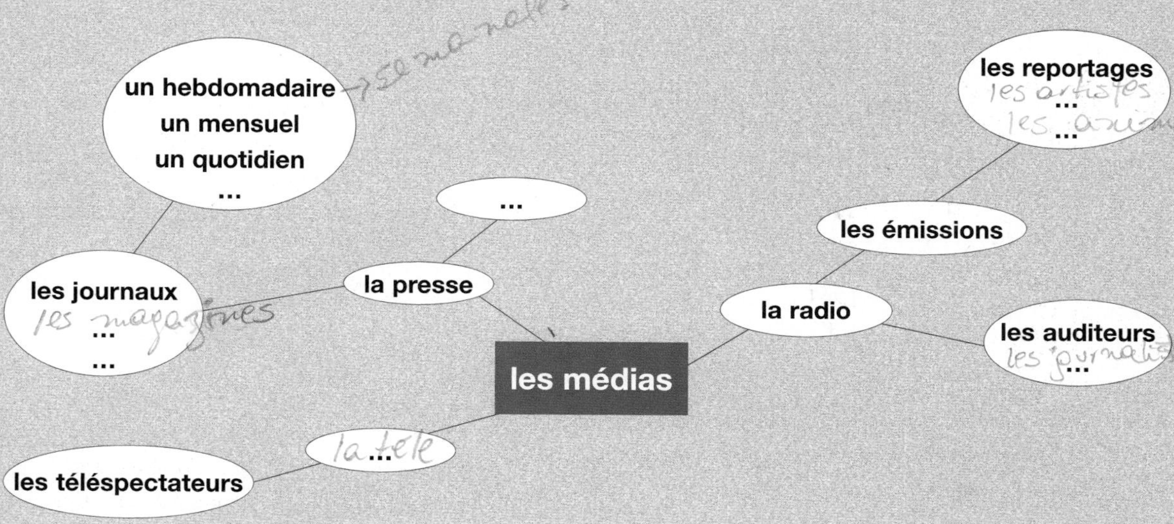

1 **À deux, complétez le réseau.**
Faites une liste des mots qui vous semblent utiles pour la presse et la télévision.
Comparez vos réseaux.

À VOUS ! **2** **À quels moments de la journée, utilisez-vous les médias ?**
Vous les utilisez pour vous informer ou pour vous distraire ?
Quels sont vos médias préférés ? Pourquoi ?

GRAMMAIRE

LE PRONOM RELATIF : OÙ, DONT

Robert arrive de Provence. Nous l'avons rencontré en Provence.
→ *Robert arrive de Provence **où** nous l'avons rencontré.*
On vous retrouve à Colmar. Vous avez été comptable à Colmar.
→ *On vous retrouve à Colmar **où** vous avez été comptable.*
- Le pronom relatif **où** remplace une expression de lieu.

Où peut aussi remplacer une expression de temps.
Je me suis marié à Colmar cette année-là. J'ai travaillé à Colmar cette année-là.
→ *Je me suis marié l'année **où** j'ai travaillé à Colmar.*

*Je suis parti dans une région. Je rêvais **de** cette région.*
→ *Je suis parti dans la région **dont** je rêvais.*
- Le pronom relatif **dont** remplace une expression précédée de la préposition **de**.

1 **Qu'est-ce qui va ensemble ?**

1. Strasbourg est la ville
2. La boulangerie de son père est le lieu
3. Colmar est la ville
4. La Provence est la région

a. où il a travaillé comme comptable.
b. où il s'est installé.
c. où il a appris le métier de boulanger.
d. où Robert a fait des études.

2 Complétez les réponses avec *où*, *dont*, *qui* ou *que*.

1. Qui est-ce ?

a. C'est le chanteur ... je t'ai parlé hier soir.
b. C'est le chanteur ... nous avons écouté aux Francofolies.
c. C'est le chanteur ... donne le concert de dimanche.

2. Qu'est-ce que c'est ?

a. C'est une photo de la ville ... j'habitais quand j'étais enfant.
b. C'est une photo de la ville ... je rêve depuis toujours.
c. C'est une photo de la ville ... je visiterai pendant mon voyage.

3. Qui est-ce ?

a. C'est le malade ... le médecin s'occupe.
b. C'est le malade ... vient chercher son médicament.
c. C'est le malade ... nous avons soigné la semaine dernière.

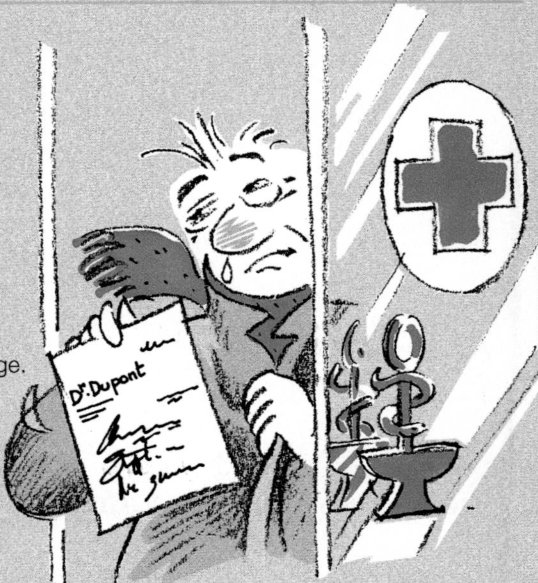

LE PRONOM DÉMONSTRATIF SUIVI D'UNE RELATIVE : CELUI QUI, CELUI QUE

	masculin	féminin
singulier	celui qui, celui que	celle qui, celle que
pluriel	ceux qui, ceux que	celles qui, celles que

– Je peux écouter un disque de jazz ?
*– Écoute **celui que** tu veux.*
– Il y a beaucoup de bonnes émissions ce soir à la télé.
*– Regardez **celles qui** vous plaisent.*

• Le pronom démonstratif désigne une personne ou un objet déterminé qui fait partie d'un groupe. On ne peut pas employer un pronom démonstratif seul ; il est souvent suivi d'une relative.

On remplace souvent **les gens qui/que** par **ceux qui/que**.
*Les émissions s'adressent à **ceux qui** ont du temps.*
De même, **celui qui/que** signifie **l'homme qui/que**, et **celle qui/que** signifie **la femme qui/que**.
*La voix des journalistes tient compagnie à **celui** ou **celle qui** est bloqué(e) dans les embouteillages.*

3 Complétez avec un pronom démonstratif suivi du pronom relatif qui convient.

– Bonjour. Qu'est-ce que tu deviens ? Tu travailles toujours avec Bernard ?
– Bernard ? Ah ! ... ... était journaliste à la télé. Non, maintenant je suis avec deux filles sympas. Et tu les connais !
– ... ... étaient avec nous à l'école de journalisme ?
– Non, ... nous avons rencontrées dans un stage à Radio France.
– C'était un stage intéressant. Est-ce que tu as revu les deux chanteurs, tu sais, ... étaient dans la chorale « Les voisins du dessus » ?
– Non, mais j'ai rencontré Catherine la semaine dernière.
– Catherine ? ... ... venait du Canada ?
– Mais non ! Catherine, la grande blonde, ... parlait avec l'accent de Toulouse !
– Est-ce que tes nouveaux collègues sont gentils ?
– ... ... je vois tous les jours sont charmants. ... ... travaillent le week-end sont bizarres. Mais ça va bien. Nous sommes tous jeunes et le travail est intéressant.

EXPRESSION

USINES LABORDE | TABLEAU D'AFFICHAGE | **USINES LABORDE**

Avis pour tous les employés

Fréquence région, 98.3 FM,

la radio à vos côtés

Votre radio régionale poursuit son enquête sur
la culture et la vie professionnelle.

Le prochain enregistrement public de l'émission
« NOUS SOMMES LA CULTURE »
aura lieu dans la salle polyvalente[1] de Saint-Martin
le mardi 4 avril à 17 heures 30.

Les invités de cette émission sont :

- **Henri Jacquart**, maire de Saint-Martin ;
- **Arlette Leroy**, présidente de l'association Culture et Loisirs ;
- **Bernard Voisin**, responsable des sorties et des fêtes organisées par le comité d'entreprise[2] des usines Laborde.

Toutes celles et tous ceux qui désirent assister à l'émission doivent s'inscrire auprès du comité d'entreprise des usines Laborde.
Les places sont gratuites.

Le public aura la possibilité de poser des questions et de réagir aux déclarations des invités.

♦ÉCRIT♦

1 Lisez l'affiche et repérez les éléments suivants :

1. qui écrit l'affiche ;
2. à qui s'adresse l'affiche ;
3. quelle est l'information principale (l'annonce) ;
4. quelles sont les informations secondaires ;
5. comment faire pour assister à l'enregistrement.

2 Un groupe francophone va donner un concert dans votre ville et c'est vous qui devez informer les étudiants de votre école de langue. À deux, faites le plan du message et rédigez-le pour le tableau d'affichage.

♦ORAL♦

3 Deux personnes des usines Laborde se rencontrent à la cantine : l'une parle à l'autre de l'affiche annonçant l'émission radio. Elle l'invite à venir avec lui/elle à l'enregistrement. L'autre lui pose des questions sur ce qu'il y a dans l'affiche.

---

1 Une salle polyvalente : salle pour plusieurs utilisations, par exemple pour faire du sport, du théâtre, donner des concerts.

2 Un comité d'entreprise : groupe de personnes choisies par les gens qui travaillent dans l'entreprise pour s'occuper des problèmes entre le patron et les employés, mais aussi des vacances, des loisirs, etc.

Baisers volés (3)

LA DISPUTE

Antoine a changé de travail. Il est maintenant détective et il enquête sur des vols dans une boutique de chaussures. Il ne s'intéresse pas beaucoup au voleur, mais plutôt à la charmante Mme Tabard, la femme du patron.

De son côté, Christine sort avec un collègue. Antoine le sait. Malgré cela, ils continuent à se voir de temps en temps. Cette fois-ci, c'est Christine qui va trouver Antoine au magasin.

EXTRAIT A

ANTOINE : *(Énervé.)* Mais qu'est-ce que vous avez dans la tête à venir me relancer comme ça, en plein après-midi, au magasin…

CHRISTINE : Ben, vous ne donnez pas signe de vie, vous n'êtes jamais chez vous… mes parents se demandaient ce que vous deveniez.

ANTOINE : *(Toujours aussi nerveux.)* Eh bien, écoutez, vous leur direz que je vais… je vais très bien et vous leur transmettrez mes salutations.

CHRISTINE : Ce que vous vous pouvez être désagréable sans raison.

ANTOINE : Oui, comme ça… oui, sans raison… sans raison… oui… sans raison.

CHRISTINE : Mais si je vous ai fait quelque chose, vous n'avez qu'à me le dire.

ANTOINE : Oui, rien du tout… non, rien du tout… rien du tout, rien du tout !

CHRISTINE : Je croyais que j'étais votre amie.

ANTOINE : Oh… écoutez, votre amitié, gardez-la… mettez-la de côté… ou bien distribuez-la… mais moi…

Écoutez

1 Extrait A. Répondez aux questions.

1. Pourquoi Christine est-elle allée voir Antoine ?

2. Selon vous, est-ce que ce sont vraiment ses parents qui veulent avoir des nouvelles d'Antoine ?

3. Christine dit qu'Antoine est *désagréable, sans raison*. Que signifie la réponse d'Antoine : *Oui, comme ça… sans raison* ?

4. Que veut dire : *Votre amitié, gardez-la* ?

a. votre amitié m'est chère ;

b. je ne veux pas de votre amitié ;

c. je tiens à votre amitié.

2 Extrait B. Répondez aux questions.

1. Comment sont les relations entre Antoine et Christine ?

2. Qu'est-ce que Christine reproche à Antoine ?

3. Qu'est-ce qu'Antoine dit à Christine pour justifier qu'il ne l'aime pas ?

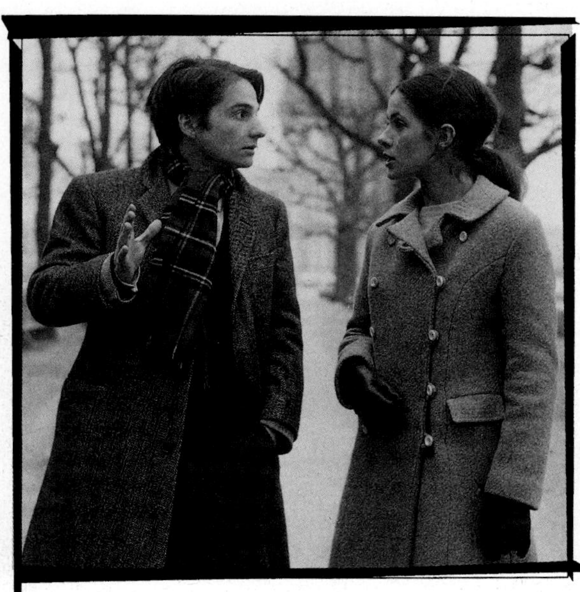

EXTRAIT B

La discussion se poursuit dehors. Le ton monte…

CHRISTINE : Bon, alors, on se retrouve au même point que l'année dernière.

ANTOINE : Non, justement, pas au même point… bien loin en arrière et… à qui la faute ?

CHRISTINE : Sûrement pas à moi. Je ne peux pas me souvenir de toutes vos lettres, mais une fois vous m'avez écrit : « Maintenant je sais que je suis capable d'avoir pour vous…
seulement de l'amitié. » Enfin, quelque chose comme ça. Dites-le que vous ne m'avez pas écrit ça !

ANTOINE : Eh bien oui… oui, oui… Je le pensais à ce moment-là, mais vous savez l'amour et l'amitié, ça marche avec l'admiration. Et bien moi, je ne vous admire pas… Et, même quand je croyais vous aimer, je ne vous admirais pas… c'est vrai.

CHRISTINE : *(Vexée.)* Bon, ben, alors… au revoir.

Observez et répétez

▶ Refuser avec irritation

3 **Écoutez et dites si les phrases expriment la colère ou un conseil.**

1. Écoutez, votre amitié, gardez-la.
2. Écoutez, votre argent, gardez-le.
3. Écoute, son cadeau, garde-le.
4. Écoute, tes larmes, garde-les.

4 **1. Associez ces répliques à celles de l'exercice précédent.**

a. Je voulais participer aux frais de la cérémonie…
b. Je regrette beaucoup, je voudrais m'excuser…
c. Je croyais que j'étais votre amie.
d. Regarde la montre que Gérard m'a offerte : celle que j'ai est pareille ! Tu la veux ?

2. Jouez la scène à deux. Attention à l'intonation !

5 **Vous refusez ce qu'on vous propose. Dites-le poliment puis avec irritation.**

1. Vous avez gagné un séjour aux Antilles, mais les frais de voyage sont le double du prix habituel.
2. On vous propose d'acheter une maison à un prix avantageux, mais elle est en très mauvais état.

Exprimez-vous

À VOUS ! **6** **Antoine lit une annonce : *On recherche dépanneur poste télé…* Il se présente au responsable de cette société de dépannage. À la fin de l'entretien, on lui propose des conditions inacceptables. Antoine refuse. Imaginez leur conversation.**

Expériences de travail d'Antoine : un an à l'armée, veilleur de nuit, détective.

À VOUS ! **7** **Un magazine féminin interviewe Christine : elle parle de sa vie, d'Antoine, de son travail. Imaginez les questions du journaliste et les réponses de Christine.**

Âge de Christine : 20 ans.
Profession de son père : garagiste.
Son histoire sentimentale : ses disputes avec Antoine.
Sa profession : …
Ses projets : …

UNITÉ 4

Thème
- l'invitation chez soi, la fête d'anniversaire

Savoir-faire
- inviter un ami
- accepter une invitation
- demander de l'aide
- accepter, refuser d'aider
- comprendre un texte informatif

Vocabulaire
- des mots dérivés
- des expressions pour inviter, accepter et refuser une invitation

Grammaire
- le conditionnel présent
- l'interrogation indirecte : la concordance des temps
- le pronom relatif composé : *à qui, auquel*

Fêtes

L'invitation

PHILIPPE : Allô ! Jacques, c'est Philippe.
JACQUES : Salut, ça va ?
PHILIPPE : Ça va bien. Je te dérange ?
JACQUES : Non, pas du tout. Aujourd'hui, c'est une journée calme.
PHILIPPE : Écoute, vendredi, c'est l'anniversaire de Régine. J'aimerais organiser une petite fête. Tu es libre, j'espère ?
JACQUES : Oui. Pour vendredi soir, je n'ai rien de prévu.
PHILIPPE : C'est parfait. Est-ce que tu pourrais m'aider ? Je voudrais préparer un buffet pour une douzaine de personnes, sans rien dire à Régine. Vous arriverez vers sept heures et quand elle rentrera, elle nous trouvera tous à la maison. Une amie, à qui j'ai déjà parlé, la retient jusqu'à sept heures, le temps de tout organiser.
JACQUES : C'est bien, tout ça. Mais ne compte pas sur moi pour préparer un dîner gastronomique !
PHILIPPE : Mais non. Mais non ! Ce n'est pas du tout le repas que j'ai prévu. Je vais commander des plats chez un traiteur. Tu vas m'aider à mettre la table. Bon, je te laisse.
JACQUES : Attends, attends. Qu'est-ce que j'offre à Régine comme cadeau d'anniversaire ? Qu'est-ce qui pourrait lui faire plaisir ?
PHILIPPE : Oh, je ne sais pas. Tu as toujours plein d'idées, toi.

J'aimerais organiser une petite fête... Est-ce que tu pourrais m'aider ?

1 Écoutez le dialogue et répondez aux questions.

1. Est-ce que Jacques a beaucoup de travail aujourd'hui ?
2. Quel est le jour de l'anniversaire de Régine ?
3. Qu'est-ce que Philippe pense organiser pour l'anniversaire de Régine ?
4. Qu'est-ce que Philippe demande à Jacques ?
5. Est-ce que Jacques prépare le repas ?

2 Dites si les phrases suivantes expriment un souhait, un ordre ou une demande polie.

1. J'aimerais inviter des amis.
2. Est-ce que tu pourrais me téléphoner ce soir ?
3. Je voudrais organiser une fête.
4. Est-ce que je pourrais changer la date de mon rendez-vous ?

3 1. Repérez dans le dialogue :

a. l'invitation de Philippe ;
b. sa demande d'aide ;
c. les précisions qu'il donne dans sa demande ;
d. les réactions de Jacques.

À VOUS ! **2. À deux, jouez la scène entre Philippe et Jacques.**

2 *Une surprise réussie*

LA SECRÉTAIRE : Tiens, Régine, il y a un fax pour toi.
RÉGINE : Ah ! Merci !

À l'attention de Madame Régine Perrier
Régine,
Je rentrerai tard ce soir. Le directeur veut me parler. Je ne sais pas pourquoi. Je lui ai demandé si on pouvait se voir demain, ce qu'il y avait de si important. Il n'a pas voulu me répondre. Je te raconterai tout ça.
Je suis désolé, je t'embrasse.
Philippe

RÉGINE : Tiens ! Il a oublié mon anniversaire.
Quelques heures après, chez Régine et Philippe.
EN CHŒUR : *(Ils chantent.)* Joyeux anniversaire, Régine !
RÉGINE : Pour une surprise, c'est une surprise ! Merci, mon chéri, c'est merveilleux.

4 Écoutez le dialogue. Vrai ou faux ?

1. Régine envoie un fax à Philippe.
2. Philippe annonce à Régine qu'il rentrera tard.
3. Philippe dit la vérité à Régine.
4. Régine pense que Philippe a oublié son anniversaire.

5 Complétez à l'aide des éléments suivants : ***comment – à qui – si – ce que.***

Pendant toute la journée, Philippe s'est demandé :
1. … il pouvait offrir à Régine pour son anniversaire ;
2. … il pouvait empêcher Régine de rentrer trop tôt ;
3. … il pouvait demander de l'aide ;
4. … les plats commandés chez le traiteur étaient suffisants.

Je lui ai demandé si on pouvait se voir demain, ce qu'il y avait de si important.

6 Repérez dans le fax :

1. ce que Philippe annonce à sa femme ;
2. l'explication qu'il lui donne ;
3 les questions qu'il a posées à son directeur ;
4. ses excuses.

3 *Anniversaire et tradition*

La tradition de fêter l'anniversaire n'est pas très ancienne. Au XIXe siècle, dans la plupart des familles, on ne célébrait pas l'anniversaire mais la fête du saint. Au début du XXe siècle, les anniversaires sont devenues des fêtes familiales. Les amis n'y participent pas.

Aujourd'hui, pour fêter son anniversaire, on invite souvent des personnes à qui on veut montrer son amitié. En général, pour nous remercier de notre invitation, elles nous font un petit cadeau qui ne nous plaît pas toujours, mais l'essentiel est de passer une bonne soirée ensemble. Pour la fête d'anniversaire, il n'y a pas de repas typique, seuls le gâteau et les bougies sont indispensables.

On ne fête pas seulement l'anniversaire de sa naissance, on fête aussi les anniversaires plus ou moins importants de sa vie privée ou professionnelle. Par exemple, pour les cent ans de son magasin, un patron organise un grand buffet auquel il convie tous ses clients. Plus modestement, un employé qui a travaillé pendant dix ans dans la même entreprise fête ses dix ans de maison : il organise un pot auquel il invite ses collègues. Tous les motifs sont bons : un an de conduite sans accident ou vingt-cinq ans de mariage !

Enfin, quand on a envie de voir ses amis, on fait une « petite bouffe » à laquelle on les invite pour être ensemble, tout simplement.

7 Lisez le texte et répondez aux questions.

1. Est-ce qu'on a toujours invité des amis pour son anniversaire ?
2. Quels sont les anniversaires qu'on fête ?
3. Qu'est-ce qu'on fait pour fêter l'anniversaire de sa naissance ?
4. Qu'est-ce qu'on fait quand on a envie de voir ses amis ?

...des personnes à qui on veut montrer son amitié.
...un grand buffet auquel il convie tous ses clients.
...une petite bouffe à laquelle on les invite...

8 Qu'est-ce qui va ensemble ?

Je vais te parler :
1. de la personne
2. de la soirée
3. des artistes
4. du concert
5. du projet

a. à qui on va me présenter.
b. à qui je pense.
c. à laquelle on m'invite.
d. auquel je travaille.
e. auquel je vais assister.

9 Lisez le texte et repérez :

1. dans le paragraphe 2, les informations sur la manière de fêter l'anniversaire de sa naissance ;
2. dans le paragraphe 3, les deux exemples de fête d'anniversaire ;
3. dans l'ensemble du texte, les indications de temps.

À VOUS ! **10 À deux, racontez une fête d'anniversaire réussie. Écrivez chacun le récit d'un anniversaire, lisez vos textes, comparez-les, choisissez le plus amusant et complétez-le ensemble.**

VOCABULAIRE

Les invitations

l'invitation privée | **l'invitation officielle**

Vous donnez une fête et vous invitez :

un ami, un collègue	*votre patron, votre directeur*
• On se fait une petite bouffe sympa entre copains vendredi. Est-ce qu'on peut compter sur toi ?	• Nous aimerions vous inviter à dîner avec votre épouse.
• Tu es libre vendredi soir ?	• J'espère que vous pourrez venir.
• Est-ce que tu peux venir ?	• J'espère que vous viendrez à cette soirée.
• Qu'est-ce que tu fais vendredi soir ?	• Venez donc dîner à la maison vendredi soir.
• Je t'invite à dîner.	
• Viens dîner à la maison.	

Il accepte, il refuse.

• D'accord, merci.	• J'accepte avec plaisir.
• Je viens à quelle heure ?	• Malheureusement, vendredi…
• Je ne sais pas. Je vais demander à…	• Je regrette, mais…
• Vendredi, je ne peux pas.	• Désolé, mais…

Pendant la soirée…

• Qu'est-ce que tu bois ?	• Que puis-je vous offrir ?
• Tu veux boire quelque chose ?	• Qu'est-ce que je peux vous offrir ?
	• Est-ce que je peux vous servir quelque chose ?

À VOUS !

1 À deux, préparez deux dialogues. Dans le premier, vous invitez un ami à votre anniversaire. Dans le second, vous invitez votre directeur. Jouez les deux scènes en inversant les rôles.

2 Complétez les couples verbes-noms.

Inviter ➜ invitation. Divorce ➜ divorcer.

1. Informer. **2.** Demande. **3.** Salut/salutation.
4. Organisation. **5.** Préparer. **6.** Travailler. **7.** Circuler.
8. Augmentation. **9.** Fête. **10.** Voyage. **11.** Refus.
12. Aider. **13.** Essayer. **14.** Réveiller. **15.** Jeu.
16. Diminution. **17.** Rencontre. **18.** Célébration.

GRAMMAIRE

CONJUGAISON : LE CONDITIONNEL PRÉSENT

infinitif	**indicatif futur**	**conditionnel présent**
aimer	j'**aimer**ai	j'aimer**ais**
être	tu **ser**as	tu ser**ais**
aller	il **ir**a	il/elle ir**ait**
venir	nous **viendr**ons	nous viendr**ions**
faire	vous **fer**ez	vous fer**iez**
vouloir	ils **voudr**ont	ils/elles voudr**aient**

• Pour former le conditionnel présent, on part du radical du futur et on ajoute les terminaisons de l'imparfait (-ais, -ais, -ait, -ions, -iez, -aient). Il n'y a pas d'exceptions.

• On emploie le conditionnel présent pour :
– faire une demande polie ;
*Tu **pourrais** m'aider ?*
– exprimer un souhait ;
*J'**aimerais** voyager.*
– exprimer une éventualité.
*Un foulard, ça lui **ferait** plaisir ?*

❶ Formulez des souhaits comme dans l'exemple.

J'ai envie de téléphoner à ma sœur.
➜ Je téléphonerais bien à ma sœur.

1. Elle a envie de se marier cet été.
2. Son fiancé a envie d'habiter à la campagne.
3. Pour le mariage, ils ont envie d'inviter tous leurs amis.
4. Nous avons envie de leur faire une surprise.
5. Mes parents ont envie de leur offrir une voiture.
6. Moi aussi, j'ai envie d'avoir une voiture, mais je ne me marierais pas pour ça !

L'INTERROGATION INDIRECTE (2) : LA CONCORDANCE DES TEMPS

ce qu'il dit	ce qui est rapporté
• **au présent :** Antoine se demande : « Est-ce que Christine m'aime encore ? » « Est-ce que Christine reviendra ? »	• **au présent** ➜ Antoine **se demande** si Christine l'**aime** encore. ➜ Antoine **se demande** si Christine **reviendra**.
• **au passé :** il se demandait/s'est demandé : « Est-ce que Christine m'aime encore ? » « Est-ce que Christine reviendra ? »	• **au passé** ➜ Antoine **se demandait/s'est demandé** si Christine l'**aimait** encore. ➜ Antoine **se demandait/s'est demandé** si Christine **reviendrait**.

• Le temps de la subordonnée interrogative indirecte dépend de celui du verbe principal.

On emploie le conditionnel pour exprimer le futur dans le passé.

❷ Transformez le discours direct en discours indirect.

Christine a annoncé : « Je ne sais pas encore quand je partirai, mais je partirai. »
➜ Christine a annoncé qu'elle ne savait pas encore quand elle partirait mais qu'elle partirait.

1. Tout le monde lui a dit : « C'est une drôle d'idée de partir seule dans le Grand Nord. »
2. Elle a répondu sèchement : « Je sais très bien ce que je dois faire ; je vais suivre les conseils des scientifiques. »
3. Ils lui ont affirmé : « Il faut préparer votre voyage. Nous vous aiderons avec plaisir. »
4. Elle a répondu : « Grâce à vous, je suis sûre que je serai prête bientôt. »

LE PRONOM RELATIF COMPOSÉ : À QUI, AUQUEL, POUR QUI, POUR LEQUEL, AVEC QUI

Les amis sont d'accord. J'ai écrit à ces amis.
*➜ Les amis **à qui** j'ai écrit sont d'accord.*
*➜ Les amis **auxquels** j'ai écrit sont d'accord.*
• **À, pour, avec, par, sur… + qui** sont réservés aux **personnes**.

*J'ai un cours **auquel** je dois assister.*
*C'est une amie **pour qui/pour laquelle** j'ai beaucoup d'estime.*
• **Pour, avec, en, sur…. + lequel, laquelle, lesquels, lesquelles** s'emploient pour les **objets** et les **idées** et sont possibles aussi pour les **personnes**.

J'ai un cours. Je dois assister à ce cours.
*➜ J'ai un cours **auquel** je dois assister.*
Les lettres venaient de France. J'ai répondu à ces lettres.
*➜ Les lettres **auxquelles** j'ai répondu venaient de France.*
• À + lequel = **auquel, à laquelle, auxquels, auxquelles**

❸ Complétez avec les formes adaptées.

1. Je connais des gens sur … je peux compter.
2. Nous avons une voiture confortable dans … on peut voyager à cinq.
3. Tous les amis à … j'ai téléphoné ont refusé de m'aider.
4. C'est un événement … je ne pense plus.
5. Tu ne t'intéresses plus aux choses … tu t'intéressais avant.
6. L'instrument de musique avec … il joue appartient à son père.
7. Les cartes postales sur … je t'ai écrit sont très anciennes.
8. La région dans … ils habitent est très froide.

EXPRESSION

TABLEAU D'AFFICHAGE
POUR LES ÉTUDIANTS

ÉCOLE HÔTELIÈRE[1]

Particulier[2] recherche deux extras[3] pour aider à organiser une fête d'anniversaire.
Ils devront confectionner un buffet pour une trentaine de personnes, servir les boissons et débarrasse[4] après le départ des invités.
La soirée aura lieu le vendredi 28 janvier à Versailles.

Si vous êtes intéressé(e), téléphonez après 20 heures à Mme Sophie Mallard 01 39 42 42 74

♦ÉCRIT♦

❶ Répondez aux questions.

1. Qui a écrit ce message ?
2. À qui s'adresse-t-il ?

❷ Repérez dans le texte :

1. l'information principale (ce que cherche Sophie) ;
2. le développement de l'information principale ;
3. la date ;
4. ce qu'il faut faire pour répondre au message.

❸ À deux, rédigez une annonce pour un(e) ami(e) qui cherche un(e) étudiant(e) pour garder ses enfants.

1. Information principale.
   Garder deux enfants.
2. Développement de l'information.
   S'occuper d'un bébé de 13 mois.
   Aider un enfant de 7 ans à faire ses devoirs.
3. Dates.
   3 jours par semaine, de 17 à 20 heures.
4. Ce qu'il faut faire.
   Téléphoner le matin au 02 42 48 49 65.

❹ Il faut refaire les peintures de votre appartement, mais vous n'en avez pas le temps. À deux, rédigez une annonce pour chercher deux étudiants qui devront repeindre votre logement. N'oubliez pas de donner une courte description de l'appartement.

♦ORAL♦

❺ Votre ami Riccardo vous a demandé d'organiser un anniversaire surprise pour son frère. Il aimerait faire une fête mexicaine et inviter une trentaine d'amis.

Vous devez chercher quelqu'un pour décorer la salle, quelqu'un pour animer la soirée et quelqu'un pour faire le repas. Vous vous occuperez de lancer les invitations.
Vous appelez trois amis pour :
– leur expliquer ce que veut Riccardo ;
– les inviter à la fête ;
– leur dire ce dont vous vous occuperez ;
– leur demander de l'aide.

[1] Une école hôtelière : école où on apprend un métier pour travailler plus tard dans un hôtel ou un restaurant.
[2] Un particulier : personne privée (et non pas une entreprise).
[3] Un extra : personne qui aide à préparer la cuisine et à servir les plats et les boissons.
[4] Débarrasser (la table) ≠ mettre la table. Avant de manger, on met la table ; après manger, on (la) débarrasse.

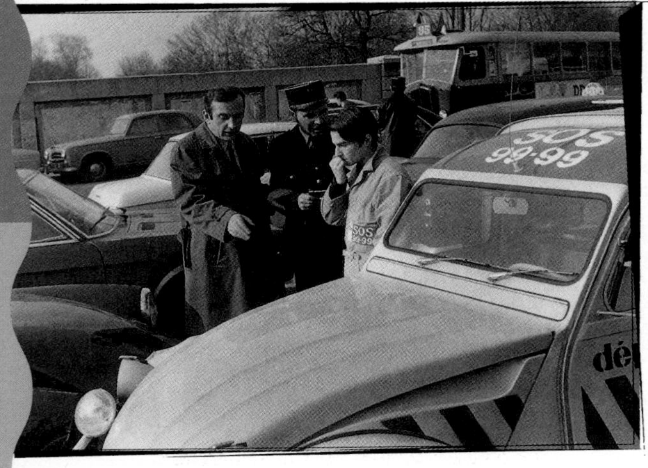

Baisers volés (4)

L'AMOUR... TOUJOURS !

Antoine et Christine se voient rarement. Antoine a quitté l'agence de détectives et il a encore changé de travail... Mais de quoi s'occupe-t-il maintenant ?

EXTRAIT A

M. DARBON : Qu'est-ce que c'est que ce con[1] ? Le frein !... Serrez le frein ! *(Il reconnaît Antoine.)* Ah !... c'est vous, Antoine ! Ben... bonjour !

ANTOINE : Bonjour !

M. DARBON : Qu'est-ce que vous faites ? Justement on se demandait ce que vous étiez devenu.

ANTOINE : Ben... j'travaille à SOS, je suis devenu dépanneur de télévision.

M. DARBON : Ah très bien !

Un agent s'approche d'eux pour constater l'accident.

L'AGENT : Qu'est-ce que c'est que ça ?... Vos papiers, s'il vous plaît... euh...

M. DARBON : Oh ! non... non, non, non... je... je suis responsable.

L'AGENT : Vous prenez la responsabilité ?

M. DARBON : Oui, je prends tous les torts pour moi... Merci ! *(Il s'adresse à Antoine.)* J'aurais bien aimé vous retrouver dans d'autres circonstances... mais enfin, c'est pas dramatique !

1. Un con : imbécile.

EXTRAIT B

Un vendredi soir, chez les Darbon.

M. DARBON : Alors, vraiment, tu ne veux pas venir avec nous ?... Ça t'aurait fait du bien !

CHRISTINE : Non... j'ai du travail, tu sais.

M. DARBON : Oh !... là, là... Tu es trop sérieuse !

MME DARBON : Enfin, si tu t'ennuies, tu n'as qu'à appeler Lucienne, hein ?... Au revoir, ma chérie !

CHRISTINE : Oui, mais je suis pas seule... Il y a la télé... Au revoir. [...]

Écoutez

1 Extrait A. Répondez aux questions.

1. Qui sont les personnages ?
2. Où se trouvent-ils ?
3. Pourquoi se rencontrent-ils ?
4. Quel est le nouveau métier d'Antoine ?

2 Extrait B. Choisissez la bonne réponse.

1. a. M. et Mme Darbon sont invités pour la soirée.
   b. Ils invitent Christine à partir en week-end.
2. a. Christine finit par accepter.
   b. Elle refuse.
3. a. Christine regarde la télé avec Antoine.
   b. Elle trouve un prétexte pour inviter Antoine.

EXTRAIT B (suite) 

Restée seule, Christine se lève, passe devant le téléviseur allumé et file vers le téléphone.

CHRISTINE : Allô... SOS 99 99 ?... Est-ce que vous pouvez venir tout de suite 44, avenue Édouard-Vaillant, s'il vous plaît ? La télévision ne marche pas du tout. Je vous remercie.

Christine raccroche, va vers le téléviseur et tire sur les fils : l'image disparaît de l'écran ! Une demi-heure plus tard, le dépanneur arrive. C'est Antoine. Tombera-t-il dans le piège et... dans les bras de Christine ?

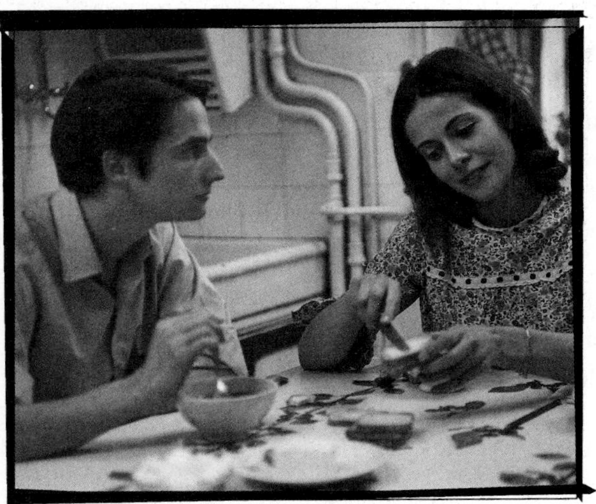

Le lendemain, au petit déjeuner...

CHRISTINE : Je vais t'apprendre quelque chose dont tu te souviendras toujours. Comment beurrer une biscotte sans la casser. Tu vois : tu prends deux biscottes, tu les mets l'une sur l'autre, comme ça et puis tu étales ton beurre...

Ils sourient. Antoine prend la main de Christine et fait semblant de lui mettre une alliance...

FIN

Observez et répétez

▶ Manifester sa surprise avec irritation

❸ Écoutez et repérez les répliques qui expriment une réaction violente de surprise.

1. Qu'est-ce que c'est que cet imbécile !
2. Qu'est-ce que c'est que cette histoire !
3. Qu'est-ce que c'est que ce cadeau ?
4. Qu'est-ce que c'est que ça !

❹ Vous êtes surpris et irrité. Vous réagissez devant :

1. une lettre de votre avocat, pleine de fautes ;
2. un bruit très fort qui vient de l'appartement voisin ;
3. le désordre de votre appartement, un soir quand vous rentrez.

▶ Inviter et insister, refuser et justifier

❺ Écoutez et répétez avec la bonne intonation.

1. – Alors, vraiment tu ne veux pas sortir avec nous ? Ça te ferait du bien !
– Non... j'ai un rendez-vous, tu sais.

2. – Alors, vraiment tu ne veux pas déjeuner avec nous ? Ça te ferait du bien !
– Non... j'ai un cours de français, tu sais.

❻ Vous invitez quelqu'un, mais il refuse. Vous insistez, mais il justifie son refus. Jouez la scène.

1. Vous invitez votre meilleur ami au restaurant. Il a un rendez-vous de travail.
2. Vous invitez votre nièce à voir l'exposition Picasso. Elle passe son bac dans dix jours.

Exprimez-vous

À VOUS ! **❼ Christine téléphone à son amie Lucienne pour l'inviter à déjeuner. Lucienne accepte. Christine lui demande de faire un gâteau, mais Lucienne refuse et se justifie. Imaginez la conversation.**

– Allô, Lucienne ? C'est Christine...

À VOUS ! **❽ Lucienne a rencontré Antoine : il est amoureux fou de Christine et il veut lui offrir une bague. Lucienne écrit à Christine pour lui raconter.**

Chère Christine,
Hier, j'ai vu Antoine. Il m'a dit que... Tu sais ce qu'il...

À SAINT-MALO

DOC 1

Les amis du littoral français
58, avenue Jean-Bleuzen
75014 Paris

Madame, Monsieur,

Pour leur rencontre annuelle, Les amis du littoral français vous proposent de découvrir ou de revoir la Côte d'Émeraude pendant le troisième week-end du mois de mai…

L'année dernière, nous avons visité la côte landaise. Cette année, pour plusieurs raisons, nous avons choisi la Côte d'Émeraude, et, en particulier, Saint-Malo.

D'abord, comme vous le savez, nous devons rencontrer une délégation canadienne qui souhaite créer une Association des amis du littoral au Canada. (Ceci nous donnera aussi l'occasion de fêter le Malouin Jacques Cartier qui a découvert le Canada !) Ensuite, Saint-Malo est à moins de quatre heures de voiture de Paris où se trouvent la plupart de nos adhérents. Enfin, la Côte d'Émeraude est particulièrement intéressante parce qu'elle présente de nombreux exemples de protection du littoral, sujet qui nous touche de près :
– défense des bords de mer avec reconstitution, dans la région, de l'ancien environnement végétal et marin ;
– exploitation de toutes les ressources de la mer avec la pêche, l'élevage des huîtres, les cures de thalassothérapie ou encore la production d'électricité grâce à la puissance des marées (industrie non polluante) ;
– développement du commerce maritime : port de commerce, port de voyageurs et port de plaisance ;
– développement des ressources touristiques : hôtels, restaurants, campings pour accueillir les visiteurs ;
– ressources culturelles : le patrimoine de cette région est particulièrement riche : vieilles villes, forts et châteaux, musées, architecture 1900…

Les buts de notre association sont d'encourager le tourisme et les activités locales dans le respect de l'environnement. Nous pensons que nous trouverons sur la Côte d'Émeraude de nombreux exemples positifs qui devraient servir de modèle à d'autres régions, mais aussi des exemples négatifs qui permettront de ne pas répéter, ailleurs, les mêmes erreurs.

Mis à part vos préoccupations de défenseurs du littoral, nous espérons que la région vous plaira également sur un plan plus personnel : Saint-Malo est une ville qui fait rêver de voyages et d'aventures. On peut y visiter des nombreux musées ou tout simplement se promener dans la vieille ville historique, sans oublier les joies de la gastronomie.

Nous joignons à cette lettre un bulletin d'inscription avec le programme des manifestations. Nous vous demandons de bien vouloir le retourner à l'Association des amis du littoral français le 15 avril au plus tard.

Nos réunions annuelles sont avant tout des occasions de nous retrouver pour le plaisir et nous espérons que vous serez nombreux à participer à ce week-end au programme exceptionnel.

Le président
Hervé Cassard
H Cassard

Renseignements pratiques :

- Si vous venez en voiture, prenez l'autoroute A11/A81 jusqu'à Rennes, puis la voie express directe jusqu'à Saint-Malo.
- Si vous prenez le train : TGV jusqu'à Rennes. Train Express Régional jusqu'à Saint-Malo.
- Aéroports : Rennes et Dinard. Une navette viendra vous chercher à l'aéroport et vous conduira à Saint-Malo.

Pièces jointes : Bulletin d'inscription
Informations sur la Côte d'Émeraude, Saint-Malo et sa région

DOC 2

BULLETIN D'INSCRIPTION À RETOURNER AVANT LE 15 AVRIL À :

Les amis du littoral français
58, avenue Jean-Bleuzen
75014 Paris

La Côte d'Émeraude du vendredi 14 au lundi 17 mai

Pour notre réunion annuelle, nous avons choisi de nous retrouver pendant un week-end dans la région de Saint-Malo. Comme tous les ans, nous vous proposons un programme qui nous permettra à la fois de nous rencontrer dans un cadre agréable et de découvrir ensemble une partie intéressante du littoral : la Côte d'Émeraude.

Nous avons besoin de votre aide pour organiser cette rencontre dans les meilleures conditions et nous vous prions de nous retourner ce questionnaire avant le 15 avril.

N° d'adhérent : ....

Nom : .... Prénom : ....

Adresse : ....

Ville : ....

Veuillez cocher les cases correspondant à votre situation.

J'assisterai à la réunion annuelle	OUI ❑	NON ❑	
Arrivée	le 14 ❑	le 15 ❑	le 16 ❑
Départ	le 15 ❑	le 16 ❑	le 17 ❑
Hébergement	chambre individuelle ❑ *(43 €)*		chambre double ❑ *(30,55 €) par personne)*

Je participerai aux activités suivantes :

- **Le 14 mai** à 20 heures, dîner d'ouverture au restaurant le Cap Horn — OUI ❑ NON ❑
- **Le 15 mai**

À 10 heures, rendez-vous place Chateaubriand pour une visite guidée de Saint-Malo — OUI ❑ NON ❑
À 13 heures, déjeuner dans une crêperie — OUI ❑ NON ❑
De 15 à 18 heures, promenade en mer sur le *Renard* (dernier bateau du célèbre Surcouf) — OUI ❑ NON ❑
À 19 heures, apéritif à la Maison du Québec avec la délégation canadienne — OUI ❑ NON ❑
À 20 heures, dîner débat dans les salons de l'hôtel Chateaubriand (invité d'honneur : Julien Cagnault, auteur de *Sauvons la mer*) — OUI ❑ NON ❑

- **Le 16 mai**

Rendez-vous à 9 heures sur le port pour une excursion en car :
Découverte de la côte d'Émeraude ou comment faire aimer et respecter la côte avec pique-nique vers 13 heures au cap Fréhel. — OUI ❑ NON ❑
Dans l'après-midi, visite du musée de l'Huître ou visite guidée du Mont-Saint-Michel. — OUI ❑ NON ❑
Dîner à Cancale dans un restaurant panoramique avec vue sur la baie du Mont-Saint-Michel. — OUI ❑ NON ❑

DOC 3

DÉCOUVRIR SAINT-MALO

On devrait commencer la visite de la vieille ville de Saint-Malo par un tour des remparts. On peut ainsi découvrir en une heure à peu près les magnifiques constructions anciennes, le port, les fortifications (les plus vieilles sont du XIIe siècle) et surtout la baie, l'une des plus belles du monde. Par beau temps, on voit se dessiner toute la côte, de Dinard au cap Fréhel. Deux statues, celle de Jacques Cartier (qui a découvert le Canada en 1534) et celle de Surcouf, le célèbre corsaire, résument l'histoire de Saint-Malo.

la statue de Surcouf

Repérages

Stratégies de lecture

▶ **1.** Avant de commencer à lire, observez les deux pages et dites quels types de textes vous reconnaissez.

▶ **2.** Lisez rapidement les trois textes. Allez jusqu'au bout, sans vous arrêter, même si vous ne comprenez pas quelque chose. Quel est le thème commun aux trois textes ?

▶ **3.** À deux, dites ce que vous avez compris. Qu'est-ce qui vous a aidé(e)s à comprendre ?
Le titre, l'introduction, la conclusion, la forme des textes, les mots que vous connaissez, la photo...

▶ **4.** Relisez les textes, ensuite répondez à deux. Est-ce que ces textes vous donnent envie :
- de lire d'autres articles sur les côtes françaises ;
- de vous inscrire dans une association de défense de la nature ;
- de visiter Saint-Malo ;
- de rechercher une association du même type dans votre pays ?

Répondez et justifiez vos réponses. Comparez-les ensuite avec celles des autres étudiants.

TOP CHRONO !

Quel est le premier de votre groupe qui trouvera, dans les textes, les réponses à ces questions ?

◆ **1.** Où peut-on contacter Les amis du littoral ?
◆ **2.** Qui a découvert le Canada ?
◆ **3.** Quand ont-été construits les premiers remparts de Saint-Malo ?
◆ **4.** Quelle autoroute doit-on prendre pour aller à Rennes ?

Stratégies d'écoute 

▶ **5.** Écoutez une première fois en entier le texte enregistré, même s'il y a des passages que vous ne comprenez pas. De quoi s'agit-il ?

▶ **6.** Est-ce que vous avez trouvé des éléments qui sont déjà dans les textes que vous venez de lire ? Lesquels ?

▶ **7.** Réécoutez la première partie du texte et répondez aux questions suivantes :
a. Combien de personnes parlent ?
b. Qui sont-elles ?
c. Où sont-elles ?

▶ **8.** Réécoutez la deuxième partie du texte et répondez aux mêmes questions que dans l'exercice 7.

▶ **9.** À deux. Pour chacune des parties, notez sur une liste toutes les informations que vous avez entendues. Comparez votre liste à celle des autres étudiants.
Réécoutez une troisième fois le texte et vérifiez la liste que vous avez faite.

◆ Combien de fois entendez-vous le nom *Les amis du littoral* ?

À ne pas lire — **TRANSCRIPTION DU DOCUMENT ORAL**  — À ne pas lire 

1. *Le journaliste* – Connaissez-vous Les amis du littoral français ? Eh bien, ils ont décidé de passer le week-end à Saint-Malo, mais pas en touristes. Ils veulent étudier la manière dont nous recevons nos visiteurs, comment nous utilisons la mer. Mais, le mieux est de donner la parole à leur président, Hervé Cassard. Hervé Cassard, vous êtes le président de l'association Les amis du littoral français. Est-ce que vous pouvez nous expliquer les buts de votre association en quelques mots ?
H. C. – Merci de m'avoir invité sur votre antenne à votre émission de midi. Les amis du littoral français sont des gens qui aiment la côte et qui ont compris que le littoral était un capital très important, mais malheureusement très fragile. Important pour les vacances, important aussi pour les industries ; mais fragile parce que la nature est toujours en danger quand il y a trop de touristes ou que l'industrie s'y installe. Notre but est clair : aider les régions de bord de mer à se développer, encourager le tourisme, mais dans le respect de l'environnement, dans le respect de la nature. Nous voulons permettre au plus grand nombre de découvrir de beaux paysages, mais aussi de découvrir, par exemple, les effets positifs des cures de thalassothérapie pour les gens stressés que nous sommes. Nous voulons aussi permettre l'installation de structures industrielles et commerciales, et les aider, grâce à notre expérience, à s'installer et à travailler dans le respect du cadre naturel.
J. – Et pourquoi avez-vous choisi Saint-Malo pour votre congrès annuel ?
H. C. – Saint-Malo, justement, est un bon exemple d'harmonisation intelligente entre les besoins de l'économie, le tourisme et le respect de l'environnement. Un exemple concret : les visiteurs profitent de la plage, mais on a remplacé les parkings de l'immédiat bord de mer par des plantations. C'est cela que nous souhaiterions voir partout en France.
J. – Merci beaucoup. Je crois que c'est très clair.

2. *J.* – Si vous le voulez bien, nous allons écouter ensemble quelques réactions à ce que vient de nous dire monsieur Cassard. Nous retrouvons Catherine Leroy en direct de la place Chateaubriand. Catherine ? Catherine ? vous m'entendez ? Vous avez la parole.
Catherine – Jean-Michel, merci. Je suis au milieu de la foule, place Chateaubriand. J'ai autour de moi de nombreux Malouins et quelques Amis du littoral français. Madame ?
Dame 1 – Je suis Malouine, et je suis très heureuse de découvrir cette association, et j'ai bien envie de devenir membre... La ville de Saint-Malo fait certainement beaucoup pour la défense de la nature, mais je pense – et je ne suis pas la seule – qu'elle ne fait pas toujours assez ou qu'elle ne choisit pas toujours la meilleure solution.
C. – Monsieur, vous vouliez dire quelque chose ?
Monsieur – Merci, oui. Je suis membre des Amis du littoral français. Ce que j'ai vu ici me plaît beaucoup, mais je crois que madame a raison. On peut toujours mieux faire et, pour bien faire, pour mieux faire, il faut pouvoir discuter avec des gens qui ont les mêmes problèmes, avec des gens qui ont peut-être une solution à proposer, ou encore avec des gens qui ont fait une mauvaise expérience et qui peuvent vous aider.
C. – Et vous mademoiselle, madame ?
Dame 2 – Je suis membre de l'Association des amis du littoral, mais ma joie est toute personnelle : je viens de retrouver par hasard une amie qui habite Saint-Malo. Il y a 12 ans que nous ne nous étions perdues de vue. Nous avons beaucoup de choses à nous raconter, et pas seulement sur le littoral.
J. – Merci bien, Catherine. Nous souhaitons à tous les Amis du littoral un bon week-end et une bonne rencontre. Nous continuons avec...

Test 1

Grammaire

❶ Réunissez ces deux phrases en une seule phrase. Utilisez un pronom relatif.

Je suis allé écouter un concert. Il avait lieu à l'église Saint-Saturnin.

➜ Je suis allé écouter un concert qui avait lieu à l'église Saint-Saturnin.

1. Je me souviendrai toujours de Strasbourg. J'ai chanté dans une chorale, là-bas.
2. Ces chanteurs faisaient partie de la chorale. Je connaissais le chef de cette chorale.
3. Tu connais très bien cet ami. Je l'ai invité à dîner.
4. C'est cette jeune fille. Elle t'a prêté sa veste.
5. À l'entracte, les spectateurs vont toujours au bar du théâtre. Ils y rencontrent leurs amis.

❷ Finissez ces phrases en utilisant une question avec inversion du sujet.

Je me demande si j'irai au concert et toi… ➜ iras-tu ?

1. Je ne sais pas encore ce que je ferai l'année prochaine, et vous que…
2. Tu connais ce musicien, il a l'air jeune. À ton avis, quel…
3. Je pensais te rencontrer au dernier concert des Francofolies. Pourquoi…
4. Je voudrais m'acheter le disque que tu m'as fait écouter hier. Combien…
5. Ça fait longtemps que je n'ai pas écouté ce groupe, et toi quand…
6. J'ai appris que vous suiviez des cours de musique. Comment…

❸ Complétez les phrases avec un pronom démonstratif suivi d'un pronom relatif ou d'un article (contracté ou non).

Il connaît toutes les chansons des Beatles.
… … il préfère, ce sont … … Paul McCartney.
➜ Celles qu'il préfère, ce sont celles de Paul McCartney.

1. Je connais deux chanteurs dans cette chorale : … … est au premier rang à droite et … … tout le monde est en train de saluer.
2. C'est … … je t'ai déjà parlé. Tu sais, la fille que je voyais souvent quand j'habitais dans ce quartier.
3. Je n'aime pas tellement les chanteurs de cette chorale. Je préfère … … chœur des « Voisins du dessus ».
4. – Tu as donné les bonne clés, tu es sûre ?
– J'ai donné … … chambres n° 3 et 4 et … … salon du premier étage.

❹ Complétez les phrases avec un impératif affirmatif ou négatif et un pronom personnel.

Tu n'aimes pas le poulet, alors (prendre).

➜ Tu n'aimes pas le poulet, alors n'en prends pas.

1. Tu n'as pas téléphoné à Cécile, alors (téléphoner).
2. Tu as du feu, alors (passer). J'ai perdu mon briquet.
3. – Je cherche le chat. Où est-il ?
– (Chercher), il est dans ma chambre.
4. Vous n'avez pas écrit à vos amis, alors (écrire), ils vont s'inquiéter.
5. Il y a un train qui part dans dix minutes. (Rater) et nous arriverons à l'heure.

Vocabulaire

❺ Trouvez le mot qui manque.

1. Une manifestation musicale organisée à une époque fixe, c'est un f… .
2. Un groupe de chanteurs, c'est une c… .
3. Un journal qui sort toutes les semaines, c'est un h… .
4. Un programme à la radio ou à la télévision, c'est une é… .
5. L'ensemble des moyens de diffusion de l'information s'appellent les m… .
6. Les gens qui regardent la télévision sont des t… .
7. Ceux qui écoutent la radio sont des a… .
8. L'ensemble des journaux s'appellent la p… .
9. Un journal qui paraît tous les jours est un q… .
10. On peut écouter de la musique de notre époque ou de la musique c… .

❻ Trouvez un mot de la même famille que le mot indiqué.

	Nom	Verbe
1.	Salut.	…
2.	…	Circuler.
3.	…	Inviter.
4.	Réveil.	…
5.	…	Travailler.
6.	…	Diminuer.
7.	Augmentation.	…
8.	…	Rencontrer
9.	Essai.	…
10.	Jeu. …	

Test 1

Compréhension et expression orales

7 Écoutez ces annonces faites à la radio et choisissez la bonne réponse.

Annonce 1

1. Cette annonce concerne :

a. le cinéma ; **b.** la musique ; **c.** le théâtre.

Annonce 2

2. On parle d'un concert de musique :

a. de jazz ; **b.** classique ; **c.** de rock.

Annonce 3

3. On donne comme conseil :

a. d'arriver tôt au concert ; **b.** de réserver sa place ;

c. d'acheter le dernier disque de Gilbert Bécaud.

Annonce 4

4. Cette émission télévisée parlera :

a. d'un livre ; **b.** d'une fête ; **c.** des amis.

5. Les conseils dont on parle sont pour :

a. les amis ; **b.** les voisins ; **c.** les lecteurs.

8 Écoutez la conversation téléphonique et complétez le message suivant.

Les ... ont téléphoné. Ils t'invitent le ... pour ... à ... . Rappelle ... .

9 Rapportez ces conversations en finissant les phrases commencées.

– *Brigitte, tu seras là lundi soir ?*

– *Je ne peux pas te le promettre encore.*

Brigitte ne sait pas... Elle me dit qu'...

➔ *Brigitte ne sait pas si elle sera là lundi soir. Elle me dit qu'elle ne peut pas me le promettre encore.*

1. – Et toi Antoine est-ce que tu pourras venir à mon concert ?

– Bien sûr, Tu peux compter sur moi.

Je suis contente, Antoine me confirme à l'instant qu'il... et que...

2. – Dis-moi, Annie, qu'est ce que tu veux pour Noël ?

– Un tableau de toi, Jacques, j'adore ta peinture.

– Je t'en ferai un spécialement pour toi.

Jacques est adorable. Il me dit qu'...

3. – Comment avez-vous choisi votre métier ?

– Avez-vous trouvé rapidement du travail ?

Le journaliste me posera deux questions. Il me demandera comment... et si...

10 Qu'est-ce qui va ensemble ?

1. Nous aimerions vous inviter à dîner le samedi 10.

2. Tu es libre Lucie, samedi ?

3. Qu'est-ce que vous faites dimanche midi ?

4. Viens dîner à la maison !

5. J'espère que vous viendrez à cette soirée.

a. Je ne sais pas encore, mais si tu m'invites...

b. Vous pouvez compter sur nous. Nous y serons.

c. Je regrette mais nous sommes déjà pris ce soir-là !

d. Avec plaisir, à quelle heure tu veux que je vienne ?

e. Je ne sais pas. Je vais demander à ma femme.

Compréhension et production écrites

A

LE PREMIER JOUR DE L'ÉTÉ,
JOUR DE LA FÊTE DE LA MUSIQUE,
CHANTAL ET DANIEL
VOUS INVITENT À FÊTER LEUR MARIAGE.
Ils vous attendent avec joie
le samedi 21 juin à la mairie de Valrose
à partir de 15 heures 30.
Merci d'apporter vos instruments de musique,
votre voix, vos dons de comédien extraordinaires.
Ils seront mis en valeur au théâtre de Valrose.

B

Marie et Léo
seront heureux d'accueillir
leurs parents et amis
pour leur dixième anniversaire de mariage
le dimanche 12 juillet à 13 heures
au restaurant Le Châtaignier.
(Sortie de Tours. Route de Vouvray.)

11 Lisez ces deux documents. Notez à quel document les phrases suivantes se rapportent : texte (A), (B), aucun texte (0), on ne sait pas (?).

1. Annonce de mariage.

2. Invitation assez officielle.

3. Réponse à une invitation.

4. Invitation à un déjeuner.

5. Invitation pour une célébration.

6. Invitation pour des musiciens professionnels.

7. Invitation avec explication de la route à suivre.

8. Invitation faite par le maire.

9. Invitation adressée à Monsieur et Madame Bourgoin.

10. Invitation à jouer de la musique.

12 Vous avez lu, dans la rubrique « Recherche d'emploi » d'un journal que la brasserie Monet (8, grande-rue 49 630 Corné) cherchait un serveur à partir du 1er juin. Il faut parler le français et l'anglais, envoyer un CV et une photo.

1. Rédigez l'annonce parue dans le journal.

2. Vous avez répondu à l'annonce et vous recevez un message du patron de la brasserie. Il vous propose de le rencontrer, le 12 mai, « au Monet ». Rédigez le message que vous envoie le patron. (40 à 60 mots.)

Partie 2
Oui, bien sûr, mais...

UNITÉ 5

Thème
- vivre dans une grande ou une petite ville

Savoir-faire
- décrire le lieu où l'on vit
- exprimer son opinion et la justifier
- comprendre un texte argumentatif

Vocabulaire
- des mots pour exprimer les avantages et les inconvénients d'une grande ou d'une petite ville
- des expressions pour donner son opinion

Grammaire
- la subordonnée conditionnelle : *si* + présent
- la coordination : *et pourtant, quand… et que, parce que… et que*
- *quelque chose à* + infinitif, *rien à* + infinitif
- le discours rapporté au présent

Modes de vie

1 La ville aujourd'hui

Aujourd'hui, les grandes villes de plus de 200 000 habitants gagnent des habitants et du terrain. Tout le monde se plaint de la pollution, du stress, du temps perdu dans les transports en commun, des loyers trop élevés, et pourtant trois Français sur quatre habitent en zone urbaine. Quand on est jeune et qu'on veut travailler, on n'a pas le choix : les emplois se trouvent en ville, pas en zone rurale. Plus tard, parce qu'on a des enfants et qu'on ne veut pas être trop loin du collège ou du lycée, on décide de rester. Dès qu'on est à la retraite et qu'on pourrait enfin se retirer à la campagne, on s'aperçoit qu'il est trop tard pour changer : on a ses amis, ses habitudes. Peu de personnes choisissent librement le lieu où elles vivent !

1 Lisez le texte. Vrai ou faux ?

1. Trois Français sur quatre habitent dans une ville.
2. Beaucoup de personnes choisissent librement d'habiter en ville.
3. Beaucoup de Français restent en zone urbaine à cause de leurs enfants.
4. Dès qu'ils sont à la retraite, les gens vont vivre à la campagne.

…et pourtant…
…parce qu'on a des enfants et que…
Quand on est jeune et qu'on veut travailler…

❷ Qu'est-ce qui va ensemble ?

1. Ils sont à la retraite. Ils ont une petite maison au bord de la mer, et pourtant
2. Il est jeune, il a des diplômes, et pourtant
3. Il habite un beau quartier à côté de son travail, et pourtant
4. On se plaint de la pollution, du stress, et pourtant

a. il ne trouve pas de travail dans sa ville.
b. il y a de plus en plus d'habitants dans les villes.
c. ils restent en ville.
d. il veut aller habiter à la campagne.

❸ 1. Dans la dernière ligne du texte, le journaliste donne son opinion. Trouvez dans le texte les arguments qu'il utilise pour la justifier.

2. Inventez deux raisons pour lesquelles on choisit d'habiter en ville :
a. quand on est jeune ;
b. quand on a des enfants ;
c. quand on est à la retraite.

Vivre en province aujourd'hui

Texte A

L'expérience de Pierre B.

« La vie y est bien plus douce, plus facile », répètent les Parisiens qui annoncent leur déménagement en province. Les embouteillages sont rares. Les gens sont souriants. Le travail est moins stressant. Pierre est parti, il y a trois ans. Il rêvait d'une grande maison à dix minutes de la forêt, de promenades au bord de la rivière… Cet été, Pierre a décidé de rentrer. Où ? À Paris, bien sûr ! Problèmes de boulot ? Non. Il s'ennuie. Ses amis de la capitale viennent trop rarement. Et, sur place, il ne s'est pas fait un seul vrai ami. Il parlait de qualité de vie. Il parle maintenant de qualité de relation.

Texte B

Le témoignage de Marcel M.

Je vis dans le Gers. Je suis employé de banque. Le soir, après le travail, je fais du vélo sur les petites routes. Les gens ici prennent le temps de vivre. Et puis, il y a plein de choses à faire dans une petite ville. À Marciac, pas loin d'ici, il y a un des plus célèbres festivals de jazz de France. Je me sens un privilégié. Je ne voudrais pas vivre dans une grande ville.

La vie y est bien plus douce… répètent les Parisiens qui annoncent leur déménagement en province.

❹ Pour chaque texte, dites quelle est la bonne réponse.

1. Qui a écrit ces textes ?
a. un lecteur ; **b.** un journaliste.
2. Le texte raconte :
a. une expérience malheureuse ;
b. une vie heureuse.
3. Auquel des deux textes pourraient correspondre ces titres ?
a. *La fin d'un rêve* ; **b.** *J'aime la province.*

❺ Quand Pierre prononce-t-il ces trois phrases?

a. Avant son départ en province.
b. Pendant qu'il habite en province.
c. Après son retour à Paris.

1. Mes amis ne viennent pas me voir, se dit Pierre avec tristesse.
2. En province, la qualité de la vie est meilleure qu'à Paris, répète Pierre à tous ses amis.
3. Je ne me suis pas fait un seul ami en province, dit Pierre à ses collègues de bureau.

❻ 1. Dans le texte A, repérez les arguments :
a. du Parisien qui quitte la ville ;
b. du Parisien qui retourne vivre à Paris
2. Dans le texte B, repérez la dernière phrase du texte.
Dites pourquoi Marcel préfère vivre dans une petite ville.

Discussion en famille 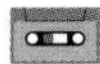

Les personnages :
Sandrine, la mère ; Robert, le père ;
Mathilde, la fille ; Antonin, le fils

SANDRINE : Allez, asseyez-vous. Votre père et moi, on a quelque chose à vous annoncer.
ROBERT : Voilà, il s'agit de mon travail.
MATHILDE : Tu n'es pas au chômage, j'espère !
ROBERT : Non, mon directeur me propose une promotion et une augmentation de salaire.
MATHILDE : Chic, on va pouvoir s'acheter des VTT !
ROBERT : Attends, Mathilde. Le travail qu'on me propose n'est pas à Paris. Il est à Auch.
MATHILDE : Mais c'est très loin !
ROBERT : Ah oui ! Je ne peux pas rentrer le soir. Donc, si j'accepte la promotion, il faut déménager.
ANTONIN : C'est-à-dire quitter le quartier ?
SANDRINE : Oui, il faut quitter Paris.
MATHILDE : Ah bon, mais j'ai horreur de la campagne, moi, et puis si on déménage, je ne serai plus avec Nathalie et tous les copains.
ANTONIN : Moi, je veux bien quitter mon collège. Le problème, c'est l'équipe de basket.
SANDRINE : À Auch, on habitera dans une maison avec un jardin. Les prix sont moins élevés qu'à Paris.
MATHILDE : Si on a un jardin, on pourra avoir un chien !
SANDRINE : Oui, c'est possible.
ROBERT : Votre mère et moi, on aura plus de temps pour être avec vous.
ANTONIN : Mais dans les petites villes il n'y a rien à faire. Tout le monde s'ennuie…

s'agir -> se trata de
agir -> actuar
c'est-à-dire -> es decir
ça veut dire -> quiere decir.

…on a quelque chose à vous annoncer.
…il n'y a rien à faire.
…si j'accepte, il faut déménager.
Si on a un jardin, on pourra avoir un chien !

8 Écoutez le dialogue et répondez aux questions.

1. Où est-ce que Robert habite avec sa famille ?
2. Où est-ce qu'il doit aller travailler ?
3. Est-ce que Auch est à côté de Paris ?
4. Mathilde aime-t-elle la campagne ?
5. Antonin regrette-t-il de quitter son collège ?

9 Qu'est-ce qui va ensemble ?

1. Si j'accepte la promotion,
2. Si on te propose d'aller à Toulouse,
3. Si tu décides de partir,
4. Si tu rentres tard,
5. Si tu déménages en province,
6. Si j'ai une augmentation de salaire,
7. S'il s'ennuie,

a. tu ne peux pas refuser.
b. je dois partir à Orléans.
c. je ne t'attendrai pas pour dîner.
d. je t'invite au restaurant.
e. je ne serai pas content.
f. je t'aiderai.
g. tu lui achèteras un livre.

10 Répondez comme dans l'exemple.

Vous n'avez rien à dire ?
➜ Si, j'ai quelque chose à dire.

1. Les enfants n'ont rien à faire ?
2. Vous n'avez rien à lire ?
3. Tu n'as rien à me donner ?

11 Repérez dans le dialogue les arguments de chacun des membres de la famille pour ou contre le déménagement.

À VOUS ! **12 On vous propose de changer de ville pour des raisons de travail ou d'études. Vous n'êtes pas très intéressé(e). Votre ami(e) aime beaucoup la ville où vous devez aller. Il/elle essaie de vous convaincre. À deux, faites la liste des arguments proposés, imaginez un dialogue et jouez la scène.**

VOCABULAIRE

La formation des mots

dire ➜ redire   écouter ➜ réécouter   faire ➜ refaire   organiser ➜ réorganiser

1 Lisez les définitions suivantes :

refermer [ʀəfɛʀme] v. t. Fermer de nouveau. *Referme la porte quand tu sortiras.*
relire [ʀəliʀ] v. t. Lire de nouveau. *J'ai relu plusieurs fois les livres que j'aime le mieux.*
représenter [ʀəprezɑ̃te] v. t. **1.** Jouer une pièce de théâtre. *On a souvent représenté cette pièce.* **2.** Faire voir en dessinant, en peignant, en sculptant. *Ce dessin représente un cheval.* **3.** Venir à la place de quelqu'un. *Un maître avait représenté à la fête le directeur qui n'avait pas pu venir.*

2 À deux, cherchez dans un dictionnaire les définitions de *revoir*, *rechercher* et *retourner*.

Pour exprimer l'opinion
L'avantage de…, c'est…
L'inconvénient d'habiter…, c'est que…
J'aime beaucoup…, mais…
Je déteste…., parce que…
Ce que j'aime…, c'est…
J'aime…, mais je préfère…
Habiter à… présente beaucoup d'inconvénients/d'avantages : …

À VOUS ! **3 À deux, choisissez un lieu et écrivez un petit texte sur les inconvénients et les avantages d'y habiter. Organisez ensuite une table ronde sur le thème « pour ou contre la grande ville ».**

GRAMMAIRE

LA SUBORDONNÉE CONDITIONNELLE (1) : SI + PRÉSENT

• La subordonnée conditionnelle exprime une condition dont dépend la réalisation de l'action principale.

Si j'accepte *la promotion,* ***il faut*** *déménager.*
si + présent… + présent
Si on a *un jardin,* ***on pourra*** *avoir un chien.*
si + présent… + futur
Si tu *n'****aimes*** *pas Paris,* ***change*** *de métier.*
si + présent… + impératif

• Un verbe au présent dans la subordonnée conditionnelle indique que la condition est réalisable ou probable.

 Il n'y a jamais de futur dans une subordonnée conditionnelle qui commence par **si**.

 Il ne faut pas confondre le **si** conditionnel avec le **si** de l'interrogation indirecte.
S'il fait beau demain, je ferai une promenade. (➜ subordonnée conditionnelle)
Je me demande s'il fera beau demain. (➜ interrogation indirecte)

1 Complétez les phrases.

1. Si vous choisissez d'habiter en ville, …
2. Si vos enfants aiment les animaux et la nature, …
3. Je promets que je viendrai te voir si …

2 Lucile a beaucoup de problèmes. Donnez-lui des conseils.

Mon appartement est très petit ! ➜ Si ton appartement est trop petit, essaie de déménager.

1. Il y a trop de bruit et trop de pollution dans mon quartier.
2. Je dors très mal.
3. Je ne sais pas où aller en vacances.
4. Jean-Pierre ne m'a pas téléphoné depuis huit jours.

LA COORDINATION : QUAND… ET QUE…, PARCE QUE… ET QUE…

Quand *on est jeune* ***et qu'****on veut travailler, on n'a pas le choix.*
Plus tard, ***parce qu'****on a des enfants* ***et qu'****on ne veut pas être trop loin du collège…*
Dès qu'*on est à la retraite* ***et qu'****on pourrait enfin se retirer à la campagne…*

• Généralement, quand deux subordonnées sont reliées par **et** ou par **ou**, on ne répète pas **parce que**, **quand**, **dès que**, etc. On les remplace par **que**.

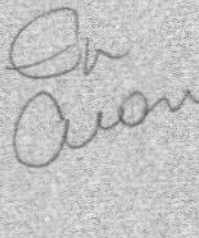

3 Complétez les phrases comme dans l'exemple.

Je vais souvent au restaurant parce que… et…
➜ Je vais souvent au restaurant parce que je n'aime pas faire la cuisine et que j'aime bien sortir.

1. Aujourd'hui il y a beaucoup d'embouteillages parce que… et…
2. Dès que… et…, on ira à la campagne.
3. J'écoute de la musique classique quand… ou…
4. Mathilde recommencera à travailler quand… et…

QUELQUE CHOSE À + INFINITIF, RIEN À + INFINITIF

J'ai ***une leçon à*** *apprendre (= je dois apprendre une leçon).*
Elle n'a pas ***beaucoup de travail à*** *faire.*
Il a ***une lettre à*** *écrire.*

• **Avoir + nom + à + infinitif** exprime une obligation.

J'ai ***quelque chose à*** *vous annoncer.*
Il n'y a ***rien à*** *faire.*

• Cette construction est utilisée fréquemment avec **quelque chose** ou **rien** à la place du nom.

4 Posez des questions et répondez négativement.

Voir quelque chose à la télé ce soir.
➜ – Est-ce qu'il y a quelque chose à voir à la télé ce soir ?
– Non, il n'y a rien à voir.

1. Acheter quelque chose pour le dîner.
2. Faire des exercices pour le cours de demain.
3. Écouter quelque chose à la radio.
4. Lire de bons articles dans le journal.

LE DISCOURS RAPPORTÉ (1) AU PRÉSENT

Les Parisiens *qui déménagent en province* ***répètent*** *:*
« La vie est plus douce ici qu'à Paris. »
« La vie est plus douce ici qu'à Paris », ***répètent les Parisiens*** *qui déménagent en province.*

• Le verbe qui introduit ce qu'on dit (**demander, expliquer, raconter, répéter, affirmer…**) peut se trouver avant ou après les paroles rapportées.

Quand le verbe suit les paroles rapportées, on fait l'inversion du sujet.

5 Le samedi, vous êtes allé(e) au cinéma avec des copains. Le dimanche, vous dînez avec votre meilleur(e) ami(e) et vous lui racontez ce que vos copains ont dit du film.

Pour Laure, c'est un film qu'elle a adoré.
➜ « J'ai adoré ce film », m'a confié Laure.

1. Pour Claire, le film est intéressant.
2. Pour Luc, l'histoire est intéressante, mais les acteurs ne jouent pas bien.
3. Pour Xavier, la fin est trop triste.
4. Pour Karine, les images sont belles, mais le film est trop lent.

EXPRESSION

Brigitte et Gérard Bérin répondent à une annonce parue dans la revue « Voyages ». Ils veulent échanger leur appartement contre celui de Corinne et Antoine Rochet.

Brigitte et Gérard Bérin
3, rue Chanteraine
92 330 Sceaux
Tél. 01 46 66 71 07

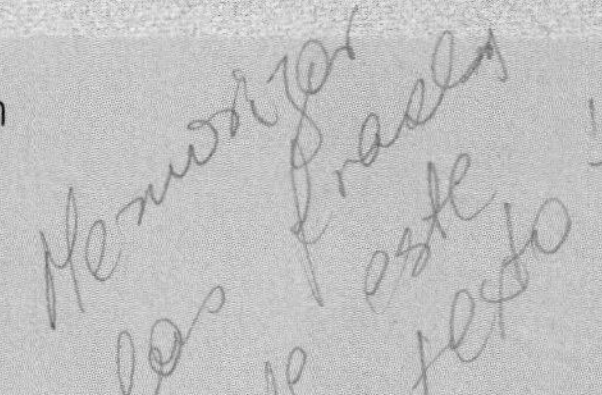

à Corinne et Antoine Rochet
4, Résidence P.- Picasso
06 220 Vallauris

Sceaux, le 24 février 1998

Chère Madame, cher Monsieur,

Dans le numéro spécial vacances de « Voyages », vous proposez d'échanger pour le mois de juin votre appartement du Golfe-Juan contre un logement dans la région parisienne. Cette offre nous intéresse beaucoup et nous pensons que notre appartement de Sceaux est idéal pour des gens qui veulent visiter Paris. Nous habitons dans un quartier calme à quelques minutes à pied de la station du RER, c'est-à-dire à quelques minutes du Quartier latin.

Personnellement[1], nous recherchons un logement pas trop loin de la mer. Nous voulons visiter la région, mais nous voulons aussi pouvoir travailler : nous préparons un concours pour l'automne. Et à l'hôtel, non seulement il n'y a pas beaucoup de place pour travailler, mais en plus, c'est cher.

Nous joignons[2] une photo de notre immeuble et un plan de l'appartement. Si vous avez un chien, il n'y aura pas de problèmes. Tout le monde aime bien les animaux ici.

Si vous pensez que notre appartement peut vous intéresser, écrivez-nous.

Nous vous prions de croire, chère Madame, cher Monsieur, à l'expression de toute notre sympathie.

Brigitte et Gérard Bérin

◆ÉCRIT◆

1 Repérez :

1. les arguments des Bérin en faveur de leur appartement ;
2. pourquoi ils ne veulent pas aller à l'hôtel ;
3. la formule de politesse à la fin de la lettre.

2 Lesquels des mots soulignés permettent de :

1. dire la même chose de manière différente ;
2. ajouter des éléments ;
3. opposer des éléments ;
4. opposer et ajouter des éléments.

3 Des étudiants étrangers veulent visiter votre pays. Ils vous écrivent. Vous leur répondez : dites pourquoi ils devraient préférer votre région.

Vous pouvez utiliser le plan suivant :

1. Introduction.
   En réponse à votre lettre…
   Nous avons appris que…
2. Arguments.
   Notre région…
3. Conclusion.
   Si vous pensez … Si vous décidez de…
   Si vous avez besoin d'informations
4. Formule de politesse.
   Nous vous adressons nos sincères salutations.

POUR VOUS AIDER À ÉCRIRE…

Quand on écrit à quelqu'un qu'on ne connaît pas :
– *Je vous prie de croire, chère Madame, en l'expression de mes sentiments les meilleurs.*
– *Veuillez agréer, Monsieur, l'expression de mes salutations distinguées.*
– *Avec mes salutations les plus sincères.*

◆ORAL◆

4 Des amis veulent passer leurs vacances au Canada. Vous leur conseillez de faire un échange d'appartement, mais ils hésitent. Vous cherchez des arguments pour les convaincre. À deux, préparez et jouez la scène.

Est-ce qu'on peut vraiment prêter son appartement à des inconnus ? Vont-ils s'occuper des plantes ?

[1] Personnellement : nous (Brigitte et Gérard Bérin).
[2] Nous joignons : nous envoyons aussi dans la lettre.

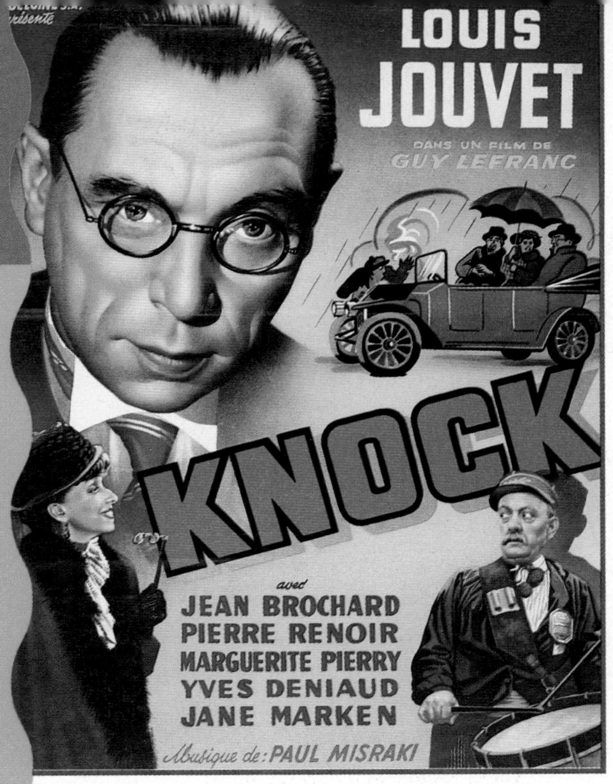

UNE THÉORIE ORIGINALE

KNOCK ou le Triomphe de la médecine est une pièce de théâtre satirique. Son auteur, Jules Romains (1885-1972), fait rire en utilisant des situations proches de la réalité mais qu'il exagère : on y voit un médecin sans scrupules et des patients très naïfs. Depuis sa création, en 1923, la pièce a été jouée 1298 fois au théâtre de l'Athénée, à Paris, et des centaines de fois dans toute le France. On en rit toujours...

Saint-Maurice, une petite ville des Alpes, au début du XXe siècle.

EXTRAIT A 

Acte II, scène 1

Le docteur Knock vient d'emménager à Saint-Maurice. Les habitants sont en bonne santé et vont rarement chez le médecin.

À la recherche de clients, Knock n'a qu'un seul but : transformer ces robustes paysans en malades.

Voici son plan : il demande d'abord à l'annonceur public (le tambour) d'annoncer que...

KNOCK : *(Il lit le texte de l'annonce.)* « ... il donnera tous les lundis matin, de neuf heures trente à onze heures trente, une consultation entièrement gratuite, réservée aux habitants du canton[1]. Pour les personnes étrangères au canton, la consultation restera au prix ordinaire de huit francs[2]. »

LE TAMBOUR : *(Il reçoit le papier avec respect.)* Eh bien ! C'est une belle idée ! Une idée qui sera appréciée ! Une idée de bienfaiteur ! Mais vous savez que nous sommes lundi. Si je fais l'annonce ce matin, il va vous en arriver dans cinq minutes.

KNOCK : Si vite que cela, vous croyez ?

LE TAMBOUR : Et puis, vous n'aviez peut-être pas pensé que le lundi est jour de marché ? La moitié du canton est là. Mon annonce va tomber dans tout ce monde. Vous ne saurez plus où donner de la tête[3].

KNOCK : Je tâcherai de me débrouiller.

LE TAMBOUR : Il y a encore ceci : que c'est le jour du marché que vous aviez le plus de chances d'avoir des clients. M. Parpalaid n'en voyait guère que ce jour-là. Si vous les recevez gratis...

KNOCK : Vous comprenez, mon ami, ce que je veux, avant tout, c'est que les gens se soignent.

1 Un canton : division administrative du territoire.
2 huit francs = 1,22 euros.
3 Ne pas savoir où donner de la tête : ne pas savoir par où commencer.

Écoutez

1 Extrait A. Choisissez la bonne réponse.

1. Le docteur Knock et le tambour parlent :
   a. de musique ; **b.** de consultations ;
   c. de médicaments.
2. Le tambour annonce que :
   a. le docteur Knock est arrivé ;
   b. les visites sont gratuites, le lundi ;
   c. tout le monde peut être malade.
3. C'est le jour du marché :
   a. les gens pensent surtout à leurs courses ;
   b. Knock aura beaucoup de clients ;
   c. les gens n'iront pas chez le médecin.

2 Extrait B. Répondez aux questions.

1. De quoi parlent Knock et Mousquet ?
2. Quelle est la théorie de Knock sur les malades ?
3. Pour Knock, que signifie *client régulier* ?

Knock (1)

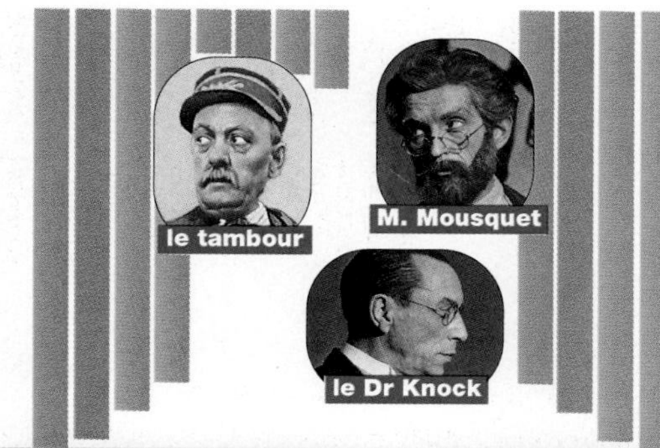

EXTRAIT B 

Acte II, scène 3

Knock invite le pharmacien de Saint-Maurice, M. Mousquet, pour lui expliquer sa théorie.

KNOCK : Je pose en principe que tous les habitants du canton sont *ipso facto*[4] nos clients désignés.

MOUSQUET : Tous, c'est beaucoup demander.

KNOCK : Je dis tous.

MOUSQUET : Il est vrai qu'à un moment ou l'autre de sa vie, chacun peut devenir notre client par occasion[5].

KNOCK : Par occasion ? Point du tout. Client régulier, client fidèle. [...] La santé n'est qu'un mot qu'il n'y aurait aucun inconvénient à rayer de notre vocabulaire. Pour ma part, je ne connais que des gens plus ou moins atteints de maladies plus ou moins nombreuses à évolution plus ou moins rapide. [...]

MOUSQUET : En tout cas, c'est une très belle théorie.

4 *Ipso facto* (latin) : de fait, naturellement.
5 Par occasion : par hasard.

Observez et répétez

▶ Faire des hypothèses

❸ Écoutez et repérez dans chaque phrase où l'intonation monte et où elle descend.

1. Si je fais l'annonce ce matin, il va vous arriver des clients dans cinq minutes.

2. Vous aurez beaucoup de monde, si vous ne faites pas payer vos consultations.

3. Vous aurez une vie plus calme, si vous déménagez en province.

4. Si tu invites Luc, il amènera tous ses copains.

❹ Complétez les hypothèses suivantes et lisez-les à voix haute avec la bonne intonation.

1. S'il fait beau, ... **2.** ..., si ça vous fait plaisir.
3. ..., si j'en ai envie. **4.** Si je gagne de l'argent, ...

▶ Les signes et les sons : [u]

❺ Complétez par *où* ou *ou*.

Dans la ville ... le docteur Knock s'est installé, les gens ne vont pas souvent chez le médecin. Mais Knock veut gagner beaucoup d'argent. D'abord, il visitera gratuitement les gens ; ensuite, il leur fera croire qu'ils sont plus ... moins malades. Pour Knock, chacun a des maladies dont la guérison est plus lente ... plus rapide, selon les cas. M. Mousquet, lui, pense que tout le monde peut avoir besoin d'un médecin, à un moment ... à un autre de sa vie. Mais ... donc veut en arriver le docteur Knock avec sa « belle théorie » ?

Exprimez-vous

À VOUS ! **❻ M. Bar, un fermier de Saint-Maurice, a entendu l'annonce au sujet des consultations gratuites. Il en parle à sa femme. Imaginez leur conversation.**

M. BAR : Ce matin, au marché, le tambour a annoncé que...
MME BAR : Mais tu as bien compris ? Alors, si j'y vais lundi prochain...
M. BAR : Tu ne paieras rien, c'est gratuit. Si tu as mal...

À VOUS ! **❼ M. Mousquet, le pharmacien, écrit une lettre à un collègue : il lui explique la théorie de Knock sur la santé.**

Cher confrère,
Notre nouveau médecin, le docteur Knock a une théorie très intéressante. Il pense que...

À VOUS ! **❽ Que pensez-vous de la théorie de Knock ? Faites la liste des arguments pour et contre cette théorie. À deux, discutez-en : l'un défend Knock, l'autre l'accuse.**

UNITÉ 6

Thème
- les relations parents-enfants

Savoir-faire
- exprimer son opinion et la justifier
- convaincre
- écrire une lettre à un ami pour exprimer son opinion ou demander conseil
- comprendre un texte argumentatif

Vocabulaire
- des mots pour négocier
- des expressions pour faire des reproches

Grammaire
- la subordonnée conditionnelle : *si* + imparfait
- le discours rapporté au passé : la concordance des temps
- le pronom *en* + pronom personnel objet

Relation familiale

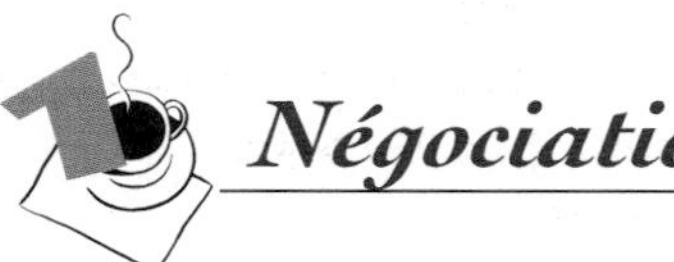

1 *Négociation*

Dans la famille traditionnelle, il y avait une hiérarchie précise : le père, la mère, les enfants... Chacun avait son rôle, sa place. Aujourd'hui, on rencontre un nouveau type de relations entre parents et enfants : la négociation. Voici comment Patrick négocie avec sa fille de onze ans.

Marie, qui vient d'entrer en sixième, se rend tous les jours au collège en voiture en compagnie de son père qui ne travaille pas loin. Tous les deux apprécient ces quelques minutes de trajet matinal, moment toujours privilégié pour se parler. Lorsque les premiers froids d'octobre arrivent, le père de Marie s'étonne de voir sa fille avec un blouson léger, plus adapté à l'été.

LE PÈRE : Pourquoi tu ne mets pas ton blouson d'hiver ?
MARIE : Je ne peux plus le mettre, il est trop petit.
LE PÈRE : Comment trop petit ? Ce n'est pas possible, tu l'as eu l'hiver dernier et nous l'avons choisi grand !
MARIE : Il est trop petit.

La discussion en reste là.

Le lendemain, le père de Marie reprend la discussion avec une certaine insistance.

LE PÈRE : Marie, s'il te plaît, mets ce blouson, je voudrais examiner ce problème de taille.
MARIE : Non, je te dis qu'il est trop petit, je l'ai déjà essayé.

Le père de Marie ne comprend pas. Le blouson est superbe. Calmement, il réengage la discussion.

LE PÈRE : Dis-moi, Marie, ce blouson, tu n'as plus envie de le mettre. Il y a peut-être dans ta classe une fille que tu n'aimes pas et qui a le même ? Mais ne me dis pas qu'il ne te va plus. Dis-moi qu'il ne te plaît plus.

Après quelques secondes de silence, Marie se décide à répondre.

MARIE : C'est vrai, papa, je n'ai plus envie de le mettre.

LE PÈRE : Cela m'ennuie, je ne vais pas t'en racheter un maintenant. J'y réfléchis, et nous en reparlerons.

Le surlendemain, le père reprend le débat.

LE PÈRE : Marie, à propos du blouson, j'ai une proposition à te faire. Tu portes ce blouson vert jusqu'à Noël, et je t'en offre un nouveau à Noël. Qu'en penses-tu ?

Silence de quelques secondes.

MARIE : D'accord, papa !

Le lendemain, Marie portait son blouson vert.

...je ne vais pas t'en racheter un...
...je t'en offre un nouveau à Noël.

❶ Écoutez le dialogue et répondez aux questions.

1. Marie a quel âge ?
2. Comment se rend-elle au collège ?
3. Est-ce qu'elle aime que son père l'accompagne ?
4. Pourquoi est-ce que son père lui demande de mettre son blouson ?
5. Pourquoi est-ce qu'elle refuse de mettre son blouson ?
6. Est-ce que le blouson est vraiment trop petit ?

❷ Qu'est-ce qui va ensemble ?

1. – Tu ne me parles jamais de tes projets.
2. – Je voudrais un blouson !
3. – J'ai prêté de l'argent à Jacques.
4. – Vous avez encore des revues ?
5. – Vous faites toujours du ski ?

a. – À moi, tu ne m'en prêtes jamais.
b. – Oui, il m'en reste deux.
c. – Je t'en achèterai un à Noël.
d. – Je t'en parle toujours.
e. – Non, je n'en fais plus depuis deux ans.

❸ Repérez dans le dialogue les phrases qui donnent la structure chronologique du texte et qui correspondent au plan suivant :

Le premier jour
1. Le père demande à Marie de mettre son blouson.
2. Marie refuse.

Le lendemain
1. Le père recommence.
2. Il essaie de comprendre les raisons de Marie.
3. Marie refuse de nouveau.

Le surlendemain
1. Le père propose une solution.
2. Marie l'accepte.

À VOUS ! ❹ À deux, préparez puis jouez la scène suivante.
Vous demandez un service à un(e) ami(e). Par exemple, il/elle doit vous accompagner chez quelqu'un, etc. Mais il/elle refuse. Vous insistez, il/elle ne veut toujours pas. Finalement, vous lui faites une proposition qu'il/elle accepte.

Et moi, et moi... et eux !

Ces temps-ci, il y a des crises à la maison. Des scènes terribles entre moi et mes parents toujours pour la même raison : ils me posent des questions, me suspectent de cacher les pires choses et à ce moment-là, je me réfugie dans ma chambre. J'allume la radio pour m'isoler, mais ils continuent de me questionner derrière la porte : « Si tu nous répondais, on pourrait discuter. Quand tu étais petit, tu nous parlais ; maintenant on n'a même plus le droit d'entrer dans ta chambre. »

J'ai interdit l'accès de ma chambre et je trouve ça normal. Ma mère n'a pas le droit de regarder toutes mes affaires sous prétexte de ranger ou de faire le ménage. La dernière fois, elle a vu une photo de Véronique (la fille que j'aime) et j'ai eu droit à un interrogatoire : « Eh bien, elle est mignonne. C'est ta petite amie ? Depuis quand ? Qu'est-ce qu'elle fait, hein, dis-moi ! » En un sens, je comprends sa curiosité : je suis son fils et elle s'intéresse à moi. D'ailleurs, si elle m'ignorait, je n'aimerais pas non plus. Mais sa façon de se mêler de mes histoires m'énerve.
Je ne sais pas si tous les parents sont pareils, mais les miens sont paniqués par l'adolescence. Ils devraient se calmer ! Bon, c'est vrai que mes notes ont baissé depuis que je connais Véronique mais sinon, tout va bien. Ils ont leurs secrets, moi aussi. C'est pas plus compliqué que ça !

Thierry (17 ans)

5 Lisez le texte et répondez aux questions.

1. Qui a écrit le texte ?
2. À qui s'adresse-t-il ?
3. Comment s'appelle la petite amie de Thierry ?
4. Pourquoi est-ce que Thierry ne veut plus que sa mère range sa chambre ?
5. Est-ce que ses notes sont aussi bonnes qu'avant ?
6. Est-ce que Thierry raconte à ses parents tout ce qu'il fait ?

Si tu nous répondais, on pourrait discuter.
...si elle m'ignorait, je n'aimerais pas non plus.

6 1. Repérez dans le texte :
a. les parties où Thierry raconte ce qui se passe chez lui : *Ces temps-ci... La dernière fois... ;*
b. les parties où il rapporte les paroles de ses parents.

2. À deux endroits du texte, Thierry exprime son opinion :
– ... je trouve ça normal.
– En un sens, je comprends sa curiosité...
Que dit Thierry pour justifier son opinion ?

3. Quels sont les arguments qu'il donne :
a. en faveur de sa mère ;
b. contre l'attitude de ses parents.

7 Qu'est-ce qui va ensemble ?

1. Si tu travaillais plus, d
2. Si tu ne te mêlais pas de ma vie, e
3. Si tu nous répondais, b
4. Si tu te couchais tôt, c
5. Si tu nous écoutais, a

a. nous serions heureux.
b. on pourrait discuter.
c. tu serais moins fatigué.
d. tu aurais de bonnes notes.
e. je serais moins énervé.

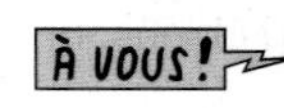

8 Êtes-vous d'accord avec Thierry ? Justifiez votre réponse.

VOCABULAIRE

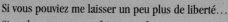

Pour négocier

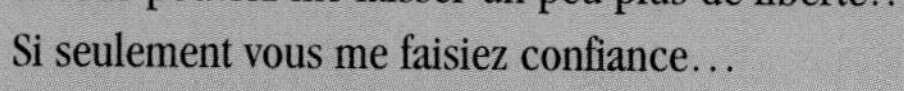

J'accepterais si...
Je le ferais si...
Je serais d'accord avec vous si...
Ça marcherait mieux si...
Il n'y aurait plus de problèmes si...
Est-ce que vous ne pourriez pas...
Oui, mais il faudrait encore...
Cela ne suffit pas. Il faudrait aussi/encore...
Je pourrais accepter si...
Je vous fais une proposition...

Si vous pouviez me laisser un peu plus de liberté...
Si seulement vous me faisiez confiance...
Si vous me disiez ce que vous en pensez...
Si je savais ce que vous voulez...
Si vous travailliez plus...
Si vous m'écoutiez...
Si vous m'expliquiez ce que vous voulez faire...
Si vous étiez plus compréhensif...
moins autoritaire...
plus optimiste...
moins pessimiste...

1 Imaginez une situation de désaccord dans laquelle vous devez négocier. Complétez les phrases ci-dessus.

À VOUS ! **2 On vous a demandé de faire un travail que vous n'avez pas envie de faire. Vous négociez avec votre directeur. Aidez-vous des expressions ci-dessus. À deux, jouez la scène.**

GRAMMAIRE

LA SUBORDONNÉE CONDITIONNELLE (2) : SI + IMPARFAIT

Si *tu* ***étais*** *à ma place, tu* ***trouverais*** *une solution (mais tu n'es pas à ma place).*
Si *nous* ***connaissions*** *ses copains, on le* ***comprendrait*** *mieux (mais on ne connaît personne).*

si + imparfait... + conditionnel présent

• Un verbe à l'imparfait dans la subordonnée conditionnelle indique que la condition est irréalisable ou improbable. Le verbe principal se met alors au conditionnel.

 Il n'y a jamais de conditionnel dans une subordonnée conditionnelle qui commence par **si**.

1 Marie et sa meilleure amie Camille discutent entre elles de leurs parents. Terminez leurs phrases. Inventez-en d'autres.

Si mon père était moins sévère...
➜ Si mon père était moins sévère, je pourrais aller seule en Angleterre.

1. Si ma mère essayait de me comprendre...
2. Si mes parents me laissaient sortir le soir...
3. S'ils ne se posaient pas tant de questions...
4. S'ils me donnaient un peu plus d'argent de poche...
5. S'ils me permettaient de partir en auto-stop avec des copains...

2 Trouvez une condition adaptée.

1. Si..., je partirais un mois au bord de la mer.
2. Si..., je pourrais faire des promenades dans la forêt tous les jours.
3. Si..., j'inviterais Jacques à ma fête d'anniversaire.
4. Si..., j'irais au concert dimanche.

LE DISCOURS RAPPORTÉ (2) AU PASSÉ ET LA CONCORDANCE DES TEMPS

ce qu'ils disent	ce qui est rapporté
• ce que le père dit **au présent** « Pourquoi tu ne mets pas ton blouson ? »	• ce qui est rapporté **à l'imparfait** ➜ Le père **a demandé** à Marie pourquoi elle ne **mettait** pas son blouson.
• ce que Marie dit **au futur** « Bon, d'accord, je le porterai jusqu'à Noël. »	• ce qui est rapporté **au conditionnel** ➜ Marie **a répondu** qu'elle le **porterait** jusqu'à Noël.

• Dans le discours rapporté, quand le temps de la principale est au passé, celui de la subordonnée est à l'imparfait (pour exprimer un fait présent) ou au conditionnel (pour exprimer un futur).

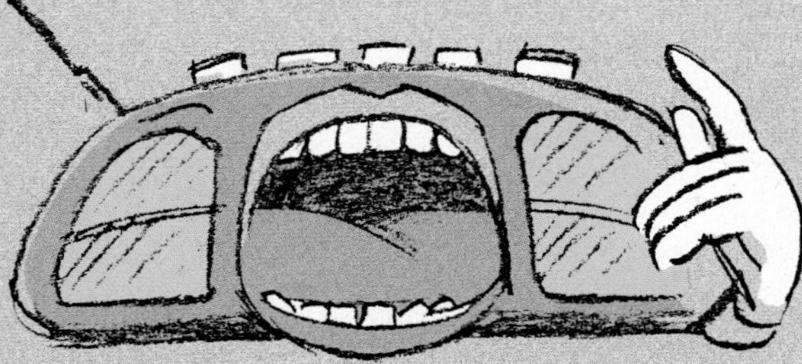

3 Faites une phrase complète pour rapporter les informations que vous avez entendues à la radio.

Choisissez dans la liste des verbes introducteurs suivants celui qui vous semble le mieux convenir : *dire que – entendre dire que – annoncer que – déclarer que – révéler que – affirmer que*

Joseph H. sera mis en liberté provisoire dès lundi matin. (Radio Soleil.)

➜ *J'ai entendu dire sur Radio Soleil que Joseph H...*

1. L'équipe de France de basket-ball gagne la coupe d'Europe pour la 1re fois. (Un reporter sportif.)

2. Le président est abandonné par ses alliés. (Un journaliste.)

3. Je ne suis pas d'accord avec la réforme de la Sécurité sociale. (Un médecin.)

4. Nous ne signerons pas le nouvel accord d'entreprise (Les syndicats.)

4 Mettez ces phrases au passé.

1. – Qu'est-ce qu'il a dit de son séjour au Québec, notre cher cousin ?

– Oh ! Il dit que les gens sont sympathiques, qu'on lui propose un travail intéressant, qu'il retournera à Montréal avant l'été.

2. – On dit que le temps ne changera pas et qu'il fera beau en haute montagne.

– Ah bon ! Les guides de haute montagne disent qu'il y a risque d'orage et que c'est dangereux de partir en randonnée.

LE PRONOM EN ACCOMPAGNÉ D'UN PRONOM PERSONNEL OBJET

*Tu as déjà un blouson. Je ne vais pas **t'en** racheter un. Je **t'en** offrirai un nouveau à Noël.*

*– Vous voulez du café ? – Oh oui, donnez-**m'en** une tasse, s'il vous plaît.*

– Et votre ami anglais en prend aussi ?

*– Non. Ne **lui en** donnez pas, il n'aime pas ça.*

• Le pronom **en** est toujours placé après **me, te, lui, nous, vous, leur.**

 Devant **en**, les pronoms objet **me**, et **te** prennent la forme **m'**, et **t'**.

5 Répondez comme dans l'exemple.

Est-ce que vous prêtez de l'argent à vos amis ? (non, jamais) (oui, souvent)

➜ *Non, je ne leur en prête jamais.*

➜ *Oui, je leur en prête souvent.*

1. Est-ce que vous écrivez des lettres à vos parents ? (oui, quelquefois) (non, jamais)

2. Est-ce que vous offrez des cadeaux à votre ami(e) ? (oui, régulièrement) (non, rarement)

3. Est-ce que vous demandez des conseils à votre médecin ? (oui, souvent) (non, jamais)

6 Complétez avec les pronoms de votre choix.

1. Nous avons trop de livres. Nous ... vendons une partie. Si vous êtes intéressé(e), téléphonez-.... Nous prendrons rendez-vous pour ... ... montrer.

2. J'ai lu toutes mes bandes dessinées. Je ... vends. Vous pouvez ... ... demander une si ça ... intéresse

3. Est-ce qu'il te reste des foulards à vendre ? C'est la fête de ma mère. Je voudrais ... ... offrir un. S'il ne ... ... reste pas, donne-... une autre idée. Je compte sur ...

EXPRESSION

Nicole a des problèmes avec sa fille et écrit à sa meilleure amie pour lui demander conseil.

Lille, le 2 mars

Chère Juliette,

Tout va bien, mais j'ai quelques difficultés avec Mathilde. Avant, elle me disait tout : avec qui elle allait, ce qu'elle faisait. Depuis deux mois, plus rien. Elle passe des heures au téléphone, elle ne parle qu'avec ses amis, et nous, on ne compte plus. Si nous connaissions ses copains ou leurs parents, on la comprendrait peut-être mieux, mais nous ne les connaissons pas.

Hier soir, elle voulait aller à une soirée et j'ai dit non. Je pense qu'elle est trop jeune. J'ai essayé de discuter, mais elle ne m'écoutait pas. Résultat : une grosse dispute.

Tu es ma meilleure amie et surtout tu as une fille un peu plus âgée que Mathilde, qui t'adore. Si tu étais à ma place, tu trouverais une solution. Dis-moi ce que je dois faire. J'attends impatiemment ta réponse.

Je t'embrasse.

Nicole

♦ ÉCRIT ♦

❶ Repérez dans le texte les phrases qui marquent :

1. l'introduction (la mère dit pourquoi elle écrit) ;
2. le développement (elle expose les difficultés qu'elle a avec sa fille) ;
3. la conclusion (elle demande des conseils).

❷ Lisez les trois éléments soulignés. Dites lequel exprime :

1. l'opinion ; **2.** l'opposition ; **3.** l'hypothèse.

❸ Repérez les expressions de temps dans le texte.

❹ Mathilde est triste parce qu'elle n'a pas pu aller à la soirée. Imaginez la lettre qu'elle écrit à sa meilleure amie.

Vous pouvez suivre le plan suivant :

Chère Alice,

1. Introduction.
Je vais bien, mais...

2. Développement.
Avant, ma mère
Depuis deux mois, elle..., elle..., elle...
Je pense qu'elle...
Hier soir, elle...

3. Demande de conseil.
Si tu étais à ma place...
Bises

POUR VOUS AIDER À ÉCRIRE...
Quand on écrit à quelqu'un qu'on connaît bien, on peut terminer une lettre par :
– *Amitiés.*
– *Avec toutes mes amitiés.*
– *Bien amicalement.*
– *Je t'embrasse.*
– *Bises.*

♦ ORAL ♦

❺ 1. Juliette rencontre Nicole et lui donne des conseils. À deux, préparez et jouez le dialogue entre Juliette et Nicole.
Juliette pense que Nicole doit négocier avec sa fille : *Mathilde n'est plus une enfant, il faut lui faire confiance, il faut lui parler en adulte...*

2. Imaginez et jouez la scène entre Nicole et sa fille : Mathilde veut aller à une soirée chez des amis qui habitent à 20 kilomètres de chez elle.

LA DAME EN NOIR

Les consultations gratuites du docteur Knock ont beaucoup de succès. Les paysans de Saint-Maurice, plutôt avares, vont consulter ce médecin pas comme les autres.

EXTRAIT A 

Acte II, scène 4

De nombreuses personnes attendent leur tour chez le docteur Knock. Sa première cliente se présente.

KNOCK : Ah ! voici les consultants[1]. [...] C'est vous qui êtes la première, madame ? *(Il fait entrer la dame en noir et referme la porte.)* Vous êtes bien du canton ?

LA DAME EN NOIR : Je suis de la commune.

KNOCK : De Saint-Maurice même ?

LA DAME : J'habite la grande ferme qui est sur la route de Luchère.

KNOCK : Elle vous appartient ?

LA DAME : Oui, à mon mari et à moi.

KNOCK : Si vous l'exploitez vous-même, vous devez avoir beaucoup de travail ?

LA DAME : Pensez, monsieur ! dix-huit vaches, deux bœufs, deux taureaux, la jument et le poulain, six chèvres, une bonne douzaine de cochons, sans compter la basse-cour.

EXTRAIT B 

La dame se plaint d'être souvent fatiguée, ce qui est assez normal avec le travail de la ferme ! Knock veut lui faire croire qu'elle est gravement malade.

KNOCK : Baissez la tête. Respirez. Toussez. Vous n'êtes jamais tombée d'une échelle, étant petite ?

LA DAME : Je ne me souviens pas.

KNOCK : *(Il lui frappe le dos et lui presse brusquement les reins.)* Vous n'avez jamais mal ici le soir en vous couchant ? [...]

LA DAME : Oui, des fois.

KNOCK : Essayez de vous rappeler. Ça devait être une grande échelle.

LA DAME : Ça se peut bien.

KNOCK : C'était une échelle d'environ trois mètres cinquante, posée contre un mur. Vous êtes tombée à la renverse[2]. [...]

[1] Un consultant : client du médecin.
[2] À la renverse : sur le dos.

Écoutez

❶ Extrait A. Répondez aux questions.

1. Qui parle à qui ? **2.** Où ? **3.** Quand ? **4.** Pourquoi ?

❷ Extrait B. Choisissez la bonne réponse.

1. Knock et la dame parlent :
- **a.** d'argent ; **b.** de douleurs ;
- **c.** du docteur Parpalaid ; **d.** d'animaux.

2. La dame :
- **a.** a mal au dos ; **b.** est fatiguée ;
- **c.** est tombée d'une échelle.

3. Knock donne son opinion sur :
- **a.** le travail du docteur Parpalaid ;
- **b.** le traitement à suivre ;
- **c.** ce que coûtera le traitement.

Knock (2)

EXTRAIT B (SUITE) 

LA DAME : Ah oui !
KNOCK : Vous aviez déjà consulté le docteur Parpalaid ?
LA DAME : Non, jamais.
KNOCK : Pourquoi ?
LA DAME : Il ne donnait pas de consultations gratuites.
KNOCK : Vous vous rendez compte de votre état ?
LA DAME : Non.
KNOCK : Tant mieux. Vous avez envie de guérir, ou vous n'avez pas envie ?
LA DAME : J'ai envie. [...] Et combien est-ce que ça me coûterait ? [...]
KNOCK : Et bien ! ça vous coûtera à peu près deux cochons et deux veaux.

Observez et répétez

▶ Répondre avec une énumération

3 **Écoutez et chassez l'intrus.**

1. – Vous devez avoir beaucoup de travail ?
– Pensez, monsieur ! dix-huit vaches, deux bœufs, deux taureaux, la jument...
2. – Vous avez beaucoup de bagages ?
– Ah non, une seule valise !
3. – As-tu des courses à faire ? – Oui ! Trois kilos de pommes, un kilo de tomates, des jus de fruit...

4 **On vous pose des questions. Répondez par une énumération. Jouez la scène à deux.**

1. Vous avez beaucoup de travail ?
2. Vous avez lu pendant les vacances ?

▶ Les signes et les sons : [s]

5 **Complétez par *ça* ou *sa*.**

Dans ... ferme, la dame en noir travaille du matin jusqu'au soir. ... n'est pas facile. Elle pense que c'est une des raisons de ... fatigue. Mais Knock veut la convaincre que ... santé est fragile. Il invente une ancienne chute d'une échelle : « ... devait être une grande échelle », précise-t-il. ... inquiète la dame en noir qui est prête à se faire soigner.

Exprimez-vous

À VOUS ! **6** **La dame en noir parle à une amie de sa consultation chez Knock. Elle lui raconte ce qui lui a plu et ce qui ne lui a pas plu.**

Faites la liste de ses arguments (pour et contre). Puis imaginez ce qu'elle raconte à son amie.

Le docteur Knock m'a posé beaucoup de questions. J'ai aimé... Mais j'ai l'impression...

À VOUS ! **7** **Knock a beaucoup de succès. Dans une lettre à un ami, il explique sa stratégie :**

– connaître leurs richesses ;
– leur inventer une maladie ;
– trouver des arguments pour les convaincre qu'ils doivent se soigner ;
– prévoir des traitements en fonction de leur richesse.

civilisation

Générations

1 Les études, un objectif pour tous

À la fin des années 90, trois quarts des jeunes Français suivent des études jusqu'à dix-huit ans et obtiennent le diplôme de fin d'études secondaires : le baccalauréat. L'objectif officiel est plus ambitieux encore, car il vise à porter 80 % d'une génération au niveau du baccalauréat en l'an 2 000. C'est une augmentation très importante. L'une des raisons de ce choix est qu'un diplôme plus élevé offre davantage de possibilités de trouver un emploi à la fin des études.

▶ **1.** Calculez le nombre de points d'augmentation entre une année et l'année qui suit.

▶ **2.** Pendant quelle période observe-t-on l'augmentation la moins importante ?

▶ **3.** Pendant quelle période observe-t-on l'augmentation la plus importante ?

▶ **4.** Selon vous, cette augmentation est-elle une évolution positive ? Pourquoi ?

2 La vie active : un rêve ?

Ces mêmes jeunes, une fois leurs études finies, sont aussi touchés par la crise économique : il leur arrive d'attendre trois à quatre ans avant d'avoir un emploi.

De ce fait, les inégalités entre les générations augmentent : on reste « jeune » plus longtemps et l'âge de l'indépendance économique est reporté jusque vers la trentaine.

Cependant, toutes les tranches d'âge sont menacées par les effets de la mondialisation de l'économie et les « restructurations » des entreprises, qui se traduisent souvent par la réduction du nombre d'emplois : pour les salariés de plus de 50 ans, les conséquences sont parfois la préretraite (la retraite anticipée de quelques années) ou même le chômage.

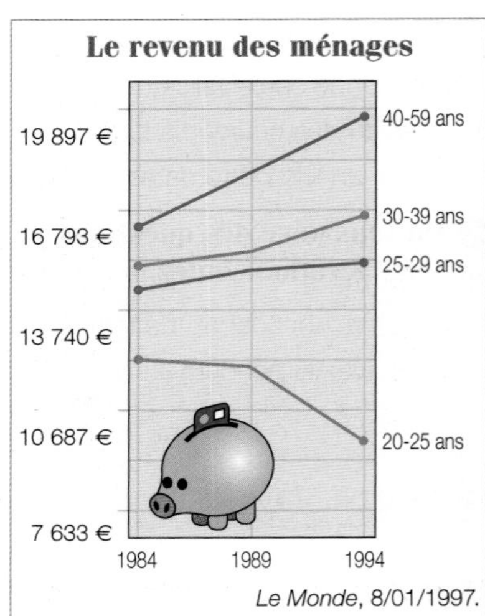

Le Monde, 8/01/1997.

▶ **1.** Est-ce que le baccalauréat permet aux jeunes d'avoir rapidement un travail ?

▶ **2.** Jusqu'à quel âge les enfants restent-ils à la charge de leurs parents ?

▶ **3.** Est-ce que, dans le graphique, le revenu diminue ou augmente en fonction de l'âge ?

▶ **4.** Entre quels âges les différences de revenus sont-elles les plus grandes ?

▶ **5.** Est-ce que ceux qui travaillent sont sûrs de garder leur emploi ? Quels sont les dangers pour eux ?

3 Le troisième âge

Les retraités sont relativement favorisés : à une époque où les revenus des personnes actives ont baissé de 0,5 % en cinq ans, les revenus des retraités ont progressé d'environ 2,5 %. Cette relative tranquillité économique, en période de chômage, a contribué à modifier les habitudes de vie du troisième âge.

La représentation des personnes âgées s'est aussi modifiée. Fini la grand-mère qui tricote à côté de la cheminée et le grand-père qui raconte des histoires à ses petits enfants. Aujourd'hui, les personnes de plus de soixante ans sont actives, en bonne santé. Elles voyagent et elles font du sport. Les raisons de ce changement ? Retenons ici : l'amélioration des conditions de vie (plus de pouvoir d'achat, plus de confort dans les maisons), la prévention des maladies et les progrès de la médecine, garantis par un système d'assistance sociale efficace. Cela a conduit à un allongement de la durée de vie qui est en moyenne, pour les femmes, de 85 ans et, pour les hommes, de presque 80 ans.

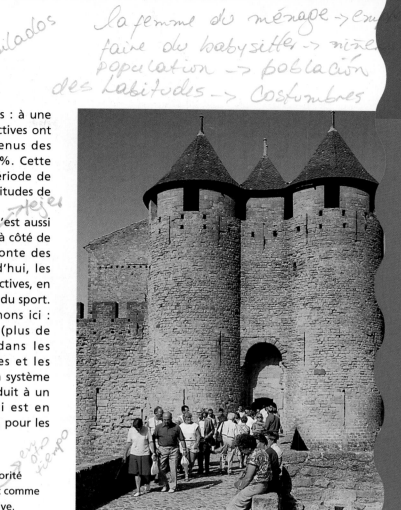

À Carcassonne.

civilisation

La perception de la vieillesse a changé : la majorité des personnes que l'on considérait auparavant comme âgées se sentent jeunes et mènent une vie active.

Des vieux qui se sentent jeunes… et restent longtemps actifs.

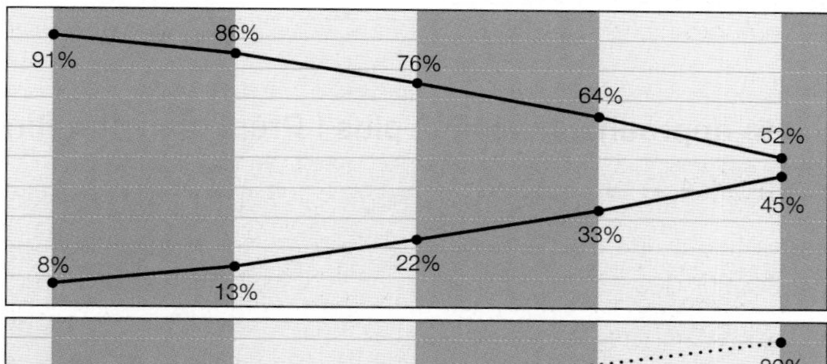

Se sentent jeunes.
Se sentent vieux.

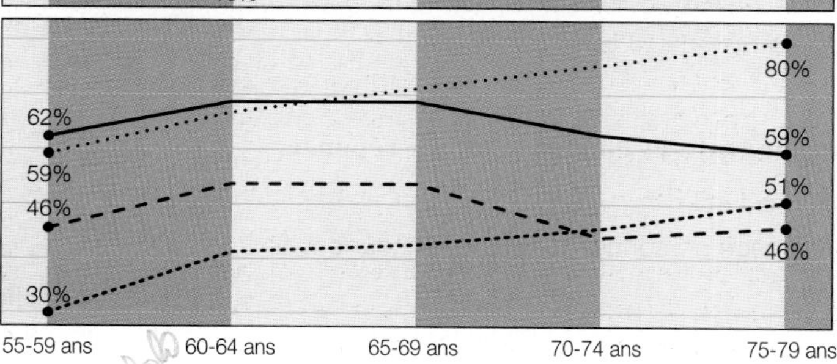

Lisent souvent.
Voyagent.
Regardent la télé 3h/jour au moins.
Marchent, font du sport.

55-59 ans | 60-64 ans | 65-69 ans | 70-74 ans | 75-79 ans

L'Express 16/11/1995, enquête Ipsen-Sofres, 1995.

▶ **1.** Comment évoluent les revenus des personnes actives et les revenus des retraités, depuis cinq ans : lesquels sont en baisse ? lesquels sont en hausse ?

▶ **2.** Qu'est-ce qui a changé chez les personnes âgées ? Quelles sont les raisons de ce changement ?

▶ **3.** Dans le graphique, combien de personnes disent se sentir jeunes, dans les différentes tranches d'âge ?

▶ **4.** Vous attendiez-vous à ces réponses ? Pourquoi ?

▶ **5.** Vous êtes en France. Vous devez faire une enquête sur les personnes âgées que vous connaissez. Préparez un questionnaire à partir des documents précédents.

UNITÉ 7

Thème
- le choix et l'organisation des vacances

Savoir-faire
- exprimer son opinion et la justifier
- convaincre
- demander et donner des conseils
- comprendre un texte argumentatif

Vocabulaire
- des mots pour parler des vacances, des voyages
- des mots pour décrire un paysage

Grammaire
- le subjonctif
- l'interrogation : *qui est-ce qui, qui est-ce que, lequel*
- l'infinitif sujet
- des mots de coordination

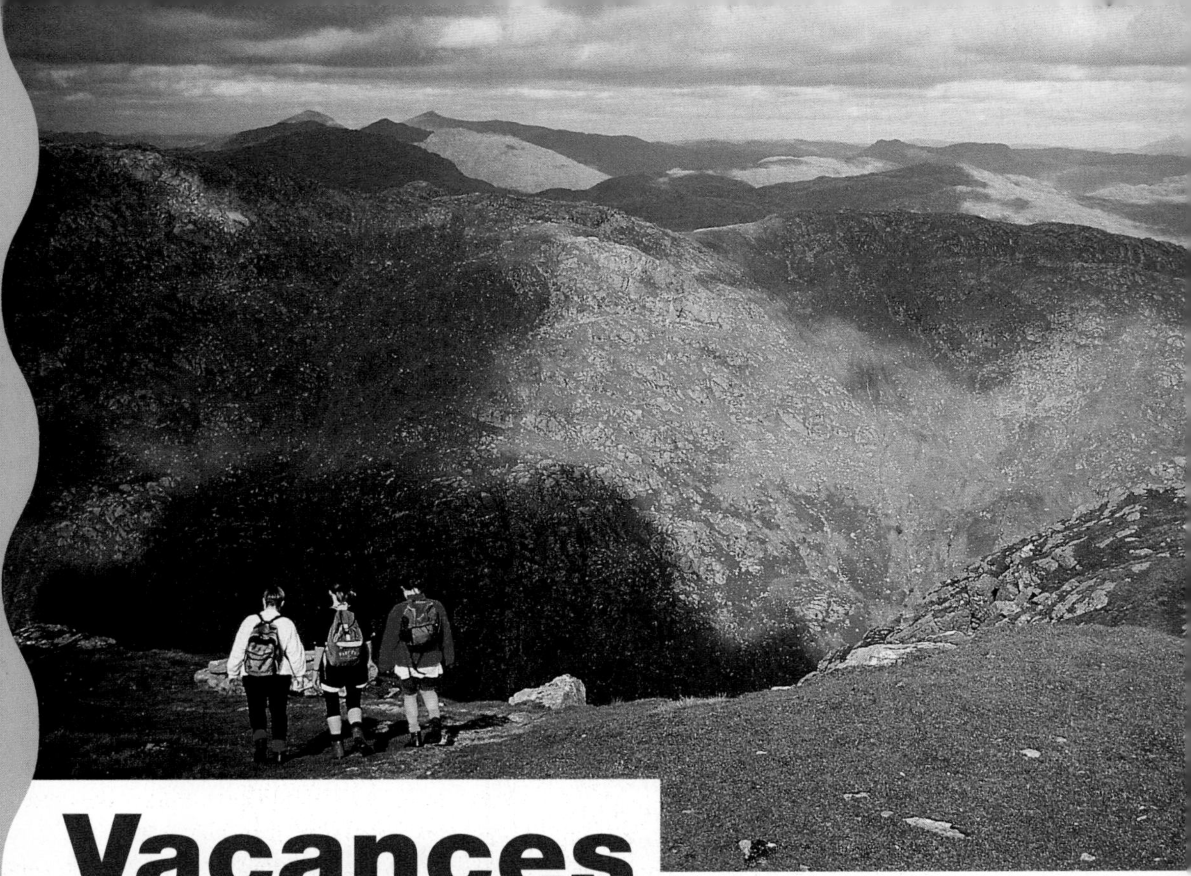

Vacances

1 Les chemins de grande randonnée

L'été approche, n'hésitez plus ! Préparez votre itinéraire et partez !

Tous les syndicats d'initiative de France vous proposent des dépliants d'information pour parcourir des régions à pied : laquelle choisir ?

Des milliers de kilomètres de sentiers vous attendent au bord des lacs ou sur les sommets des montagnes : lesquels vous font rêver ?

1 Lisez le texte et donnez la bonne réponse.

Ce document est :

1. un message personnel qu'un randonneur envoie à un ami ;

2. une publicité parue dans une revue pour marcheurs ;

3. une publicité d'un syndicat d'initiative.

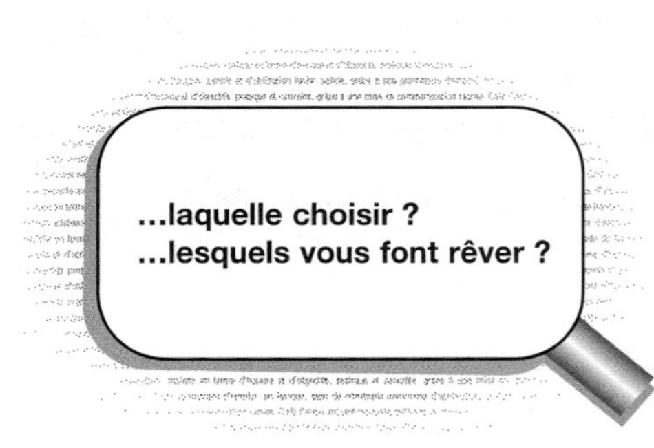
...laquelle choisir ?
...lesquels vous font rêver ?

2 Posez des questions comme dans l'exemple.

Des milliers de kilomètres de sentiers vous attendent. (choisir)

➜ *Lesquels choisir ?*

1. Nous voulons nous acheter une nouvelle voiture. (choisir)

2. Nous voulons offrir un CD à notre sœur. (acheter)

3. Nous donnons une petite fête dimanche pour une vingtaine d'amis. (inviter)

4. Je vais acheter un journal pour lire dans le train. (prendre)

Marche et rêve

« Et cet été, vous faites quoi ? » « On part marcher. »

La randonnée pédestre est la première activité de loisirs des Français. Ils sont dix millions environ chaque année, à partir sur les sentiers. Et deux millions à le faire régulièrement, surtout les femmes (55 %). La marche nous aide à combattre le stress des grandes villes. Fini le bruit, la vitesse, la pollution. Retour au calme, au grand air, à la nature.

Marcher, c'est se libérer. On s'arrête quand on veut, où on veut. On redécouvre le plaisir de l'effort physique. Le soir, après une journée de marche, la fatigue est vite oubliée. On ne pense qu'au bonheur de se reposer, d'enlever ses chaussures. Le matin, après un bon petit déjeuner, le départ est une fête. Souvent le soleil se lève à peine. Ces moments de plaisir, on peut les vivre seul et en silence ou les partager dans un groupe. Le rythme de la marche favorise les discussions. Les randonnées sont des moments de solidarité, de camaraderie.

Marcher, c'est aussi voyager à son rythme, prendre son temps. On découvre des paysages, des arbres, des témoins du passé : églises, châteaux...

Enfin, la randonnée est bon marché. L'équipement n'est pas cher, les gîtes d'étape ou chambres d'hôtes pratiquent des prix intéressants.

Où aller ? En France, il y a 900 000 kilomètres de sentiers. On peut sortir avec ou sans bagages, avec ou sans accompagnateur. Organiser soi-même, comme 90 % des Français, un petit ou un grand circuit n'est pas compliqué. Préparer un itinéraire donne presque autant de plaisir que le suivre.

3 Lisez le texte. Vrai ou faux ?

1. Il y a des millions de Français qui pratiquent la randonnée.
2. La marche est une activité stressante.
3. La randonnée se pratique toujours à plusieurs.
4. L'équipement pour faire de la marche coûte cher.
5. En France, il y a beaucoup de sentiers pour faire de la randonnée.
6. C'est très compliqué d'organiser un itinéraire.

4 Qu'est-ce qui va ensemble ?

1. Marcher
2. Organiser un circuit
3. Préparer un itinéraire
4. Partir avec des amis
5. Dormir en chambre d'hôte

a. n'est pas compliqué.
b. donne beaucoup de plaisir.
c. favorise les discussions.
d. ne coûte pas très cher.
e. c'est voyager à bon marché.

Marcher, c'est se libérer.
Organiser... n'est pas compliqué.

5 1. Donnez la bonne réponse.

Dans la première ligne du texte, le journaliste rapporte les paroles :
a. de deux personnes particulières ;
b. des gens en général.

2. Dans le texte, relevez tous les arguments en faveur de la marche, puis classez-les dans les catégories suivantes :

a. santé ; **b.** plaisir ; **c.** coût ; **d.** échange.

À VOUS ! **6 À deux, essayez de convaincre les autres étudiants de pratiquer une activité que vous aimez. Mettez-vous d'accord sur l'activité et faites la liste des arguments que vous voulez utiliser avant de prendre la parole.**

Il faudrait que tu écrives...

MARCELLE : Allô, Agnès ? Bonjour c'est Marcelle. Comment ça va ?
AGNÈS : Ça va, et toi ?
MARCELLE : Très bien. J'organise mes vacances, alors ça va bien.
AGNÈS : Tu pars dans les Landes, c'est ça ?
MARCELLE : Oui, je pars avec des copains. Je sais que tu connais très bien la région. Est-ce que tu as des conseils à me donner, des adresses ?
AGNÈS : Tu sais, il y a plein de choses à faire. Il y a la plage, bien sûr, mais il faut que tu fasses un tour dans le vignoble. Si vous aimez la marche, vous pouvez découvrir le vignoble à pied. Mais j'y pense, j'ai un très bon guide : *Entre Garonne et Dordogne à pied*. Et puis, il y a aussi...
MARCELLE : Dis, tu pourrais me prêter ton guide ?
AGNÈS : Bien sûr. Vous pouvez aussi louer des vélos et dormir dans des gîtes.
MARCELLE : Ah, ça c'est une très bonne idée ! Je voudrais bien que tu me donnes des adresses. Qui est-ce qui pourrait nous loger ?
AGNÈS : J'ai un copain qui a un gîte en pleine forêt landaise. Il habite dans un petit village, mais j'ai perdu son adresse.
MARCELLE : C'est dommage. Et qui est-ce que je pourrais contacter pour avoir des informations sur les gîtes, les locations de vélos ?
AGNÈS : Écoute, il faudrait que tu écrives à l'office du tourisme de Bordeaux. Dans toutes les villes, il y a un syndicat d'initiative. Tu auras toutes les informations sur place. Si je pouvais, je partirais bien avec vous.

...qui est-ce que je pourrais contacter... ?
...il faut que tu fasses un tour dans le vignoble.
...il faudrait que tu écrives...

7 Écoutez le dialogue et répondez aux questions.

1. Pourquoi est-ce que Marcelle téléphone à Agnès ?
2. Où est-ce que Marcelle veut aller en vacances ?
3. Où habite le copain d'Agnès ?
4. À qui faut-il écrire pour avoir les adresses des gîtes ?

8 Reliez les conseils d'Agnès aux problèmes correspondants de Marcelle.

Marcelle
1. – Je ne sais pas où aller dans les Landes.
2. – J'ai mal à la tête.
3. – Ce mois-ci, j'ai dépensé trop d'argent.
4. – Jean a déménagé. Je ne sais pas où il habite.
5. – Au mois d'août, les hôtels sont sûrement complets.

Agnès
a. – Il faudrait que tu prennes quelque chose.
b. – Il faut que je te donne sa nouvelle adresse.
c. – Il faut que tu réserves à l'avance.
d. – Il faudrait que tu écrives au syndicat d'initiative.
e. – Il faudrait que tu réfléchisses un peu plus avant d'acheter quelque chose.

9 Posez des questions avec les éléments suivants :

Qui est-ce qui – Qui est-ce que

1. m'a réveillé ce matin ?
2. je vais voir pour avoir des conseils ?
3. tu vas inviter pour ton anniversaire ?
4. pourrait me prêter un guide des Landes ?
5. organise ce voyage ?

10 1. Repérez les quatre questions que pose Marcelle et répétez-les.

Marcelle demande à Agnès :
a. des conseils ; **b.** un guide ; **c.** des adresses ;
d. des indications sur les personnes à contacter.

2. Repérez les conseils d'Agnès et répétez-les.

11 Vous voulez passer vos vacances dans une région qu'un de vos amis connaît très bien et vous lui demandez des conseils. Jouez la scène à deux. Construisez le dialogue sur le modèle du texte.

VOCABULAIRE

L'Auvergne : des grands espaces où il fait bon vivre, un hébergement à la carte

L'hébergement est aussi varié que les sites. Le visiteur peut choisir entre le camping au bord d'un lac, le gîte rural à l'orée d'une forêt, l'hôtel de campagne, où la cuisine et l'accueil font qu'on a l'impression d'être en famille ou les hôtels de luxe et les châteaux dans lesquels confort et caractère se mêlent intimement.

Comité Régional du Tourisme d'Auvergne – 43, avenue Julien – 63011 Clermont-Ferrand

1 Quels mots peuvent remplacer le terme *site* ? Cherchez-les dans votre dictionnaire.

2 Voici des sites français. Complétez à l'aide des mots suivants :
vallée – île – forêt – sommet – château

1. Le … du mont Blanc (Alpes)
2. La … de la Loire (Ouest)
3. La … de Brocéliande (Bretagne)
4. Le … de Versailles (Île-de-France)
5. L'… de Ré (Atlantique)

Vous pouvez repérer ces sites sur la carte de France p. 4.

3 Repérez dans le texte tous les termes qui indiquent des types d'hébergement. Complétez la liste par d'autres termes que vous connaissez.

Des adjectifs pour apprécier, décrire un paysage, un monument

ancien – typique – banal – en ruine
connu – tranquille – sauvage – fréquenté – calme
merveilleux – impressionnant – magnifique –
grandiose – pittoresque – admirable – prestigieux

À VOUS ! **4 À deux, décrivez un monument ou un paysage que vous aimez. Utilisez les adjectifs ci-dessus.**

À VOUS ! **5 Cherchez des arguments pour et contre les vacances en ville. Regroupez les arguments de tous les étudiants. Essayez de convaincre ceux qui ne pensent pas comme vous.**

GRAMMAIRE

L'INTERROGATION : QUI, QUE, QUI EST-CE QUI, QUI EST-CE QUE, QU'EST-CE QUI, QU'EST-CE QUE

– ***Qui*** *parle ?* ***Qui est-ce qui*** *parle ?*
– *C'est Jacques.*
• Le sujet est une personne : on emploie **qui** ou **qui est-ce qui**.

– ***Qui*** *cherchez-vous ?* ***Qui est-ce-que*** *vous cherchez ?*
– *Je cherche un ami*
• L'objet direct est une personne : on emploie **qui** ou **qui est-ce que**.

– ***Qu'est-ce qui*** *sonne ?*
– *Le réveil sonne.*
• Le sujet est une chose : on emploie **qu'est-ce qui**.

– ***Que*** *cherches-tu ?* ***Qu'est-ce que*** *tu cherches ?*
– *Je cherche ma clé.*
• L'objet direct est une chose : on emploie **que** ou **qu'est-ce que**.

On emploie **qu'est-ce qui** dans les structures suivantes :
Qu'est-ce qui *se passe ?*
Qu'est-ce qui *ne va pas ?*
Qu'est-ce qui *te plaît ?*

1 Remplacez les formes interrogatives simples par des formes complexes.

Qu'as-tu mangé hier soir ?
➜ *Qu'est-ce que tu as mangé hier soir ?*

1. – Qui a téléphoné tard hier soir ?
– Un monsieur que je ne connais pas.
– Que voulait-il ?
– Il voulait parler à Jacques.

2. – Qui avez-vous rencontré chez Élodie ?
– Il y avait les gens que tu connais.
– Qu'avez-vous acheté comme cadeau ?
– On lui a offert un foulard.

2 Posez les questions directes correspondantes comme dans l'exemple.

Je voudrais savoir :
– ce qui t'intéresse vraiment
➜ *Qu'est-ce qui t'intéresse vraiment ?*

– ce que tu as envie de faire cet été ;
– ce qui te ferait plaisir pour ton anniversaire ;
– ce qui te préoccupe.

CONJUGAISON : LE SUBJONCTIF (1)

***Il faut que** tu la rappell**es**.*
***Je voudrais que** tu me donn**es** des adresses.*
***Il faudrait que** nous écriv**ions**.*
***Je veux qu'**ils fass**ent** attention.*

• L'emploi du subjonctif est obligatoire après certains verbes comme **falloir que** et **vouloir que**.

formation régulière		**irrégulière**
Il faut : que je téléphon**e**	que j'écriv**e**	que je fass**e**
que tu téléphon**es**	que tu écriv**es**	que tu fass**es**
qu'il/elle téléphon**e**	qu'il/elle écriv**e**	qu'il/elle fass**e**
que nous téléphon**ions**	que nous écriv**ions**	que nous fass**ions**
que vous téléphon**iez**	que vous écriv**iez**	que vous fass**iez**
qu'ils/elles téléphon**ent**	qu'ils/elles écriv**ent**	qu'ils/elles fass**ent**

• À l'exception des verbes **avoir** et **être**, tous les verbes ont les mêmes terminaisons au subjonctif présent :
-e, **-es**, **-e**,**-ions**, **-iez**, **-ent**.

• En règle générale, la troisième personne pluriel du présent de l'indicatif donne le radical du subjonctif présent.
*Ils **écriv**ent.* ➜ *Il faut que j'**écriv**e.*

Les verbes qui changent de radical au présent de l'indicatif changent également de radical aux personnes correspondantes du subjonctif.
Appeler ➜ *présent : j'**appell**e, nous **appel**ons.* ➜ *subjonctif : que j'**appell**e, que nous **appel**ions.*

3 Transformez comme dans l'exemple.

Tu devrais appeler un médecin.
➜ *Il faudrait que tu appelles un médecin.*

1. Vous devriez téléphoner à la police.
2. Les enfants devraient faire des promenades plus courtes.
3. Ta collègue devrait écrire à l'office du tourisme, si elle veut trouver du travail comme guide.
4. Tes amis devraient faire attention à ce qu'il disent, s'ils ne veulent pas avoir d'ennuis.

LE PRONOM INTERROGATIF LEQUEL

...parcourir des régions à pied.
***Laquelle** choisir ?* (= quelle région choisir)
***Lesquelles** de ces régions choisir ?*

	masculin	féminin
singulier	lequel	laquelle
pluriel	lesquels	lesquelles

Le pronom interrogatif se réfère à un terme qui précède ou qui suit. C'est le genre de ce terme qui détermine le genre du pronom.

4 Complétez avec un pronom interrogatif.

– Vous avez fait beaucoup de voyages. ... a été le plus important pour votre vie d'artiste ?
– Oh ! Il y en a plusieurs ! ... est-ce que j'ai préférés ? Ce sont mes voyages en Amérique latine.
– ... de vos chansons est la plus connue, là-bas ?
– C'est *Viva America latina*.

EXPRESSION

◆ ÉCRIT ◆

Marion a écrit à Lucie pour lui conseiller des vacances originales.

> *Chère Lucie,*
>
> *Je viens de lire ta lettre. Tu me demandes des conseils parce que tu penses que j'ai toujours de bonnes idées. Je ne sais pas si c'est toujours vrai, mais ce que je te propose me semble vraiment une bonne idée. ... Michel et toi vous voulez passer des vacances en amoureux. Vous avez pensé à la Bourgogne et je sais que toi, tu détestes la voiture. ... je ne vois qu'une solution : louez un bateau-habitable et descendez le canal de Bourgogne. Vous visiterez ... la région tranquillement. ... vous devrez apprendre à conduire le bateau ... ne t'inquiète pas, c'est très facile. Vous pourrez vous arrêter pour faire de la marche à votre rythme, pour visiter des églises et des châteaux ... pour goûter la cuisine de la région. Avec le bateau-habitable vous aurez ... le calme de la nature, le charme des villes et le plaisir du voyage.*
>
> *Bonnes vacances !*
>
> *Je t'embrasse, mes amitiés à Michel.*
>
> *Marion*

❶ Lisez la lettre ci-dessus et complétez-la avec les éléments suivants : *mais – bien sûr – donc – ou encore – si j'ai bien compris – alors – ainsi.*

❷ Trouvez dans la lettre les arguments en faveur du bateau.

❸ Un de vos amis aime beaucoup faire du sport et il ne sait pas où aller en vacances. Il vous écrit pour vous demander un conseil. Vous lui répondez.

Vous pouvez suivre le plan suivant :

1. Introduction.
Je viens de recevoir ta lettre.
Si j'ai bien compris...
Je sais que tu aimes... alors tu...

2. Développement.
Bien sûr... mais...

3. Conclusion.
Tu verras, tu seras...

◆ ORAL ◆

❹ Vous voulez partir en vacances en Bourgogne. Vous allez au syndicat d'initiative pour chercher des idées. La personne vous demande de décrire vos vacances idéales, puis elle vous propose de louer un bateau-habitable et argumente sur les avantages de ce genre de vacances. Vous lui demandez des renseignement pratiques : villes de départ et d'arrivée, sites à visiter, activités possibles... Inventez ses réponses. Aidez-vous du schéma.

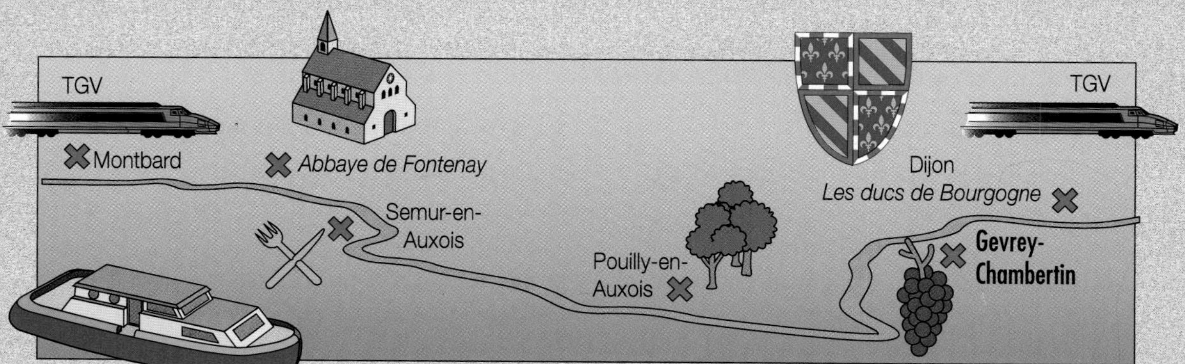

LA DAME EN VIOLET

EXTRAIT A 

Acte II, scène 5

Le docteur Knock continue ses consultations gratuites. Il reçoit la visite de Mme Pons, née demoiselle Lempoumas. C'est une vieille dame habillée en violet, qui paraît très riche. Cette richesse voyante attire l'attention de Knock, qui lui répond avec un respect inhabituel.

LA DAME EN VIOLET : Je voudrais ne plus penser toute la journée à mes locataires, à mes fermiers et à mes titres[1]. Je ne puis[2] pourtant pas, à mon âge, courir les aventures amoureuses – ah ! ah ! ah ! – ni entreprendre un voyage autour du monde. Mais vous attendez, sans doute, que je vous explique pourquoi j'ai fait la queue à votre consultation gratuite ?

KNOCK : Quelle que soit votre raison, Madame, elle est certainement excellente.

LA DAME : Voilà ! j'ai voulu donner l'exemple. Je trouve que vous avez eu là, docteur, une belle et noble inspiration. Mais, je connais mes gens. J'ai pensé : [...] « S'ils voient qu'une dame Pons, demoiselle Lempoumas, n'hésite pas à inaugurer les consultations gratuites, ils n'auront plus honte de s'y montrer. » Car mes moindres gestes sont observés et commentés. C'est bien naturel.

KNOCK : Votre démarche est très louable, madame. Je vous en remercie.

LA DAME : Je suis enchantée, docteur, d'avoir fait votre connaissance. [...] *(Knock s'incline et l'accompagne vers la porte.)* Vous savez que je suis réellement très, très tourmentée[3] avec mes locataires et mes titres. Je passe des nuits sans dormir. C'est horriblement fatigant. Vous ne connaîtriez pas, docteur, un secret pour faire dormir ?

[1] Un titre : valeur boursière.
[2] Je ne puis : je ne peux.
[3] Tourmentée : inquiète.

Écoutez

❶ Extrait A. Vrai ou faux ?

1. Mme Pons, née demoiselle Lempoumas, souffre de fortes douleurs à la tête.
2. Elle a des soucis avec la gestion de ses biens.
3. Elle est allée à la consultation gratuite de Knock pour faire sa connaissance.
4. Elle y est allée pour donner le bon exemple.

❷ Extrait B. Répondez aux questions.

1. De quoi parlent Knock et la dame en violet ?
2. Comment Knock va-t-il s'occuper de sa riche cliente ?
3. Est-ce que la dame en violet a peur de la maladie ? Comment le manifeste-t-elle ?
4. Trouvez-vous ce dialogue comique ? Pourquoi ?

Knock (3)

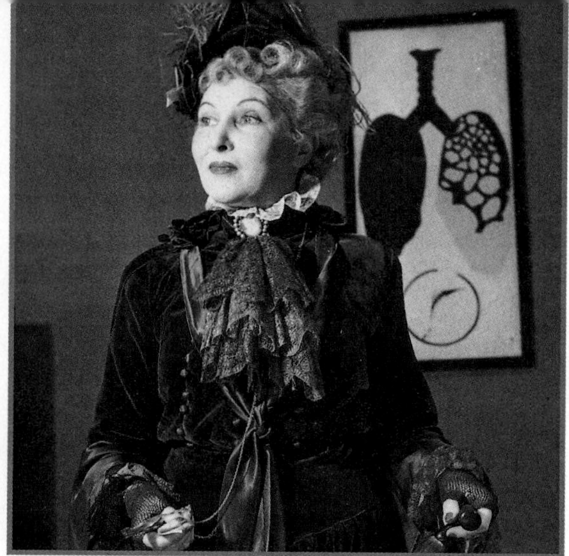

EXTRAIT B

On peut facilement imaginer le diagnostic catastrophique que Knock va faire. Le traitement de sa riche patiente sera très, très coûteux. Inquiète, la dame en violet est prête à tout accepter.

LA DAME EN VIOLET : Oh ! Je serai une malade très docile, docteur, soumise comme un petit chien. Je passerai partout où il le faudra, surtout si ce n'est pas trop douloureux.

KNOCK : Aucunement douloureux, puisque c'est à la radioactivité que l'on fait appel. La seule difficulté, c'est d'avoir la patience de suivre bien sagement la cure[4] pendant deux ou trois années. [...]

LA DAME : Oh ! moi, je ne manquerai pas de patience. Mais c'est vous, docteur, qui n'allez pas vouloir vous occuper de moi autant qu'il faudrait. [...]

KNOCK : J'essayerai de faire un bond tous les matins jusqu'à chez vous. Sauf le dimanche. Et le lundi à cause de ma consultation.

LA DAME : Mais ce ne sera pas trop d'intervalle, deux jours d'affilée ? Je resterai pour ainsi dire sans soins du samedi au mardi ?

KNOCK : Je vous laisserai des instructions détaillées. Et puis, quand je trouverai une minute, je passerai le dimanche matin ou le lundi après-midi.

LA DAME : Ah ! tant mieux ! tant mieux ! Et qu'est-ce qu'il faut que je fasse tout de suite ?

KNOCK : Rentrez chez vous. Gardez la chambre. J'irai vous voir demain matin et je vous examinerai plus à fond.

[4] Une cure : traitement long.

Observez et répétez

▶ Insister

3 Écoutez et repérez sur quels mots on insiste.

1. Je suis réellement très, très tourmentée avec mes locataires.
2. Il se soucie beaucoup de son avenir.
3. Elle est vraiment touchée par ce cadeau.
4. Nous sommes contents de ces nouvelles.
5. Je suis véritablement très inquiète pour lui.

4 Ajoutez des mots pour marquer l'insistance puis lisez vos phrases à voix haute.

1. J'ai mal à la tête.
2. J'ai envie de voyager.
3. Je suis déçue par ce spectacle.

▶ Les signes et les sons : [e]

5 Complétez par *-er*, *-ez*, *-é(e)*.

La dame en violet est tourment... : voyag... pour ne plus pens... à ses fermiers, c'est bien ce qui pourrait la soulag... ! Mais elle ne veut pas tout abandonn... ni quitt... Saint-Maurice ! Tous ces soucis l'ont fatigu... ; elle pense que Knock peut l'aid... « Suiv... mes instructions, rest... au lit, et attend... ma prochaine visite », lui dit-il. C'est ce que la dame en violet va, naïvement, accept... .

Exprimez-vous

À VOUS ! 6 La dame en violet demande conseil au docteur Parpalaid, l'ancien médecin du village. Celui-ci lui suggère d'abord de changer d'air.

1. Imaginez la liste des conseils de Parpalaid.
Il faut que vous vous changiez les idées.
2. Imaginez les rêves de la dame en violet.
Si je pouvais, je partirais faire le tour du monde.

À VOUS ! 7 Pour vous, qu'est-ce qu'un bon médecin ? Faites la liste des qualités nécessaires et des défauts que vous ne supportez pas. Justifiez votre opinion.

UNITÉ 8

Thème
- la place du travail dans notre vie

Savoir-faire
- exprimer son opinion et la justifier
- convaincre
- comprendre un texte argumentatif

Vocabulaire
- des mots pour parler du travail et de ce qu'on aime faire
- des expressions pour dire qu'on n'est pas d'accord

Grammaire
- le plus-que-parfait
- le conditionnel passé
- la subordonnée conditionnelle : *si* + plus-que-parfait
- les pronoms personnels
- des mots de coordination
- révision : la subordonnée conditionnelle

Travail...

Dis-moi ce que tu fais, je saurai qui tu es

Deux personnes se rencontrent. Après les présentations, la première question est souvent : « Et vous faites quoi dans la vie ? » Ce qui veut dire, en réalité : « Quand je saurai ce que vous faites, je saurai qui vous êtes. »
Plus le travail se fait rare, plus il prend de l'importance dans notre vie. D'un côté, il y a les chômeurs qui en cherchent, de l'autre, les salariés qui font tout pour garder leur emploi. D'un côté rien, mais de l'autre, souvent trop. Pour garder leur travail, pour gagner plus, beaucoup sacrifient leurs soirées et leurs week-ends, oublient les loisirs, les rencontres avec les amis et regardent leur montre quand ils sont avec leurs enfants. Mais aujourd'hui aussi, des gens rêvent de changement. Ils préfèrent un rythme plus lent et une meilleure qualité de vie aux avantages de la réussite. 53 % de ceux qui travaillent souhaitent avoir plus de temps libre que d'argent. Alors, prêts pour un monde où le travail ne serait plus la seule valeur de notre vie ? Pas facile, mais certains essaient. Une chose est sûre : personne ne rêve d'être chômeur.

1 Lisez le texte. Vrai ou faux ?

1. Le travail est très important dans la vie.
2. Quand on rencontre quelqu'un, on lui demande ce qu'il fait comme travail.
3. Beaucoup de salariés sont stressés.
4. 53 % des salariés aimeraient travailler plus.
5. Personne ne veut changer de mode de vie.

❷ Qu'est-ce qui va ensemble ?
Utilisez *d'un côté..., de l'autre...* pour donner les contraires.

➜ *D'un côté. il y a les chômeurs, de l'autre il y a ceux qui ont trop de travail.*

1. J'aimerais gagner plus
2. Il y a ceux qui pensent seulement à l'argent
3. Le travail devient rare
4. Il y a ceux qui préfèrent la qualité de vie

a. Il y a ceux qui préfèrent la réussite
b. Le nombre des demandeurs d'emploi augmente
c. J'aimerais travailler moins
d. Il y a ceux qui préfèrent gagner moins et avoir plus de temps libre.

❸ 1. Dans le premier paragraphe, repérez le discours rapporté direct. Dites laquelle des deux phrases exprime :
a. une question habituelle ;
b. ce qu'on pense quand on pose cette question.

2. Dans le deuxième paragraphe, deux groupes de personnes sont opposés. Dites quelles sont leurs caractéristiques.

3. Dans le troisième paragraphe, on vous présente un troisième groupe de personnes. Dites quelles sont ses caractéristiques.

❹ On vous invite à une randonnée à pied ou on vous propose d'aller travailler dans une autre région. À deux, réfléchissez aux avantages et aux inconvénients.
Utilisez *d'un côté..., de l'autre...* pour donner vos arguments.

Les jeunes et le monde du travail

Les études préparent-elles à entrer dans le monde du travail ?
L'avis des jeunes

Laure, 18 ans, en terminale au lycée Lamartine
Les diplômes restent sans doute une garantie contre le chômage même s'ils ont beaucoup perdu de leur valeur. Il y a vingt ans, le bac, c'était formidable ; maintenant ce n'est plus rien. Alors il faut continuer ses études, même si on ne sait pas vraiment où on va.

Anne, 18 ans, en première à l'école Notre-Dame
Si l'on veut, on peut ! C'est le caractère qui fait la différence. Les diplômes, on peut toujours les acquérir. Les relations aussi ! Alors je suis sûre que tout marchera bien !

Éric, 19 ans, en terminale au lycée Pasteur
On dit que les diplômes ont moins de valeur, mais tout le monde court après. Moi, je ne sais pas ce que je ferai. Je n'ai pas envie de continuer après le bac. J'irai peut-être au Canada, j'ai de la famille là-bas. D'abord, je veux voir le monde. Après, je penserai aux diplômes.

Luc, 19 ans, en première au lycée Jules-Ferry
On entend souvent dire que le bac n'a plus de valeur. En tout cas, il faut travailler pour l'avoir. On ne vous le donne pas comme ça, mais on vous le demande pour faire des études supérieures.

On ne vous le donne pas comme ça...
...on vous le demande pour faire des études supérieures.

❺ Écoutez et donnez la bonne réponse.

Le texte est extrait :
1. d'un roman policier ;
2. d'une enquête journalistique ;
3. d'un dépliant de l'ANPE.

❻ Répondez comme dans l'exemple.
J'ai besoin de vos conseils. (donner)
➜ *Je ne vous les donnerai pas comme ça !*
1. J'ai besoin de votre voiture. (prêter)
2. J'ai besoin de votre aide. (apporter)
3. J'ai besoin de vos photos et de vos plans. (communiquer)
4. J'ai besoin de votre bureau. (prêter)

7 **Relevez les opinions des lycéens sur les diplômes.**

8 **Repérez les expressions de doute.**

9 **Parmi les personnes interrogées, quelle es celle qui n'exprime aucun doute ?**

10 **Trouvez-vous les lycéens optimistes ou pessimistes ? Justifiez votre réponse.**

3 *Vous avez la parole*

Elle a choisi…

Anne-Sophie, 34 ans, chef du service de publicité

« Je travaille dans un groupe de presse. Le même depuis sept ans. Je gagne bien ma vie. Il y a six mois, le service de publicité d'une radio m'a proposé un poste de directeur commercial et un salaire supérieur de 50 % à celui que j'ai actuellement. Je n'ai pas réfléchi longtemps : j'ai dit non. D'abord, j'ai une fille de 6 ans, je viens de me remarier et je voudrais un autre enfant. Impossible, si je passais directrice, avec de nouvelles responsabilités. Là, j'ai un travail qui me plaît, j'en ai fini avec le stress des débuts. Je connais très bien mon métier, je m'entends bien avec mes collègues, et surtout j'ai du temps. Qu'est-ce que j'aurais gagné si j'avais accepté ? J'aurais loué un appartement plus grand, j'aurais remplacé ma vieille voiture par une Twingo, j'aurais envoyé ma fille aux sports d'hiver… Justement, cette année, elle n'y est pas allée. À Pâques, elle est partie à la campagne avec sa grand-mère. Et comme j'avais du temps, je l'ai accompagnée. Non, je ne regrette rien… »

11 **Lisez le texte et répondez aux questions.**

1. Anne-Sophie a quel âge ?
2. Qu'est-ce qu'elle fait dans la vie ?
3. Est-ce qu'elle a un bon salaire ?
4. Qu'est-ce qu'on lui a proposé comme poste ?
5. Est-ce qu'elle a accepté ?
6. Elle a combien d'enfants ?

Qu'est-ce que j'aurais gagné si j'avais accepté ? J'aurais loué un appartement…

12 **Qui a écrit ce texte ? À qui s'adresse-t-il ?**

13 **Qu'est-ce qui va ensemble ?**

1. Si j'avais terminé mon travail,
2. Si tu avais réussi ton examen,
3. S'il m'avait proposé un nouveau travail,
4. Si j'avais réfléchi longtemps,

a. j'aurais pris un appartement plus grand.
b. je ne serais jamais parti.
c. nous aurions fêté cela.
d. nous serions partis en vacances.

14 **Anne-Sophie a refusé un poste bien payé. Trouvez les raisons qu'elle donne et dites ce que vous en pensez. Justifiez votre réponse.**

À VOUS ! **15** **On vous a proposé quelque chose que vous avez refusé (un travail, une sortie, une invitation). À deux, imaginez la situation puis rédigez un petit texte sur le modèle de *Vous avez la parole* pour justifier votre choix. Comparez ce que vous avez écrit avec les textes des autres étudiants.**

VOCABULAIRE

Le travail est important…		…le reste aussi	
le bureau	l'entreprise	l'amitié	l'amour
la boîte	les supérieurs	la famille	les voyages
la carrière	le salaire	les spectacles	la lecture
le succès	le pouvoir	la musique	le sport
les collègues	la compétition	la nature	les fêtes

À VOUS ! **1 À deux, choisissez une personne que tout le groupe connait. Faites la liste des choses qui sont importantes pour elle.**

À VOUS ! **2 Vous n'êtes pas du même avis que votre voisin sur l'importance du travail dans la vie. À deux, faites une liste d'arguments contraires, puis jouez la scène.**

Des expressions pour dire qu'on n'est pas d'accord

Je ne sais pas
Tu penses vraiment que…
Je veux bien, mais…

Si tu veux, mais…
Je ne suis pas du tout d'accord avec toi.
Ce n'est pas vrai.
Sûrement pas !
Tu exagères !

GRAMMAIRE

CONJUGAISON : LE PLUS-QUE-PARFAIT ET LE CONDITIONNEL PASSÉ

plus-que-parfait de l'indicatif

j'**avais** travaill**é**	j'**étais** arriv**é(e)**
tu **avais** oubli**é**	tu **étais** ven**u(e)**
il **avait** téléphon**é**	elle **était** entr**ée**
nous **avions** perd**u**	nous **étions** conn**us**
vous **aviez** fin**i**	vous **étiez** tomb**és**
ils **avaient** l**u**	elles **étaient** n**ées**

• On forme le plus-que-parfait avec l'auxiliaire **avoir** ou **être** à l'imparfait et le participe passé du verbe.

conditionnel passé

J'**aurais** gagn**é**	je **serais** part**i(e)**
tu **aurais** répond**u**	tu **serais** sort**i(e)**
il **aurait** trouv**é**	elle **serait** perd**ue**
nous **aurions** chant**é**	nous **serions** all**és**
vous **auriez** aim**é**	vous **seriez** reven**us**
ils **auraient** v**u**	elles **seraient** rest**ées**

• On forme le conditionnel passé avec l'auxiliaire **avoir** ou **être** au conditionnel présent et le participe passé du verbe.

• Les règles du choix de l'auxiliaire et de l'accord du participe passé sont les mêmes que pour le passé composé.

LA SUBORDONNÉE CONDITIONNELLE (3) : SI + PLUS-QUE-PARFAIT

Si j'avais accepté *le poste de directeur,* ***j'aurais loué*** *un appartement plus grand (mais je n'ai pas accepté le poste de directeur).*

Si *j'****avais fait*** *des études, je ne* ***serais*** *pas* ***resté*** *si longtemps sans travail (mais je n'ai pas fait d'études).*

si + plus-que-parfait… + conditionnel passé

• Un verbe au plus-que-parfait dans la subordonnée conditionnelle indique que la condition n'a pas été réalisée dans le passé. Le verbe principal se met alors au conditionnel passé.

• On utilise cette construction pour exprimer une justification, un reproche ou un regret.

1 Vous êtes en voiture. Imaginez la situation et complétez les phrases comme dans l'exemple.

Si tu n'avais pas oublié de mettre de l'essence.

➜ *Si tu n'avais pas oublié de mettre de l'essence, on ne serait pas tombé en panne.*

1. Si tu n'avais pas oublié le plan de la ville…
2. Si on avait pris des petites routes…
3. Si vous aviez écouté les informations à la radio…
4. Si j'avais vu la voiture à ma gauche…
5. Si les enfants n'avaient pas crié pendant tout le voyage…

LA SUBORDONNÉE CONDITIONNELLE (4)

si	+ présent…	+ présent/futur/impératif
	+ imparfait…	+ conditionnel présent
	+ plus-que-parfait…	+ conditionnel passé

Il n'y a jamais de conditionnel ou de futur dans une proposition conditionnelle qui commence par **si**.

2 Rédigez un petit texte décrivant les conséquences de chacune de ces hypothèses le plan social, économique et politique.

1. Que se passera-t-il si l'homme n'a plus besoin de travailler ?

2. Que se passerait-il si l'homme ne mourrait plus ?

3. Que se serait-il passé si l'homme n'avait pas inventé le feu ?

LES PRONOMS PERSONNELS

sujet	**1**	**2**	**3**	**4**	**5**	
je	me					
tu	te	le	lui			
il/elle/on	se	la		y	en	**verbe**
nous	nous	l'	leur			
vous	vous	les				
ils/elles	se					

• Le numéro des colonnes indique l'ordre d'apparition des pronoms, à gauche du verbe.

Les combinaisons possibles sont :

1-2	*Je **te le** donne.*
1-4	*Tu **nous y** emmènes ?*
1-5	*Il **vous en** envoie.*
2-3	*Elle **le lui** donne.*
2-4	*Nous **l'y** emmènerons.*
2-5	*Vous **l'en** empêchez.*
3-5	*Ils **lui en** donnent*
4-5	*Il **y en** a.*

À la forme impérative, les pronoms **me** et **te** sont remplacés par **moi** et **toi**, sauf s'ils sont suivis du pronom **en**.
*Ton nouvel ordinateur est génial ! **Prête-le-moi** pour une heure !*
*Je n'ai pas mis de sucre dans mon café. **Donne-m'en** un s'il te plaît.*

3 Complétez le texte avec les pronoms qui conviennent.

Une femme a été interviewée. Elle raconte :
« Je n'ai pas aimé l'interview de jeudi soir. On … … avait présentée comme une interview très importante pour ma carrière, mais les journalistes … ont demandé peu de choses. Au début, ils ne … ont pas posé les bonnes questions, et quand ils … … ont posées, je n'avais plus envie d' … répondre. De toute façon, ils ne … … ont posé que cinq ! »

4 Complétez les dialogues avec les deux pronoms qui conviennent.

1. – Dis, tu veux bien que j'essaye ton nouvel appareil-photo ?
– D'accord, je … … prêterai demain.

2. – Où est-ce que tu as acheté cette bague ?
– C'est mon ami qui … … a offerte. C'est sa grand-mère qui … … a donnée.

3. – Tu n'as pas envie d'aller au cinéma ?
– J'allais … … proposer.

4. – Tu as les clés du chalet ?
– Non, je … … ai données hier soir. Ah non ! plutôt à Monique, je me souviens. Demande-… …

5. – Vous savez que je vais me marier avec Antoine ?
– Non, mais présentez-… …

5 Composez des dialogues comme dans l'exercice 4 et jouez-les avec votre voisin.

ExPRESSIoN

♦ ÉCRIT ♦

Courrier des lecteurs

J'ai lu avec intérêt votre enquête sur le travail. Vous écrivez que beaucoup de gens souhaitent travailler moins, mais qu'ils ne le font pas parce qu'ils ont peur de manquer d'argent. Je pense qu'ils se trompent.
Premièrement, on ne dit pas assez que travailler beaucoup coûte cher. Quand on a plus de temps, on va au marché, on fait la cuisine et on ne s'arrête plus régulièrement au restaurant du coin, à la sortie du travail, vers 21 heures. Et puis, on apprend à bricoler[1] : si je n'avais pas changé de vie, je n'aurais jamais fait autant de choses tout seul.
Deuxièmement, il faut se demander quels sont nos vrais besoins. Il ne s'agit pas d'arrêter de consommer, mais de dépenser mieux. Nous achetons trop de choses inutiles.
Changer n'est pas facile, quand on a appris depuis l'école que le travail est le centre de notre vie. Mais c'est possible et, surtout, c'est très agréable !

POUR VOUS AIDER À ÉCRIRE...
Le développement de votre texte doit être organisé :
– *Premièrement… deuxièmement…*
– *D'un côté… de l'autre…*
– *D'une part… d'autre part…*
– *D'abord… ensuite…*
– *Dans un premier temps… dans un deuxième temps…*

[1] Bricoler : faire des petits travaux, fabriquer, réparer.

❶ 1. Les éléments ci-dessous introduisent des parties importantes du texte. Repérez-les.

1. Introduction.
J'ai lu…
Je pense que…

2. Premier développement.
Premièrement, …
Quand on… Et puis, …

3. Deuxième développement.
Deuxièmement, il faut…
Nous…

4. Conclusion.
Changer n'est pas facile…
Mais c'est…

2. Les éléments ci-dessous décrivent les parties du texte. Faites-les correspondre au plan ci-dessus.

a. le deuxième argument et son illustration
b. une affirmation et une opposition
c. le rappel du sujet et l'opinion du lecteur
d. le premier argument et son illustration

❷ Dans une revue française, vous avez lu une enquête qui explique que, plus on a de diplômes, plus on a de chances de trouver du travail. Vous écrivez à la revue pour exprimer votre opinion. Suivez le plan de la lettre que vous venez de lire.

♦ ORAL ♦

❸ Deux amies, Rébecca et Fabienne, discutent. Jouez la scène.

1. Rébecca annonce à Fabienne qu'elle veut refuser un poste très bien payé.
2. Fabienne qui rêve de faire carrière, s'étonne.
3. Rébecca, qui a réfléchi avant de prendre sa décision, expose alors ses arguments.
4. Mais Fabienne, qui vient de finir ses études et commence à travailler, n'est pas d'accord.
5. Rébecca expose d'autres arguments et Fabienne comprend enfin que la position de Rébecca peut être intéressante.

LE SUCCÈS DE KNOCK

EXTRAIT A

Acte III, scène 6

Les affaires de Knock vont très bien. Il ne cache pas sa satisfaction. Il montre au docteur Parpalaid, l'ancien médecin du village, la courbe des consultations qu'il a dessinée. Celui-ci n'en croit pas ses yeux.

KNOCK : [...] Voici mes chiffres à moi. Bien entendu, je ne compte pas les consultations gratuites du lundi. Mi-octobre, 37. Fin octobre : 90. Fin novembre : 128. Fin décembre : je n'ai pas encore fait le relevé, mais nous dépassons 150. [...]

PARPALAID : Pardonnez-moi, mon cher confrère : vos chiffres sont rigoureusement exacts ?

KNOCK : Rigoureusement.

PARPALAID : En une semaine, il a pu se trouver, dans le canton de Saint-Maurice, cent-cinquante personnes qui se soient dérangées de chez elles pour venir faire la queue, en payant, à la porte du médecin ? On ne les y a pas amenées de force, ni par une contrainte quelconque ?

KNOCK : Il n'y a fallu ni les gendarmes, ni la troupe.

PARPALAID : C'est inexplicable.

[...] *Le docteur Parpalaid veut mieux comprendre. Comme Knock évoque souvent les revenus de ses patients, Parpalaid lui en demande la raison.*

KNOCK : [...] J'ai quatre échelons de traitements. Le plus modeste, pour les revenus de douze à vingt mille[1], ne comporte qu'une visite par semaine, et cinquante francs[2] environ de frais pharmaceutiques par mois. Au sommet, le traitement de luxe, pour revenus supérieurs à cinquante mille francs[3], entraîne un minimum de quatre visites par semaine, et de trois cents francs[4] par mois de frais divers [...].

Écoutez

1 Extrait A. Choisissez la bonne réponse.

1. Knock et Parpalaid discutent :
   a. de médicaments ; b. de consultations ;
   c. des mois de l'année.
2. Les chiffres de Knock se rapportent :
   a. à son revenu ; b. aux prix des visites ;
   c. au nombre de consultations.
3. Parpalaid pense que :
   a. il y a une grave épidémie dans le canton ;
   b. on oblige les gens à aller chez le médecin ;
   c. tout le monde est devenu fou.
4. Knock soigne tout le monde :
   a. de la même manière ;
   b. en fonction de leur revenu ;
   c. en fonction de leur âge.

2 Extrait B. Qu'est-ce qui va ensemble ?

1. Knock recueille avec précision
2. La carte de Knock indique
3. Knock considère

a. ses interventions dans le canton.
b. son collègue comme un client possible.
c. les informations concernant ses clients.

Knock (4)

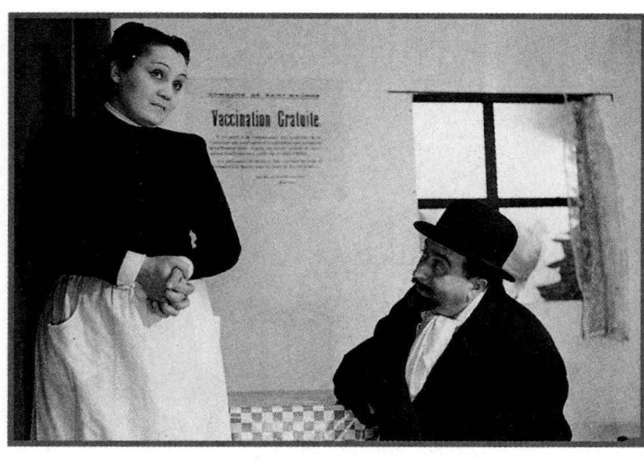

EXTRAIT B

Parpalaid est de plus en plus étonné…

PARPALAID : Vos informations à vous, d'où viennent-elles ?

KNOCK : De bien des sources. C'est un très gros travail. Presque tout mon mois d'octobre y a passé. Et je révise constamment. Regardez ceci : c'est joli, n'est-ce pas ?

PARPALAID : On dirait une carte du canton. Mais que signifient tous ces points rouges ?

KNOCK : C'est la carte de la pénétration médicale. Chaque point rouge indique l'emplacement d'un malade régulier […].

Un peu plus tard : à la pension de Mme Rémy, la seule du village, maintenant transformée en hôpital, Parpalaid n'arrive pas à réserver une chambre pour la nuit. Mais Knock intervient.

Acte III, scène 8

KNOCK : *(À Mme Rémy.)* Vous avez bien une chambre pour le docteur ?

MME RÉMY : Je n'en ai pas. Vous savez bien que nous arrivons à peine à loger les malades. Si un malade se présentait, je réussirais peut-être à le caser, en faisant l'impossible parce que c'est mon devoir.

KNOCK : Mais si je vous disais que le docteur n'est pas en état de repartir dès cet après-midi, et que, médicalement parlant, un repos d'une journée au moins lui est nécessaire ?

Parpalaid pâlit. Il sent que ce sera lui la prochaine victime de Knock et qu'il ne pourra pas lui échapper… FIN

1 douze à vingt mille francs : 1 829,39 à 3 048,98 euros
2 cinquante francs : 7,62 euros
3 cinquante mille francs : 7 622,45 euros
4 trois cents francs : 45,73 euros

Observez et répétez

▶ Exprimer l'étonnement

3 Écoutez et chassez l'intrus.

1. C'est inexplicable.
2. C'est dommage.
3. C'est étrange.
4. C'est bizarre.

4 Exprimez votre étonnement. Jouez la scène.

1. Dans votre entreprise, dix employés sur vingt sont malades, le même jour.
2. Votre voisin, qui aimait beaucoup la ville, a décidé de s'installer à la campagne.

▶ Les signes et les sons

5 Complétez par *ce qui* ou *ce qu'il*.

Le docteur Parpalaid est étonné. … n'arrive pas à comprendre, c'est cette augmentation rapide du nombre de malades. … est bien pour Knock ne l'est pas nécessairement pour ses patients, pense-t-il. Mais son collègue le rassure : tout … fait, il le fait dans l'intérêt supérieur de la médecine. … compte, c'est cela.

Exprimez-vous

À VOUS ! 6 Le docteur Parpalaid raconte à sa femme sa rencontre avec Knock. Elle comprend que Knock est un imposteur. Elle cherche alors à en convaincre son mari, avec des arguments de bon sens. À deux, jouez la scène.

PARPALAID : *J'ai passé tout l'après-midi avec lui. Il m'a montré des chiffres étonnants…*

À VOUS ! 7 Parpalaid a des doutes sur l'honnêteté de Knock. Il en parle au pharmacien, M. Mousquet, qui essaie de dissiper ces doutes. Imaginez la conversation. Utilisez : *d'abord, d'un côté… de l'autre, alors, mais…*

Parpalaid : – *D'un côté, je trouve l'action de mon collègue très intéressante, mais je m'inquiète quand il parle des revenus de ses patients.*

Mousquet : – *Bien sûr, je comprends, mais …*

Repérages

Femmes à Paris et ailleurs

DOC 1

J'aime Paris

C'est la seule ville où je pourrais vivre. D'ailleurs, ce qui est formidable en France, c'est la centralisation : TOUT est à Paris. Mon éditeur est à Paris. Mon directeur de thèse est à Paris. Ma meilleure amie est à Paris. Mes amis sont à Paris. Ma maison est à Paris. Mon chat est à Paris. Mon poisson rouge est à Paris. Ma boulangère est à Paris. Mon ordinateur est à Paris. Mon bureau de poste est à Paris. Mon e-mail est à Paris. Mon psy est à Paris. Et même mon adresse est à Paris. Bref, à Paris, j'ai tout sous la main. C'est merveilleusement bien organisé.

Au début, c'était beaucoup plus compliqué : je suis née en effet très loin de Paris, à l'angle de la frontière et de l'océan, exactement dans un coin. Il a fallu que je fasse de très longues études, que je prenne de multiples trains, que j'attende même la construction du TGV-Atlantique, en bref, qu'on songe à me désenclaver, pour pouvoir enfin rejoindre Paris. Vous imaginez à quel point j'étais fatiguée, écartelée même : je ne pouvais pas vivre sans Paris. Ma maison était déjà construite depuis le XIXe siècle au moins, mon homme était né depuis plus de vingt ans, l'arrière-grand-mère de mon poisson rouge frétillait déjà de désir pour l'arrière-grand-père du susdit, ma boulangère pétrissait vigoureusement des baguettes que je ne mangeais pas, et mon psy ne m'avait pas encore rencontrée, ce qui lui manquait beaucoup. Ma meilleure amie, elle, piaffait à mes côtés : elle avait le même problème que moi. Nous étions nées au même endroit, dans ce coin très loin de Paris. Notre vie devenait de plus en plus complexe.

Heureusement, tout s'est bien terminé, et les choses se sont parfaitement bien mises en place. J'habite la seule ville possible. Il y a des jardins publics magnifiques, des cinémas en veux-tu en voilà, des musées, des magasins, de grandes avenues très chics, des quartiers fort pittoresques, et des Parisiens partout. Je vais très souvent me promener juste au-dessous de la tour Eiffel, là, entre ses quatre bras. Je me tiens très exactement au milieu, je lève la tête, et je tombe dans le grand trou qui est au centre du monde. Il y a même des Japonais qui viennent tout exprès ; mais eux, ils ne sont pas chez eux. Quand je pense que tout cela a été installé pour moi toute provinciale que j'étais, toute rencognée et abandonnée, je me dis que ma vie est bien belle, que le monde est drôlement bien fabriqué, et que décidément tout y fonctionne à la perfection.

Marie Darrieussecq

• *Marie Darrieussecq est l'auteur de* Truismes *(éd. P.O.L.). Elle a écrit cet article pour le magazine* Atmosphères *n° 6 (1997).*

DOC 2

Je n'aime plus Paris

Je n'aime plus Paris depuis que les quais ne sont plus les quais, mais des voies sur berge.
Je n'aime plus Paris depuis que les ateliers ne sont plus des ateliers, mais des lofts – et ce n'est pas simplement une question de vocabulaire.
Je n'aime plus Paris parce qu'on ne peut pas s'y ennuyer tranquille.
Je n'aime plus Paris depuis que la Guinguette a fermé ses volets et que le marchand de quatre-saisons du métro Reuilly-Diderot a été remplacé par un McDonald's avec une devanture façon bistrot.
Je n'aime plus Paris parce que les automobilistes sont excédés et qu'il n'y a plus de couchers de soleil sur la Défense à cause de la pollution.
Je n'aime plus la rive gauche parce que les librairies sont transformées en boutiques de luxe.
Je n'aime plus la rive droite parce que les boutiques de luxe sont transformées en saladeries.
Et puis, on ne peut même plus s'embrasser sous les porches, à l'intérieur des immeubles (à cause des digicodes).

Le périphérique parisien

Je n'aime plus Paris parce que la station Rennes est fermée au public et que le poinçonneur des Lilas a été remplacé par des vigiles.
Je n'aime plus Paris parce que les vedettes du Pont-Neuf ont relégué aux oubliettes leurs petits bateaux.
Je n'aime plus Paris parce que les gens s'y croient.
Je n'aime plus Paris à vélo.
Je n'aime plus Paris parce que Paris empeste, que le ciel est jaune, les chiens tristes et leurs maîtres mal élevés.
Je n'aime plus Paris parce que marcher dedans ne m'a jamais porté bonheur.
Je n'aime pas Paris parce que c'est le premier port de France et qu'il n'y a même pas la mer.
Je n'aime plus Paris depuis que j'ai appris le nombre d'appartements vides et le nombre de locataires expulsés.
Je n'aime plus Paris parce que je préfère Montreuil-sous-Bois, et mes amis aussi.
J'aime néanmoins le marché d'Aligre, le quai n° 3, rue de Nancy, la tour Eiffel à l'instant même où elle s'éteint, le 14 juillet sur Seine, le parc de la Villette, la rue de la Harpe (pour le nom et une autre raison très personnelle) et Paris au mois d'août, quand la ville prend ses quartiers d'été.

Marie Nimier

• *Marie Nimier, est l'auteur de* Celui qui court derrière l'oiseau *(éd. Gallimard).*
Elle a écrit cet article pour le magazine Atmosphères *n° 6 (1997).*

Le parc de la Villette

Le marché d'Aligre

Repérages

Stratégies de lecture

▶ **1.** Observez les deux titres. À votre avis, qu'est-ce que vous allez trouver dans les deux textes ?

▶ **2.** Lisez rapidement les deux textes, sans vous arrêter, même si vous ne comprenez pas quelque chose. Dans quel type de journal ces deux textes ont-ils été publiés ?

▶ **3.** À deux, dites lequel des deux textes vous préférez et pourquoi.

▶ **4.** Relisez les textes, seul. Puis continuez le travail à deux. Dites quels sont les arguments qui vous semblent les plus intéressants ou les plus drôles. Comparez vos réponses avec celles des autres étudiants.

▶ **5.** Dites si, dans les deux textes, il y a des arguments que vous pourriez utiliser pour donner votre opinion sur votre ville, sur une ville que vous aimez ou que vous n'aimez pas.

TOP CHRONO !

Quel est le premier de votre groupe qui trouvera, dans les textes, les réponses à ces questions ?

◆ **1.** Quels sont les quatre animaux cités ?

◆ **2.** Qu'est-ce que les deux femmes disent de la tour Eiffel ?

Stratégies d'écoute 

▶ **6.** Écoutez l'émission radio jusqu'au bout, même s'il y a des mots que vous ne comprenez pas. Quel est le thème de l'émision ?

▶ **7.** Qui sont les personnes qui parlent ? Vous pouvez les désigner par leur nom, leur métier ou par un terme générique.

▶ **8.** Écoutez à nouveau le document en entier. Concentrez-vous sur ce qu'on dit des deux villes dont on parle le plus. Essayez de retenir ce qui vous semble le plus important.

▶ **9.** Réécoutez une troisième fois le document et vérifier vos réponses.

Comparez-les ensuite avec celle des autres étudiants.

◆ Combien de fois entendez-vous le mot *femme* ?

À ne pas lire **TRANSCRIPTION DU DOCUMENT ORAL**  *À ne pas lire*

Le journaliste – Ce journal est terminé. Notre prochain flash d'information est à 19 heures.
Nous vous rappelons que les invités de notre émission *De 6 à 7* sont aujourd'hui Marine Guérin et Jean-Pierre Deroy, deux journalistes de la presse écrite qui viennent de publier une enquête sur les femmes et la ville. Si vous voulez donner votre avis, réagir en direct sur notre antenne, vous pouvez nous appeler comme d'habitude au 01 46 62 22 22.
J. – Marine Guérin, est-ce que vous pourriez nous résumer rapidement ce que vous proposez dans votre livre ?
M. G. – Donner la parole aux femmes. Je vous donnerai deux chiffres : aujourd'hui, 51 % des Français sont des Françaises et 22 millions de femmes vivent dans une ville en France. Elles y travaillent, elles y habitent, elles ont des enfants, elles font leurs courses, elles prennent les transports en commun. Elles ont des problèmes, et elles ont souvent des solutions à proposer... mais qui s'intéresse aux femmes et à leurs problèmes ? Personne. Et les questions de la ville sont presque toujours réglées sans elles. Il était donc normal de les interroger.
J. – Comment avez-vous mené votre enquête, Jean-Pierre Deroy ?
J.-P. D. – Nous avons choisi quatre grandes villes que nous jugions représentatives : Lille au Nord, Strasbourg à l'Est, Nantes à l'Ouest et Toulouse au Sud. Nous n'avons pas pris Paris, Marseille ou Lyon en considération parce que ces villes ont déjà été étudiées par d'autres et qu'on les connaît bien.
J. – Nous avons un premier auditeur, pardon une auditrice. Nous vous écoutons.
Auditrice 1. – Merci de me donner la parole. Astrid Meyer, de Strasbourg. J'ai 32 ans et je travaille. Tout d'abord je voulais dire que je n'étais pas d'accord avec ce que madame Guérin vient de dire. À Strasbourg, on nous écoute. Un exemple, le nouveau tram. On n'a pas oublié que les mamans faisaient souvent leurs courses avec leurs enfants, qu'elles avaient des sacs, une voiture d'enfant. Et puis, à Strasbourg, nous avons des crèches et des garderies, des structures pour aider les personnes âgées, des...
J. – Vous avez raison, mais n'oubliez pas que Strasbourg est la seule grande ville avec une femme maire. Astrid, je vous remercie de votre intervention qui nous permet de parler de Catherine Trautmann, le maire de Strasbourg. C'est toujours agréable de commencer une discussion par un exemple positif. Est-ce qu'une femme maire comprend mieux la population féminine qu'un homme ? Est-ce pour cela que l'on fait plus pour les femme à Strasbourg qu'ailleurs ? Nous avons une auditrice en ligne. Vous êtes...?
Auditrice 2 – Isabelle Bricou, de Toulouse.
J. – Bien, Isabelle, nous vous écoutons.
Auditrice 2 – Je donne raison à Marine Guérin. J'ai arrêté de travailler pour m'occuper de mes deux enfants. Maintenant je suis à la recherche d'un emploi et j'ai l'impression qu'à Toulouse les femmes ont beaucoup moins de chances que les hommes de retrouver du travail. Et quand elles trouvent quelque chose, elles sont moins bien payées que leurs collègues masculins.
J. – Isabelle, si la vie n'est pas toujours rose à Toulouse, il existe de nombreuses associations qui peuvent vous aider. Si vous ne l'avez pas encore fait, vous pourriez vous adresser à l'association Retravailler.
Auditrice 2 – Oui, j'ai déjà entendu parler de cette association, mais je ne pensais pas qu'elle pourrait éventuellement m'aider.
J. – Merci beaucoup, Isabelle. Nous avons de nombreux appels, de Nantes, de Lyon, de Paris. Chères auditrices, chers auditeurs, nous reprendrons vos appels après notre page de publicité. Une dernière information, une note optimiste avant de quitter Toulouse. Aujourd'hui, l'université de Toulouse est la seule en France à proposer un diplôme d'études supérieures en sociologie sur les rapports entre les sexes.

Grammaire

1 Complétez les phrases en conjuguant les verbes au temps qui convient. Attention au sens des phrases.

Demain, si on (pouvoir), on (aller) voir nos amis.

➜ *Demain, si on peut, on ira voir nos amis.*

1. Bien sûr, si on (construire) bientôt un immeuble devant chez nous, nous ne (avoir) plus le soleil.
2. Si, pendant les derniers examens, on (informer) les étudiants correctement, les résultats (être) meilleurs.
3. Cela me ferait vraiment plaisir si tu (venir) passer quelques jours dans notre maison à la campagne.
4. Si la pluie (s'arrêter) on (pouvoir) aller se promener dans la forêt de Brocéliande. Mais il pleut toujours.
5. L'autre jour, si je (avoir) de l'argent sur moi, je (acheter) le blouson dont je rêvais.

2 Répondez affirmativement ou négativement à ces questions en remplaçant les mots soulignés par des pronoms.

– Tu me prêteras ton appartement pendant que tu es parti en vacances ?

➜ *– Non, je ne te le prêterai pas, je le prête à Luc.*

1. – Vous me donnerez l'adresse des Marr en Écosse ?
– Bien sûr, je … dès que je l'aurai.
2. – Il t'a parlé de ses projets de vacances en Inde ?
– Oui, il … hier
3. – Tu me donnes des tickets de métro, s'il te plaît ?
– Je … deux, c'est tout ce qu'il me reste.
4. – Est-ce qu'il y a encore des studios à louer ici ?
– Je suis désolé, il ne … depuis une semaine !
5. – Vous montrerez vos photos de vacances aux Simpson ? Ils voudraient les voir.
– Bien sûr, on … quand ils rentreront.

3 Complétez ces phrases avec le verbe au subjonctif ou à l'indicatif.

Je ne suis pas sûr qu'il (comprendre) bien le français.

➜ *Je ne suis pas sûr qu'il comprenne bien le français.*

1. Je suis sûr qu'il (venir) demain, il me l'a promis.
2. Il ne faut pas qu'elle (écrire) maintenant.
3. Il aimerait que ces amis (aller) visiter Paris.
4. Avez-vous dit à Jean qu'il n'y (avoir) pas cours ?
5. Il faudrait que nous (pouvoir) nous voir rapidement.

4 Posez la bonne question. Utilisez : *qu'est-ce que – qu'est-ce qui – qui est-ce que – qui est-ce qui*.

Je mange du pain et je bois du café.

➜ *Qu'est-ce que vous prenez le matin ?*

1. Je vais au cinéma ou chez des amis.
2. Je crois que je préfère Jules. Il est plus ouvert.
3. Je ne sais pas. Un accident, sûrement !
4. Je crois qu'il vit toujours avec sa mère.
5. Laisse-les à la concierge, si je ne suis pas là.

Vocabulaire

5 Complétez le texte en cherchant, dans la liste ci-dessous, l'adjectif ou l'expression approprié. Attention aux accords.

typique – tranquille – impressionnant – banal – sauvage – grandiose – pittoresque – fréquenté – en ruine – prestigieux

Pour les vacances, j'aimerais aller dans un lieu peu …, avec peu de touristes où il y aurait des paysages … que j'aurais envie de peindre et des objets … . Je n'aime pas les destinations … où tout le monde se précipite. J'aime les endroits …, loin de la civilisation, les châteaux …, au passé …, les petites routes … de montagne où on admire des sites … et … .

6 Inventez une phrase complète avec chacun des verbes suivants.

1. Relire. **2.** Représenter. **3.** Revoir.
4. Rechercher. **5.** Refaire.

Test 2

Compréhension et expression orales

7 Écoutez ces entretiens dans lesquels un journaliste a interrogé plusieurs personnes sur les vacances. Choisissez la bonne réponse.

Entretien 1

1. Ce voyageur ;
a. va souvent à l'étranger ; **b.** aime l'aventure ;
c. préfère partir avec un ami.

Entretien 2

2. À votre avis, quelle est la question du journaliste ?
3. La personne a aimé la Corse parce que :
a. il n'y a pas beaucoup de monde ;
b. le climat est très agréable ;
c. c'est un pays accueillant.

Entretien 3

4. Le journaliste lui demande de raconter :
a. une aventure qui lui est arrivée en voyage ;
b. une chose qu'elle déteste quand elle voyage ;
c. les préparatifs qu'elle n'aime pas faire.

Entretien 4

5. Quel adjectif convient le mieux à ce voyageur :
a. pressé ? **b.** intellectuel ? **c.** gourmand ?

8 **Écoutez la conversation téléphonique et donnez les informations suivantes :**

1. nom de l'hôtel ; **2.** dates réservées ; **3.** nom de la personne ; **4.** adresse ; **5.** somme due.

9 **Lisez les situations suivantes. Formulez des ordres, des conseils ou des souhaits. Utilisez : *il faut que – il faudrait que – si...– je voudrais que – j'aimerais bien que.***

Un ami veut avoir des renseignements sur les locations de vélo.

→ Il faudrait que tu écrives à l'office de tourisme.

1. Un ami vous dit qu'il aimerait aller habiter à Paris, mais qu'il n'a pas assez d'argent en ce moment.
2. Des amis veulent aller passer leurs vacances à New York, mais ils ne trouvent pas de logement.
3. Vous partez en vacances et vous voulez demander à votre voisine de s'occuper de vos plantes.
4. Vous demandez à votre fils de ranger sa chambre.
5. Un ami veut faire du sport. Vous lui conseillez de s'inscrire dans un club de randonnée.

10 **Lisez cette histoire et complétez le dialogue ci-dessous.**

Le docteur Knock m'a dit que les consultations seraient gratuites pour tous les gens du canton. Je lui ai dit que j'habitais la grande ferme qui était sur la route de Luchère. Il m'a demandé si elle m'appartenait puis il m'a ordonné de respirer et de tousser. Il m'a demandé enfin si j'avais mal au dos quand je me couchais. Je lui ai répondu que ça me faisait mal quelquefois.

1. KNOCK : Les consultations...
2. LA CLIENTE : ... la grande ferme qui...
3. KNOCK : Elle... ? ... et... !
4. KNOCK : Est-ce que vous... ?
5. LA CLIENTE : Ça...

Compréhension et production écrites

Chamonix, le royaume du mont Blanc

Les touristes étrangers ont toujours beaucoup fréquenté Chamonix. Ce sont les Anglais qui ont découvert les premiers la vallée du mont Blanc au mois de juin 1741. De Genève en Suisse, deux alpinistes ont entrepris une véritable expédition d'une douzaine de personnes pour visiter les terribles montagnes glacées qu'ils apercevaient dans le lointain. Trois jours plus tard, ils arrivaient à « Chamougny » puis grimpaient jusqu'au Montenvers.

Les curieux qui viennent voir aujourd'hui le mont Blanc, se comptent par centaines de milliers. L'autoroute et le tunnel du mont Blanc ont fait de la vallée un grand carrefour international. Ce sommet fascine et inquiète à la fois. On peut aujourd'hui survoler et même traverser totalement le massif, grâce à une chaîne de téléphériques reliant la France à l'Italie. Le long circuit en automobile autour du mont Blanc par le col du Saint-Bernard a toujours aussi ses amateurs.

11 **Choisissez la bonne réponse.**

1. Où peut-on lire ce genre de texte ?
a. dans un roman ; **b.** dans un magazine ;
c. dans un livre de géographie.

2. D'où est partie la première expédition ?
a. de France ; **b.** d'Angleterre ; **c.** de Suisse.

3. Combien de temps ont mis les alpinistes ?
a. quelques jours ; **b.** deux semaines ;
c. presque un mois.

4. Que pensaient-ils devant ces montagnes ?
a. ils avaient peur ;
b. elles leur paraissaient faciles à grimper ;
c. elles ne leur semblaient pas hautes.

5. Le mont Blanc est très connu surtout grâce :
a. aux nombreuses expéditions d'alpinistes ;
b. aux nouveaux moyens de transport ;
c. aux excursions organisées en car.

6. Le mont Blanc *fascine* veut dire :
a. qu'il fait peur ; **b.** qu'il attire ;
c. qu'il donne du courage.

7. Est-il possible d'y aller en voiture ?
a. oui ; **b.** non ; **c.** je ne sais pas.

8. Trouvez, dans le texte, le mot qui signifie un *passage au sommet d'une montagne*.

9. Trouvez, dans le texte, le nom de l'appareil qui permet de transporter des personnes au sommet d'une montagne.

10. Trouvez un autre mot pour dire *visiteur* ou *touriste*.

12 **Vous avez accompagné un groupe de « jeunes retraités » en voyage pour une journée. Vous racontez, dans une lettre à un(e) ami(e), comment s'est passée la journée, ce que vous avez fait, et si vous avez envie de recommencer l'expérience ou non. Vous lui demandez des conseils. (80 à 100 mots.)**

Partie 3

Ce n'est pas compliqué...

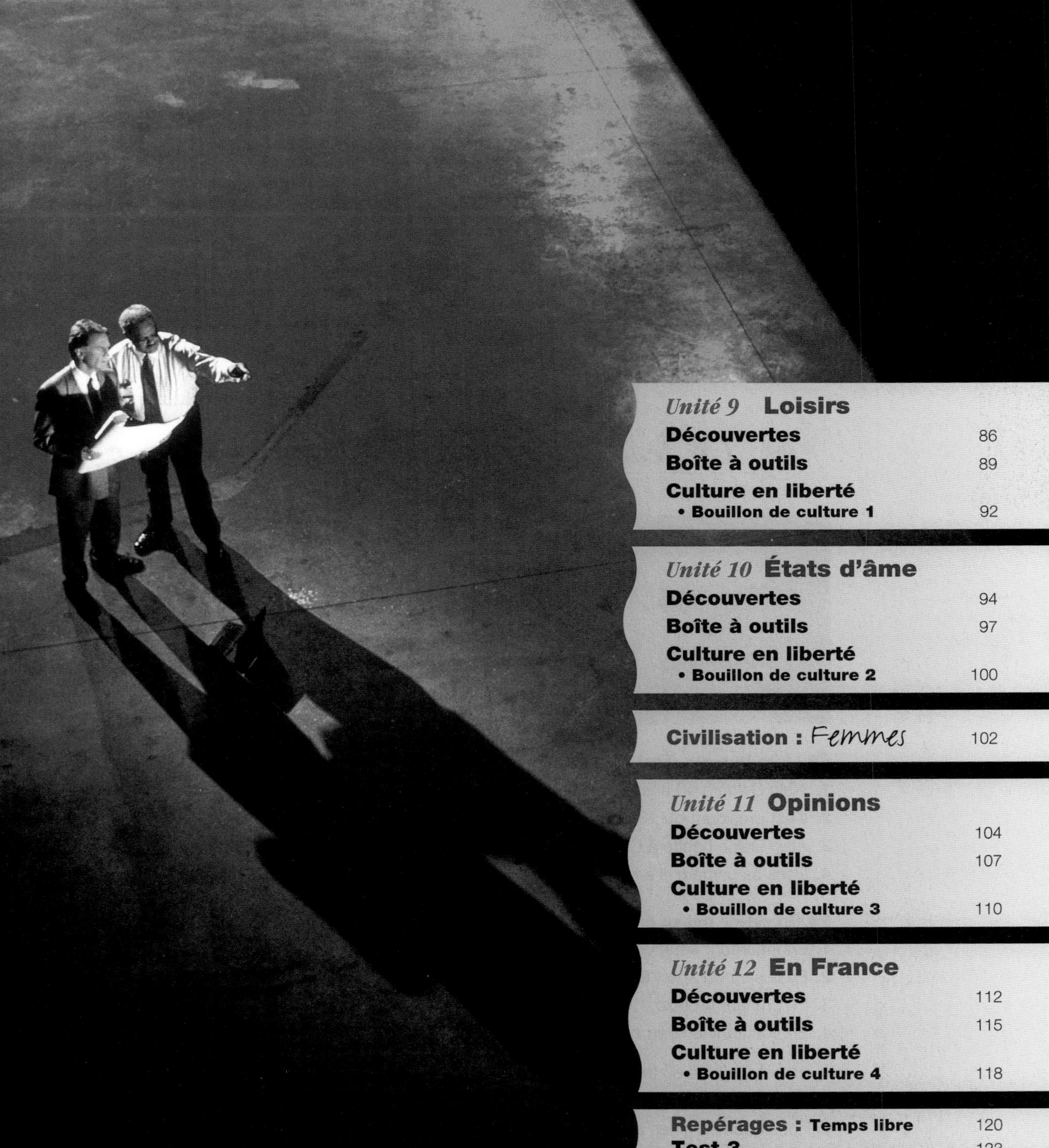

UNITÉ 9

Thème
- le cinéma, la vidéo, la télé

Savoir-faire
- apprécier
- donner des raisons
- comprendre un texte explicatif

Vocabulaire
- des mots pour tourner une vidéo
- les genres de films
- des mots pour apprécier un film

Grammaire
- le gérondif
- le subjonctif présent après les verbes de sentiment et d'opinion
- *pour que, sans que* + subjonctif

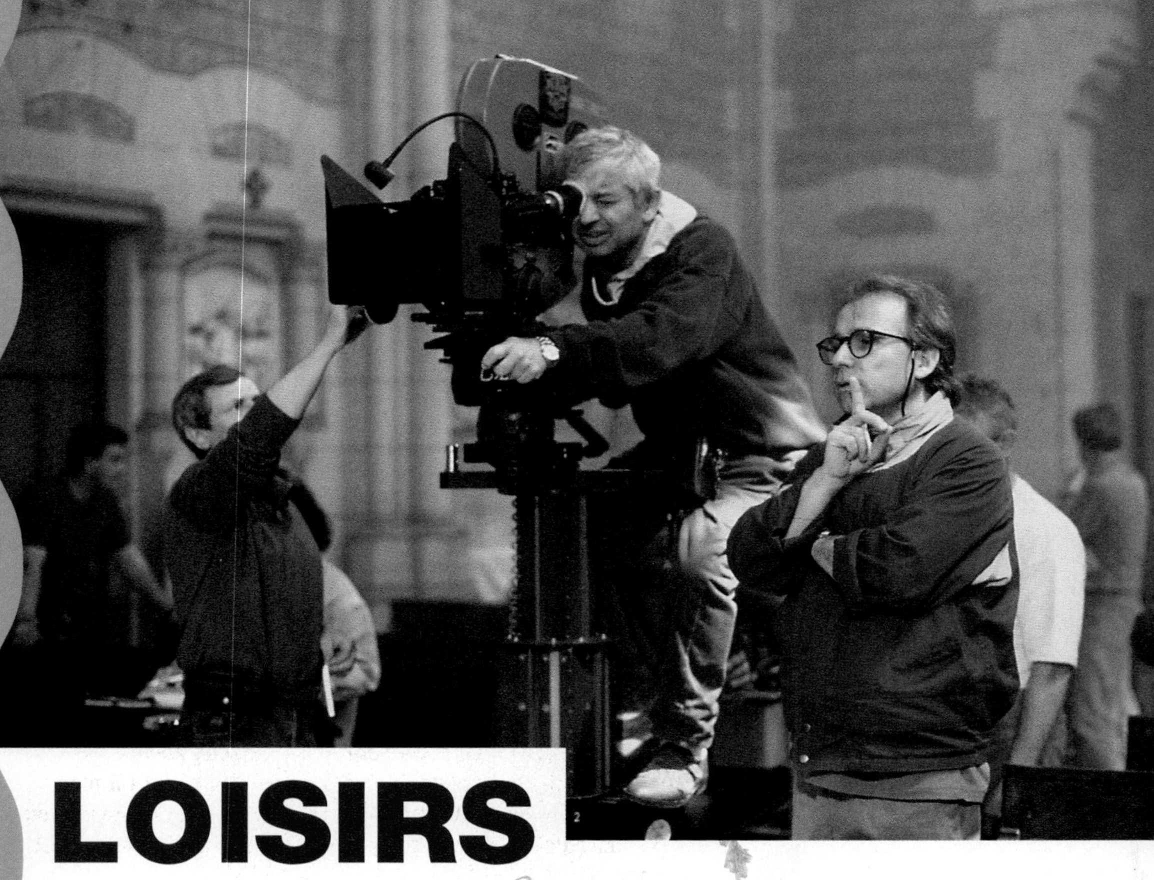

LOISIRS

1 *13e festival du film policier*

ALAIN DELON PRÉSIDENT

En acceptant la présidence du 13e festival du film policier de Cognac, Alain Delon a fait beaucoup d'heureux. Faut-il rappeler que Delon a 40 ans de carrière et que, parmi ses 87 films, 32 étaient des polars ? En descendant de son hélicoptère, il a déclaré : « Si je suis à Cognac, c'est parce que dans un festival de polars, j'ai ma place, je m'y sens un peu chez moi. »

1 Lisez le texte. Vrai ou faux ?

1. Alain Delon a 40 ans.
2. Il est président du 13e festival du film policier.
3. Alain Delon habite à Cognac.
4. Dans sa carrière, il a joué dans 32 films.

2 Qu'est-ce qui va ensemble ?

1. En regardant cette comédie,
2. En faisant du sport toutes les semaines,
3. En prenant un taxi,
4. En écoutant la radio ce matin,

a. on est toujours en forme.
b. j'ai appris qu'il y avait des embouteillages.
c. nous nous sommes bien amusés.
d. tu arriveras à l'heure à ton rendez-vous.

En acceptant la présidence… Delon a fait beaucoup d'heureux.
En descendant de son hélicoptère, il a déclaré…

3 Donnez la bonne réponse.

La deuxième phrase du texte *(Faut-il rappeler…)* :

1. pose une question pour obtenir une réponse ;
2. rappelle une chose connue.

Pour filmer vos vacances

CONSEILS D'UN CAMERAMAN

● Faites parler les images !

LE JOURNALISTE : *Monsieur Crozly, quelle est votre activité principale ?*

LE CAMERAMAN : Nous faisons de la vidéo sur commande pour présenter quelque chose dans un grand magasin par exemple, ou pour filmer une fête de famille…

LE JOURNALISTE : *Est-ce que vous pourriez expliquer à nos lecteurs comment choisir les différents plans pour une vidéo de vacances ?*

LE CAMERAMAN : C'est simple ! Vous voulez filmer une excursion, par exemple. Pour commencer, vous choisissez un plan général pour montrer l'ensemble du paysage, le cadre. Ensuite, vous passez à un plan moyen, plus précis, pour montrer la route que vous allez suivre. Si vous voulez prendre votre famille ou des amis, il vaut mieux choisir un plan américain : les personnages sont très présents dans le décor.

LE JOURNALISTE : *Et si on veut aussi filmer des détails ? Si on a un zoom…*

LE CAMERAMAN : Les détails sont importants, bien sûr, mais attention ! Un plan rapproché ou un gros plan peuvent montrer un détail amusant ou intéressant, mais il ne faut pas en abuser. Le but d'un film, c'est de raconter une histoire.

LE JOURNALISTE : *Est-ce qu'il y a des trucs pour la perspective ? Pour qu'un objet paraisse plus grand, par exemple ?*

LE CAMERAMAN : Il y a des trucs : quand on veut donner l'impression que quelque chose est petit, il faut le filmer d'en haut : c'est ce qu'on appelle la plongée. Et pour insister sur la hauteur, il faut que la caméra soit située le plus bas possible : c'est une contre-plongée. Ce n'est pas très compliqué, il faut apprendre à regarder. C'est tout !

LE JOURNALISTE : *Facile à dire, mais comment ?*

LE CAMERAMAN : Il y a un bon entraînement pour ça : lire des bandes dessinées. Les images de BD sont des images de cinéma qui ne bougent pas.

Pour qu'un objet paraisse plus grand…

❹ Écoutez l'interview et répondez aux questions.

1. Quel type de vidéo le cameraman fait-il ?
2. Quel plan choisit-on pour montrer :
   a. l'ensemble du paysage ;
   b. des personnes ; c. un détail ?
3. Quels sont les avantages d'un plan américain ?
4. Comment est-ce qu'on peut donner l'impression qu'un objet est haut ?
5. Comment est-ce qu'on peut apprendre à regarder ?

❺ Qu'est-ce qui va ensemble ?

1. Pour qu'on puisse voir un détail,
2. Pour que tu apprennes à regarder,
3. Pour que les clients soient contents du film,
4. Pour qu'un objet paraisse plus petit,

a. je te prête mes bandes dessinées.
b. on choisit un gros plan.
c. il faut le filmer d'en haut.
d. le cameraman choisit les plans avec eux.

❻ **1. Relevez les quatre questions** dans lesquelles le journaliste demande des explications. **2. Repérez la première explication du cameraman.** Elle contient un exemple en trois parties. Trouvez chacune des trois parties.

❼ **Vous devez réaliser une courte séquence pour montrer le marché de votre ville.** À deux, notez les plans que vous allez choisir et expliquez votre choix. Comparez vos propositions avec celles des autres étudiants.

3 *Micro-trottoir : Les Français et le cinéma*

LA JOURNALISTE : *Je suis sur les grands boulevards. Les gens font la queue devant les cinémas. Monsieur, pourquoi allez-vous au cinéma ?*

PERSONNE A : Les loisirs, pour moi, c'est le cinéma. Je vais au cinéma pour rire, pour pleurer, pour partager mes sentiments avec des inconnus, avec des gens comme moi. Je m'étonne toujours que beaucoup préfèrent rester assis seuls devant la télévision.

LA JOURNALISTE : *Et vous ?*

PERSONNE B : C'est la sortie idéale quand on est avec des copains, mais j'aime la télé aussi. C'est moins cher.

LA JOURNALISTE : *C'est parce que le cinéma est trop cher que les gens y vont de moins en moins ?*

PERSONNE C : Je ne crois pas que ce soit la raison, et aujourd'hui, avec toutes les réductions, le cinéma ne coûte pas trop cher.

LA JOURNALISTE : *Madame, à votre avis, pourquoi est-ce qu'on va moins au cinéma qu'avant ?*

PERSONNE D : Peut-être par paresse. Avec la télévision et le magnétoscope, c'est beaucoup plus simple : il n'y a pas d'horaire, il y a beaucoup plus de choix... Personnellement, je préfère le cinéma, l'ambiance de la salle, la lumière qui s'éteint, la musique, les premières images sur l'écran. C'est magique. Et pendant deux heures, j'oublie tout.

LA JOURNALISTE : *Et vous ?*

PERSONNE E : J'adore les films comiques, et je regrette que les gens n'aillent pas plus souvent voir les nouveaux films. Ça leur ferait du bien, ils seraient moins tristes. À la télé, ce n'est pas pareil, et on ne s'amuse pas autant. Il faut que j'aille au cinéma au moins une fois par mois.

LA JOURNALISTE : *Est-ce qu'il est important pour vous qu'un film soit français ?*

PERSONNE F : Avant tout, il est important que le film soit bon ! J'aime bien le cinéma français, bien sûr, et nous avons de grands acteurs, mais j'aime aussi les films américains ou italiens, par exemple.

LA JOURNALISTE : *En tout cas, si la télévision se porte bien, le cinéma n'est pas mort ! C'était Sophie, en direct des grands boulevards. À vous les studios.*

Je ne crois pas que ce soit la raison...
...je regrette que les gens n'aillent pas plus souvent...
...il est important que le film soit bon !

❽ **Écoutez l'interview et répondez aux questions.**

1. Qui pose les questions ? **2.** À qui ?
3. Combien de personnes sont interrogées ?
4. Où les échanges ont-ils lieu ?

❾ **Qu'est-ce qui va ensemble ?**

1. Il faut
2. Je regrette
3. Je m'étonne
4. Je ne crois pas
5. Il est important

a. que tu ne puisses pas venir avec nous.
b. que tu sortes plus souvent.
c. que le cinéma se porte très bien.
d. qu'il y ait des réductions pour les jeunes.
e. qu'elle soit allée toute seule au cinéma.

❿ **Relevez dans le texte ce que les personnes interrogées disent :**

1. quand elles comparent le cinéma et la télévision (leurs émotions, le prix ...) ;

2. quand elles parlent de la fréquentation des salles de cinéma.

À VOUS !

⓫ **Vous participez à une enquête sur la passion du cinéma. On vous demande de dire pourquoi vous aimez le cinéma et de décrire ce que vous ressentez quand vous allez voir un film.** À deux, écrivez un petit texte et lisez-le aux autres étudiants. Comparez vos raisons.

VOCABULAIRE

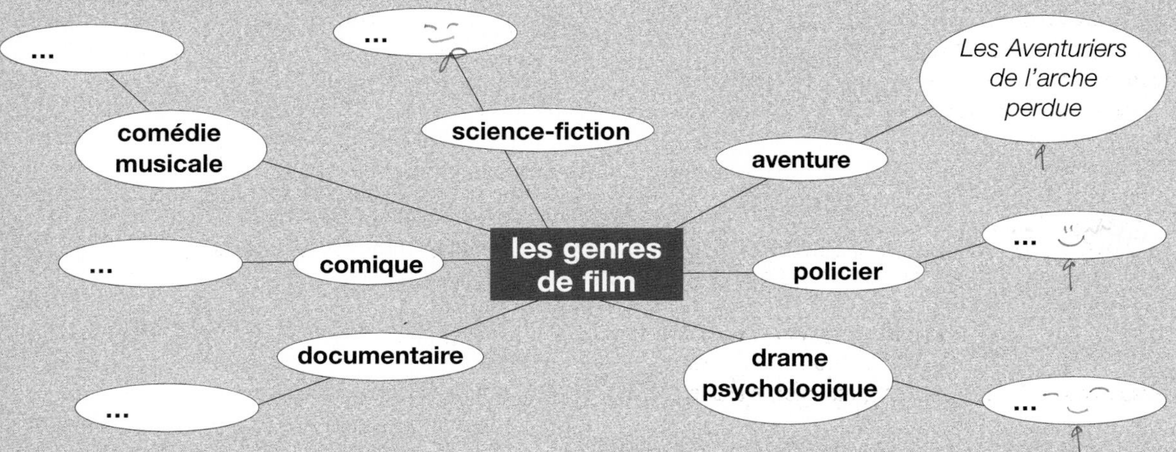

1 Quels sont les genres de films
– que vous préférez ;
– que vous n'aimez pas du tout ?

Faites une liste des derniers films que vous avez vus. Classez-les dans le réseau ci-dessus et dites à quel genre ils appartiennent. Comparez vos réseaux.

2 Regardez le tableau ci-dessous. Pour chacun des noms donnés dans les colonnes de gauche, trouvez dans les colonnes de droite les adjectifs de sens proche.

À VOUS ! **3 Vous présentez le dernier film que vous avez vu : le genre, vos sentiments, les personnages, les images (gros plan, plan américain...).**

Des mots pour apprécier un film

des noms		des adjectifs			
l'humour	le mauvais goût	beau	sensible	sincère	poétique
la sensibilité	le sentiment	tendre	sombre	triste	amusant
la peur	la beauté	idiot	noir	humain	drôle
la tendresse	la poésie	bête	émouvant	généreux	

GRAMMAIRE

LE GÉRONDIF

***En acceptant** la présidence du festival, Alain Delon a fait beaucoup d'heureux.*

- **en** + participe présent = gérondif
- Le participe présent se forme à partir du radical du verbe à la première personne du pluriel du présent + **ant.**

*Nous **fais**ons ➜ **fais**ant ➜ en fais**ant***
*Nous **finiss**ons ➜ **finiss**ant ➜ en finiss**ant***

Attention aux exceptions : ***en étant, en ayant, en sachant***.

- On emploie le gérondif pour :

– dire que deux choses se passent en même temps ;
***En descendant** de son hélicoptère, Alain Delon a déclaré...*
– donner une explication ;
*Il est tombé **en glissant**.*
– exprimer une condition.
***En prenant** un taxi, tu arriveras à l'heure à la gare.*

1 Répondez aux questions.

– Comment avez-vous appris cette information ?
(écouter la radio)
➜ *– En écoutant la radio.*

1. Comment as-tu trouvé cet emploi ?
(lire les petites annonces)
2. Comment avez-vous eu votre accident ?
(jouer au tennis)
3. Comment tes enfants apprennent-ils le français ?
(passer les vacances en France)
4. Comment as-tu découvert ce petit restaurant ?
(visiter la ville)
5. Quand as-tu vu Jean ? (partir au travail)

❷ Remplacez le gérondif par une autre construction : *si, parce que, quand...*

En réservant un appartement aujourd'hui, tu seras tranquille pour les vacances.

➜ Si tu réserves un appartement, tu seras tranquille.

1. Il s'est cassé la jambe en faisant du ski.
2. J'ai retrouvé mon livre en rangeant ma chambre.
3. En allant au cinéma, Pierre oublierait tous ses problèmes.
4. Nous avons rencontré nos voisins du dessus en faisant notre marché.

❸ Répondez aux questions avec un gérondif.

Comment faire pour trouver un appartement ?

➜ En lisant régulièrement les annonces, ou en allant dans une agence immobilière, vous trouverez sûrement l'appartement de vos rêves.

1. Comment faire pour trouver un travail d'été ?
2. Comment faire pour enlever une tache sur un chemisier blanc ?
3. Comment faire pour bien parler une langue étrangère ?
4. Comment faire pour garder la ligne ?
5. Comment faire pour adopter un chien ?
6. Comment faire pour économiser de l'argent ?

CONJUGAISON : LE SUBJONCTIF (2)

• On rencontre le subjonctif après certains verbes et conjonctions déclencheurs :
– après les verbes de sentiment : **aimer, regretter, etc.** ;
*Je regrette que les gens n'**aillent** pas plus souvent au cinéma.*
– après les verbes d'opinion : **douter, s'étonner, craindre, etc.** ;
*Il est important que le film **soit** bien joué.*
*Je ne crois pas que ce **soit** la raison.*
– après certaines conjonctions : **pour que, sans que**.
*Il y a des trucs **pour qu'**un objet **paraisse** plus grand.*
*Les personnages sont très présents **sans que** le décor **disparaisse**.*

 Le subjonctif du verbe **aller** est irrégulier.

Il faut	que j'**aille**	au bureau
Je regrette	que tu **ailles**	chez ta mère
Je m'étonne	qu'elle **aille**	travailler
Il faut	que nous **allions**	au marché
Je ne veux pas	que vous **alliez**	au café
Je ne crois pas	qu'ils **aillent**	s'amuser

❹ Complétez ces phrases : utilisez un subjonctif et justifiez son emploi.

J'aimerais qu'on (aller) au cinéma.

➜ J'aimerais qu'on aille...

➜ « Aller » est placé après un verbe de sentiment.

1. Je voudrais bien qu'il y (avoir) encore des places au cinéma.
2. Je regrette qu'on ne (pouvoir) pas réserver les places à l'avance.
3. Monsieur ! je ne veux pas que vous (passer) devant moi ! Faites la queue !
4. Il est rare qu'on (voir) tant de monde un mardi soir !
5. Pourtant, je ne crois pas que le film (être) excellent.
6. La prochaine fois, choisis le bon horaire pour qu'on (ne pas faire) la queue.

❺ 1. Lisez cet article paru un 1er avril.

Une étude sur l'utilisation des baignoires a beaucoup surpris. Sur 100 personnes interrogées, seulement 42 utilisent leur baignoire pour prendre leur bain : 11 en font une piscine pour les enfants, 8 y ont des poissons, 5 la prennent comme lit quand ils ont des invités, 7 y gardent leurs pommes de terre, d'autres y mettent de la terre et récoltent des légumes. Certains y installent un petit bar pour l'apéritif, d'autres ne vont dans leur salle de bains que pour développer leurs photos.
Et vous chère lectrice, cher lecteur, comment est-ce que vous utilisez votre baignoire ?

2. Commentez l'article avec les expressions suivantes : *je m'étonne que – je ne crois pas que – je regrette que – je voudrais que – je trouve que*

EXPRESSION

♦ÉCRIT♦

Club des anciens de Miribel-sur-Lac

PROCHAINE SORTIE THÉÂTRE

LE MALADE IMAGINAIRE DE MOLIÈRE

Nous avons assisté pour vous à une représentation de la pièce. C'est une merveilleuse comédie où l'on se moque de la médecine et des médecins. Elle est en fait très actuelle quand on pense aux problèmes de la Sécurité sociale, aux manifestations de médecins, aux réformes proposées par l'État. On y retrouve le type du « malade » qui a seulement besoin qu'on s'occupe de lui et que son médecin le prenne – lui et ses maladies – au sérieux. Quelques bonnes paroles, quelques médicaments, et tout le monde est content.

Nous avons particulièrement apprécié le comédien qui jouait Argon, le malade imaginaire. Les docteurs nous ont fait pleurer de rire. Mais la meilleure interprétation est celle de Toinette, la servante : elle dit toujours ce qu'elle pense, ne fait que ce qui lui plaît, elle se déguise en médecin pour mieux se moquer de son patron ! Les spectateurs autour de nous étaient contents de leur soirée. Les pièces classiques sont souvent plus amusantes que le théâtre moderne.

Dans notre club, tout le monde a plus de 60 ans, et on parle sans doute trop souvent de problèmes de santé. Pour une fois, nous pourrions en rire. Si vous êtes de cet avis, inscrivez-vous pour notre prochaine sortie théâtrale !

- **Inscriptions avant le 4 février.**

Soirée le jeudi 18 février
Prix des places : 27,50 € (première catégorie)
ou 23 € (deuxième catégorie).

POUR VOUS AIDER À ÉCRIRE...
On emploie les pronoms pour faire avancer le texte sans perdre le fil.
Le Malade imaginaire... C'est une merveilleuse comédie... Elle est en fait... On y retrouve...

❶ **Qui a écrit ce texte ? Pour qui ? Pourquoi ?**

❷ **Repérez dans le texte les phrases où les auteurs :**

1. disent qu'ils sont allés au théâtre ;
2. disent qu'ils ont aimé la pièce ;
3. parlent de la pièce en générale ;
4. parlent de certains aspects de la pièce ;
5. s'adressent aux lecteurs.

❸ **Complétez le plan ci-dessous.**

Reportez-vous aux éléments soulignés dans le texte.

1. En-tête : le nom du club. ...
2. Objet de la lettre.
   Prochaine sortie théâtre ...
3. Première partie.
   a. Les démarrages.
      Nous avons assisté...
   b. Les informations générales sur le spectacle.
      C'est une merveilleuse comédie...
4. Deuxième partie : les informations détaillées.
   Nous avons particulièrement apprécié...
5. Troisième partie : l'invitation.
   Dans notre club...

❹ **Vous êtes le responsable d'une association culturelle. Vous avez assisté à un spectacle (film, pièce de théâtre, concert) que vous avez particulièrement aimé. Vous voulez organiser une sortie pour les membres de votre club.**

À deux, vous écrivez un texte pour faire le compte rendu de votre soirée et pour les inciter à vous accompagner. Suivez le plan du texte ci-dessus.

♦ORAL♦

❺ **Un spectacle va avoir lieu dans votre ville (concert, pièce de théâtre, son et lumière). Vous téléphonez à un(e) de vos ami(e)s et vous lui demandez de vous accompagner.**

N'oubliez pas de préciser :
– le lieu et la date du concert ;
– de quoi parle le spectacle ;
– pourquoi vous voulez y aller ;
– le prix des places.

Votre ami(e) n'est pas d'accord. Essayez de le/la convaincre de venir avec vous.

Bouillon de culture (1)

UN SOIR À L'OPÉRA

Bernard Pivot est journaliste et porte-parole de la francophonie. Sur la chaîne de télévision France 2, il a longtemps animé l'émission littéraire *Apostrophes*, connue dans bien des pays, et dont *Bouillon de culture* a pris la suite. Pivot définit son émission comme « un magazine d'informations et de débats, de curiosité et de divertissement, construit autour de l'actualité culturelle ».

Maria Kalogeropoulos, dite la Callas, est la plus célèbre cantatrice de l'histoire de l'opéra. De nationalité grecque, elle est née à New York, a débuté sa carrière en Italie, est morte à Paris en 1977. Sa voix de soprane et son talent dramatique l'ont rendue célèbre dans le monde entier. Elle est devenue un mythe... et l'interprète de référence des opéras italiens *La Traviata*, *Tosca*, etc. Ses enregistrements, se vendent encore par milliers d'exemplaires.

La Callas chante Tosca *(1965)*

Les intervenants
Bernard Pivot, responsable de l'émission.
Fanny Ardant, actrice. Elle interprète le rôle de Maria Callas dans la pièce *Master Class (La leçon de chant)* de Terence Mc Nally.

EXTRAIT A

B. PIVOT : Fanny Ardant, vous avez donc joué le rôle de la Callas. [...] Est-ce que vous n'avez pas une crainte quand même de jouer comme ça un rôle aussi énorme ?

F. ARDANT : Non, parce que la pièce existe en elle-même : *Master Class*, de Terence Mc Nally, a créé un vrai personnage avec des caractéristiques, avec des sentiments, des passions. Bien sûr que le point de départ de cette pièce c'est Maria Callas. Ceux qui veulent la reconnaître la reconnaissent, mais il y a un vrai personnage. [...] Eh bien non, ça m'excite.

B. PIVOT : Est-ce que... Callas, vous ne l'avez pas connue. Mais est-ce que vous aviez depuis longtemps une relation personnelle avec sa voix, intime ?

F. ARDANT : Oui, ça fait très longtemps que j'ai entendu Callas dans les opéras, dans les disques, dans les compact-disques et je l'aimais comme ça, dans l'absolu, je n'étais pas une puriste[1], je n'ai pas fait [de] recherches : c'est une voix qui m'a accompagnée depuis tout le temps.

B. PIVOT : Depuis l'enfance ?

F. ARDANT : Oui, parce que mes parents avaient cette coutume de nous donner, à chaque Noël, un opéra. Alors, j'en ai beaucoup et il y avait souvent la voix de Callas.

[1] Une puriste : personne soucieuse de la perfection, dans une langue, dans un art ou un métier.

Écoutez

1 Extrait A. Vrai ou faux ?

1. Fanny Ardant joue le rôle de Maria Callas dans une pièce de théâtre.
2. Jouer ce rôle lui fait un peu peur.
3. Elle a rencontré M. Callas.
4. L'auteur de la pièce a bien défini le personnage de Callas.
5. La voix de Callas a accompagné F. Ardant depuis son enfance.

2 Extrait B. Remettez dans l'ordre ces phrases de résumé qui correspondent aux quatre interventions.

1. C'est une excellente artiste, une femme très belle qui est entrée dans la légende.
2. M. Callas est un personnage mythique et exceptionnel.
3. Elle est dure envers ses élèves comme envers elle-même. Sa leçon de chant est aussi une leçon de vie.
4. Dans la pièce, Maria Callas semble antipathique.

EXTRAIT B

F. Ardant dans Master Class

B. PIVOT : Oui, mais c'était plus qu'une diva[2] aujourd'hui, c'est un mythe[3], c'est un personnage, un destin absolument extraordinaires.

F. ARDANT : Oui, parce qu'il y a d'une part l'artiste, avec sa voix et ce qu'elle a donné à l'opéra, et puis il y a [d'autre] part sa vie qui est comme une vie qui peut rentrer dans quelque chose de romanesque. [...] Et puis [c'est] une très belle femme, dans une époque assez excitante, les années 50, les années 60. [...] Donc, au fur et à mesure des années, elle est devenue une légende. [...]

B. PIVOT : Dans cette pièce donc, où elle donne une sorte de cours à deux sopranes[4], puis à un ténor[5], elle apparaît, comment dire, presque désagréable, revêche, plus enfermée en elle-même qu'ouverte aux autres.

F. ARDANT : Oui, je pense qu'elle... elle le dit elle-même, elle [ne] sait pas très bien s'expliquer avec les mots et elle dit, à la fin : « Si je vous ai semblé dure, c'est parce que je suis dure avec moi-même. » Et au fond, cette pièce, elle est valable pour tout le monde, elle n'apprend pas que le chant. C'est comme, sous prétexte d'une leçon de chant, c'est une leçon de vie. [...] Je pense que, quand on parle de Maria Callas, quand vous disiez qu'elle est rentrée dans la légende, elle a été toujours à la recherche de l'absolu, toute sa vie a tendu [à] être la meilleure chanteuse, la meilleure voix pour arriver à cette chose toujours qui vous échappe. Je pense que dès qu'on est dans la recherche de l'absolu, on est moins patient, on est moins compréhensif, on est moins tolérant.

Paris, le 22 novembre 1996.

[2] Une diva : cantatrice célèbre.
[3] Un mythe : représentation symbolique.
[4] Une soprane : voix de femme la plus élevée des voix d'opéra.
[5] Un ténor : voix d'homme élevée.

Observez et répétez

▶ Expliquer et reformuler

3 1. Relevez la première question que pose B. Pivot. Répétez-la avec la bonne intonation.
2. F. Ardant explique pourquoi interpréter le rôle de Callas n'a pas été trop difficile. Repérez les trois raisons qu'elle donne.
La pièce existe en elle-même...
3. Reformulez ces deux premières interventions.
Pivot demande si... Fanny Ardant explique que...

4 Dans sa dernière intervention, Pivot utilise des adjectifs négatifs pour parler de la Callas.
1. Relevez les trois adjectifs qu'il utilise.
2. Repérez les explications qu'en donne F. Ardant.
3. Un de vos amis n'a pas bien compris l'enregistrement. Vous lui expliquez autrement ce que B. Pivot et F. Ardant disent.
Pivot trouve le personnage de la Callas, dans la pièce La Leçon de chant, *presque antipathique. F. Ardant...*

Exprimez-vous

À VOUS ! **5 Un acteur qui joue le rôle d'un personnage célèbre est interrogé par un journaliste.**
1. À deux, choisissez un personnage (Gandhi, le grand pacifiste indien, Gagarine, le premier astronaute...). Faites la liste de ses caractéristiques.
2. Le journaliste interroge l'acteur. Celui-ci explique pourquoi il a choisi ce rôle et dit s'il est difficile à jouer. Préparez les questions et les réponses puis jouez la scène.

6 Écrivez une courte note biographique sur un personnage célèbre (acteur, homme politique, scientifique, écrivain...).
Inspirez-vous de la présentation de la Callas.

UNITÉ 10

Thème
- le ras-le-bol

Savoir-faire
- se plaindre
- répondre aux plaintes de quelqu'un : proposer des solutions, encourager
- donner des conseils
- comprendre un texte explicatif

Vocabulaire
- des expressions pour se plaindre, pour réconforter

Grammaire
- l'emploi du conditionnel
- les verbes en *-indre*
- l'emploi de l'infinitif
- *ne pas* + infinitif
- la restriction : *ne.... que*

ÉTATS D'ÂME

1 *Parlez de vos problèmes*

• Dire non à la dépression

Un des secrets du bonheur, c'est de ne pas se laisser abattre par ses problèmes. Il faut oser râler, rouspéter pour s'en débarrasser. Seulement, si l'on se plaint sans arrêt, on dérange tout le monde. On se sent alors mal aimé, incompris, malheureux ; on tombe dans la morosité. Comment donc se plaindre, et à qui ?

• Trouver une oreille amie

Se plaindre complique souvent les choses, tout simplement parce qu'on ne peut pas toujours justifier son ras-le-bol. Si vous voulez qu'un ami vous écoute, dites-lui, par exemple : « Je sais que tu n'y peux rien, je ne sais pas très bien moi-même ce qui ne va pas. Mais j'ai vraiment besoin de t'en parler et cela me fait du bien que tu m'écoutes. » Votre confident saura à quoi s'en tenir. Vous ne trouverez peut-être pas la solution de tous vos problèmes, mais ils ne vous feront plus peur !

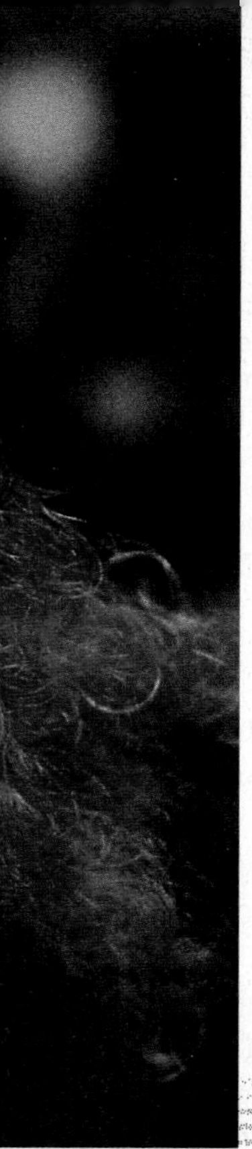

Apprendre à se plaindre

Savez-vous comment vous êtes quand vous rouspétez ? Dès que vous vous sentez morose, courez crier votre ras-le-bol devant votre glace. Si vous répétez des « j'en ai marre » à n'en plus finir, vous comprendrez que les autres n'ont pas envie de vous écouter !
Ne craquez pas et entraînez-vous : passez du dramatique au comique. Ce travail d'acteur vous fera un bien fou, surtout si vous arrivez à rire de votre image dans la glace !

Ne pas se confier à n'importe qui

Le choix du confident est très délicat. Repérez les faux frères : ils vous écoutent avec une adorable gentillesse… puis utilisent vos confidences pour mieux vous ridiculiser. Avec ces gens-là, pas d'hésitation : ne parlez que de la pluie et du beau temps !

Ne pas se confier à n'importe qui.

1 Lisez le texte et donnez les bonnes réponses.

1. Quand on se plaint sans arrêt,
a. on se sent mal aimé ;
b. on tombe dans la morosité ;
c. on dérange tout le monde.

2. On se plaint
a. pour compliquer les choses ;
b. parce que ça fait du bien de parler ;
c. pour justifier son ras-le-bol.

3. Pour apprendre à se plaindre,
a. il faut répéter des « j'en ai marre » à n'en plus finir ;
b. il faut s'entraîner devant sa glace.

2 Transformez comme dans l'exemple.

Ne vous laissez pas abattre.
→ *Ne pas se laisser abattre.*

1. Ne vous plaignez pas sans arrêt.
2. Sachez trouver un ami.
3. N'écoutez pas les faux frères.
4. Ne craquez pas au bureau.
5. Apprenez à vous plaindre.

3 Le texte est composé de quatre parties, précédées chacune d'un sous-titre.

1. Dans la première partie, trouvez dans quelles phrases :
a. on donne un conseil,
b. on précise qu'il faut suivre ce conseil avec prudence.

2. Dans la deuxième partie, trouvez :
a. le conseil,
b. l'exemple qui suit ce conseil.

3. Dans les troisième et quatrième parties, trouvez :
a. les conseils,
b. les explications qui les suivent.

4 Inventez d'autres sous-titres pour chaque partie.

5 1. Trouvez dans le texte les expressions qui signifient :
a. se plaindre ;
b. mal aimé, incompris ;
c. le ras-le bol.

2. Dites si vous pouvez les utiliser :
a. avec votre directeur ;
b. avec vos amis.

À VOUS !

6 Relevez dans le texte les cinq mots ou expressions qui vous paraissent les plus importants. Comparez votre choix avec ceux des autres étudiants.

Si on prenait un café ?

Ma collègue ne parle que de ses problèmes…
Tu aurais dû y penser avant de déménager.
Tu pourrais au moins reconnaître que…

LISE : Bonjour, Barbara. Comment ça va ?

BARBARA : Ça ne va pas du tout. J'en ai ras-le-bol de me lever à six heures tous les matins, de prendre le bus, puis le métro pour aller travailler dans un bureau où tout m'énerve. Le chef est en train de divorcer et il est insupportable. Ma collègue ne parle que de ses problèmes avec ses enfants. J'ai un nouvel ordinateur depuis lundi, et je n'arrive pas encore à bien travailler avec !

LISE : Eh ben, c'est normal que tu sois sur les nerfs, mais essaie d'oublier tout ça. Ton chef est souvent en déplacement. Dans quinze jours, tu seras tellement contente de ton nouvel ordinateur que tu te demanderas comment tu as pu travailler sans lui jusqu'à présent. Et puis, tu es peut-être un peu fatiguée : il est temps que tu prennes des vacances !

BARBARA : Excuse-moi, mais je n'en peux plus ! Tu penses peut-être que j'exagère, mais ça me fait du bien de parler de tout ça avec toi.

LISE : Je te comprends, mais enfin… Ton boulot n'est pas mal, même s'il n'est pas génial, et tu savais ce qui t'attendait quand tu as décidé d'aller habiter en banlieue. Tu aurais dû y penser avant de déménager.

BARBARA : C'est drôle que tu me dises ça maintenant : quand je craignais de mal supporter mon déménagement en banlieue, c'est bien toi qui me parlais de la campagne, du plaisir de lire son journal dans les transports en commun…

LISE : Tu es injuste. Tu pourrais au moins reconnaître que la banlieue est plus agréable que Paris pour les enfants, pour faire les courses, se promener…

BARBARA : Mmm ! Bof… On pourrait peut-être parler d'autre chose. Si on prenait un café ?

7 Écoutez le dialogue. Vrai ou faux ?

1. Barbara habite à Paris.
2. Elle n'aime pas la banlieue.
3. Elle est contente de son nouvel ordinateur.
4. Elle fait des reproches à Lise.

8 Repérez dans le dialogue :

1. les expressions de plainte ;
2. les expressions de réconfort ;
3. les expressions de reproche.

9 Les phrases suivantes indiquent-elles un conseil ou un reproche ?

1. Vous n'auriez pas dû partir avant 17 heures.
2. Tu devrais aller voir un médecin.
3. Tu aurais dû t'excuser pour ton retard.
4. Tu pourrais au moins reconnaître que tu t'es trompé.
5. À ta place, j'irai le voir tout de suite.
6. Tu serais moins fatiguée si tu prenais le train pour aller à ton travail.

10 Qu'est-ce qui va ensemble ?

1. C'est un homme très ennuyeux,
2. Ma collègue est pénible, (pena lástima)
3. Avec mes enfants, au dîner,
4. Pour aller à mon nouveau travail,

a. elle ne fait que se plaindre.
b. je n'ai que 10 minutes d'autobus.
c. il ne parle que de ses problèmes.
d. on ne parle que de devoirs et de notes.

11 1. Dans la première réponse de Barbara, relevez :

a. deux expressions de plainte ;
b. cinq raisons de ces plaintes.

2. Dans les réponses de Lise, repérez :

a. les expressions de réconfort ;
b. les expressions de reproche.

À VOUS ! **12 À deux, imaginez un dialogue entre deux amis. L'un se plaint (de son travail, de l'école, de son appartement, etc.), l'autre essaie de le réconforter, mais lui fait quand même quelques reproches. Jouez la scène.**

VOCABULAIRE

Des expressions pour se plaindre

dans une situation familière	dans une situation de conversation plus soutenue
1. Trop, c'est trop.	**a.** Je ne peux pas supporter plus longtemps que (+ subjonctif)
2. Je n'en peux plus !	**b.** J'ai peur/je crains que (+ subjonctif)
3. Il faut que ça change !	**c.** Il est inadmissible que (+ subjonctif)
4. Je n'ai vraiment pas de chance/pas de veine/pas de pot.	**d.** Ma situation est critique.
5. Je suis à bout.	**e.** Personne ne veut m'écouter.
6. J'en ai marre.	**f.** Je suis très mécontent de...
7. J'en ai assez.	**g.** Je suis déçu que (+ subjonctif)

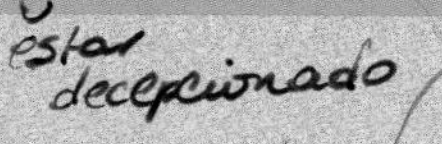

1 Qu'est-ce qui veut dire la même chose ? Reliez les éléments de gauche du tableau ci-dessus à ceux de droite qui ont un sens proche. Attention, plusieurs solutions sont possibles !

2 Qu'est-ce que vous pouvez dire pour vous plaindre ?

1. au bureau de poste : vous avez reçu un colis ouvert ;

2. à la cantine : le menu n'est pas assez varié ;

3. à un ami : le train que vous prenez tous les matins est toujours en retard ;

4. à un employé des chemins de fer : les trains sont toujours en retard.

GRAMMAIRE

L'EMPLOI DU CONDITIONNEL

• On emploie le conditionnel présent pour exprimer :
– un reproche qui porte sur la situation en cours ;
*Tu **pourrais** au moins reconnaître que la banlieue est agréable (mais tu ne le fais pas) !*
– un regret qui porte sur la situation en cours ;
*Je **resterais** bien plus longtemps (mais je ne peux pas, malheureusement).*

• On emploie le conditionnel passé pour exprimer :
– un reproche qui porte sur une situation passée ;
*Tu **aurais dû** y penser avant de déménager (mais tu ne l'as pas fait) !*
– un regret qui porte sur une situation passée.
*J'**aurais dû** rester une semaine de plus (mais je ne l'ai pas fait) !*

• Le conditionnel peut aussi servir à :
– exprimer la conséquence d'une hypothèse peu probable ou impossible ;
*Si j'habitais en banlieue, je **pourrais** lire mon journal dans le bus.*
*Si je t'avais écouté(e), je **serais resté(e)** à Paris.*
– exprimer un désir, faire une demande polie ;
*Est-ce que tu **pourrais** m'aider ?*
*J'**aimerais** prendre un mois de vacances.*
– donner un conseil, faire une proposition ;
*Tu **devrais** prendre des vacances.*
*On **pourrait** peut-être parler d'autre chose.*
– exprimer le futur dans le passé.
*Henri se demandait quand Christine **reviendrait**.*

1 Complétez ces phrases en exprimant des regrets ou des reproches.

1. Il pleut et il fait froid. Si j'avais su...

2. Il n'y a déjà plus de place ? Si j'avais su...

3. Je t'ai attendu(e) toute la journée et tu n'es pas venu(e), tu...

4. On m'a donné un mois de vacances en juin, je... en juillet.

5. Tu es arrivé en retard à ton examen, tu...

6. Il est venu à Paris et je n'ai rien su...

❷ Rédigez trois petits textes. Utilisez le conditionnel.

1. Vous avez l'impression qu'un(e) ami(e) vous a oublié(e). Vous lui écrivez un mot pour lui faire des reproches *(ne pas téléphoner, ne pas écrire, ne rien raconter...).*
D'un autre côté, vous ne voulez pas perdre son amitié et vous lui faites une proposition *(aller au restaurant, faire du sport ensemble).*

2. Votre ami(e) cherche un travail et a un rendez-vous très important.
Vous lui donnez quelques conseils par écrit.
Utilisez des expressions comme : *il faudrait que tu... – tu pourrais... – tu devrais... – à ta place, je...*

3. Imaginez ce que serait un monde idéal. Choisissez votre environnement : la Terre, la Lune, l'espace, le désert... et décrivez-le. Parlez des moyens de transports, de l'habitat, des activités et des habitants.

CONJUGAISON : LES VERBES EN -INDRE

infinitif		**gérondif**			
craindre	éteindre	en craign**ant**	en éteign**ant**		
indicatif présent		**passé composé**		**impératif présent**	
je cr**ains**	j'ét**eins**	j'**ai** cr**aint**	j'**ai** ét**eint**		
tu cr**ains**	tu ét**eins**	tu **as** cr**aint**	tu **as** ét**eint**	cr**ains**	ét**eins**
il/elle cr**aint**	il/elle ét**eint**	il/elle **a** cr**aint**	il/elle **a** ét**eint**		
nous craign**ons**	nous éteign**ons**	nous **avons** cr**aint**	nous **avons** ét**eint**	craign**ons**	éteign**ons**
vous craign**ez**	vous éteign**ez**	vous **avez** cr**aint**	nous **avons** ét**eint**	craign**ez**	éteign**ez**
ils/elles craign**ent**	ils/elles éteign**ent**	il/elles **ont** cr**aint**	ils/elles **ont** ét**eint**		
imparfait		**conditionnel présent**			
je craign**ais**	j'éteign**ais**	je craindr**ais**	j'éteindr**ais**		
nous craign**ions**	nous éteign**ions**	nous craindr**ions**	nous éteindr**ions**		
futur		**subjonctif présent**			
je craind**rai**	j'éteind**rai**	que je craign**e**	que j'éteign**e**		
nous craind**rons**	nous éteind**rons**	que nous craign**ions**	que nous éteign**ions**		

❸ Conjuguez les verbes au temps qui convient.

1. Si tu ne (craindre) pas la pluie, tu peux aller passer tes vacances en Écosse. En tout cas, s'il pleut, il ne faudra pas que tu (te plaindre) !

2. – Si tu (repeindre) ta salle à manger, quelle couleur choisirais-tu ?
– Le jaune, et je (teindre) les rideaux en vert foncé.

3. Quelques villes (atteindre) un taux de pollution dangereux et on (restreindre) le nombre de voitures pouvant y circuler.

4. Pierre, (me rejoindre) au café quand tu as fini ton travail.

L'EMPLOI DE L'INFINITIF

***Se plaindre** complique souvent les choses. Il faut oser **râler**. Ne pas **se confier** à n'importe qui.*

- L'infinitif peut être sujet, objet ou verbe principal d'une phrase.

***Ne jamais arriver** en retard à son travail, **ne plus avoir** de problèmes d'argent, **ne rien faire** de la journée.*

- À la forme négative, **ne pas** se met devant l'infinitif. C'est la même chose avec **ne jamais**, **ne plus**, **ne rien**.

Quand on utilise **ne pas** suivi de l'infinitif, c'est seulement l'information donnée par l'infinitif qui est négative.
*Je lui ai demandé de **ne pas m'attendre** = Je lui ai dit : « Ne m'attends pas. »*

❹ Vous voulez changer votre vie : prenez de bonnes résolutions.
Faites cinq phrases comme dans l'exemple.

Me regarder dans la glace tous les matins et sourire !
Ne jamais rouspéter avant le petit déjeuner.

EXPRESSION

♦ ÉCRIT ♦

À tous les amis de la rue Victor-Hugo
Il faut faire quelque chose !

Hier soir les commerçants de la rue Victor-Hugo ont manifesté contre la transformation de notre rue en zone piétonne. Sur les banderoles, on pouvait lire qu'une zone piétonne, c'est toujours la mort du commerce parce que les clients préfèrent venir en voiture. Ils expliquaient aussi qu'il y avait beaucoup de problèmes dans les autres rues piétonnes de la ville, par exemple avec les jeunes qui considèrent la rue comme terrain de jeux. Dans une rue réservée aux piétons, l'atmosphère change toujours : aujourd'hui, les commerçants ont des clients sérieux et fidèles. Ils pensent que, demain, ils auront les joueurs de guitare et des promeneurs, et que la bonne clientèle n'aura plus envie de venir dans le quartier.
Nous, les défenseurs de la zone piétonne de la rue Victor-Hugo, nous répondons que ces arguments sont inacceptables : les clients des magasins, c'est nous, et nous faisons nos courses à pied. Nous sommes heureux que nos enfants jouent dans la rue, sans danger, puisqu'il n'y a plus de circulation. Enfin, un peu de musique, c'est quand même mieux que le bruit des voitures !
Nous nous réunissons demain soir au café de la Poste, à partir de 20 heures, pour réfléchir ensemble et trouver une solution acceptable pour tout le monde.

❶ **Qui a écrit ce texte et pour qui ?**

❷ **1. Dans la première partie du texte,** faites la liste des arguments des commerçants. Trouvez comment ils sont rapportés par les auteurs du tract.
2. Dans la deuxième partie, faites la liste des contre-arguments. Repérez comment les auteurs du tract se présentent.
3. Dans la troisième partie, repérez comment ils s'adressent aux lecteurs pour les inviter à leur réunion.

❸ **Complétez le plan ci-dessous.**
Reportez-vous aux éléments soulignés dans le texte.

1. Titre : on s'adresse aux destinataires.
À tous les amis...

2. Première partie : on rapporte ce que pensent les manifestants.
Sur les banderoles on pouvait lire...
...
...

3. Deuxième partie : on explique son propre point de vue.
Nous répondons...
...
...

4. Troisième partie : on invite les lecteurs.
Nous nous réunissons demain soir...

❹ **Dans votre ville, on projette de construire un grand magasin au centre ville. Ceux qui sont contre ce projet ont organisé une manifestation.**
Vous rédigez un petit texte pour :
- faire le compte rendu de la manifestation ;
- expliquer le point de vue des participants ;
- expliquer votre point de vue ;
- inviter d'autre gens à vous suivre.

Suivez le plan du texte ci-dessus.

♦ ORAL ♦

❺ **1. Le guide de votre groupe de touristes a modifié le parcours prévu. Vous n'êtes pas d'accord avec lui. Vous allez le voir.**
Vous commencez par lui rappeler les raisons de votre visite, vous lui expliquez ensuite pourquoi vous êtes contre le changement de programme. Il vous explique pourquoi il a fait cette modification. Vous l'invitez à venir en discuter avec l'ensemble du groupe.

2. Vous racontez à un(e) ami(e) qui voyage avec vous l'entretien que vous avez eu avec le guide.
Vous lui rapportez ce que vous avez dit et quels ont été ses arguments. Vous faites des commentaires et votre ami(e) aussi.

L'aventure des cafés philosophiques a débuté en décembre 1992, au café des Phares, place de la Bastille. Marc Sautet, professeur de philosophie, discute avec des amis sur le thème : « La violence est-elle spécifique à l'homme ? » Des clients du café se joignent au débat et ainsi de suite régulièrement, et partout... à Paris, Marseille, Berlin, New York, Tokyo, etc. On compte, aujourd'hui, au moins 80 cafés de philosophie en France. On y discute de thèmes, comme le travail ou le bien et le mal. Philosopher, c'est dans l'air du temps !

M. Sautet

Bouillon de culture (2)

PHILO, MÉTRO, BISTROT

Les intervenants

Bernard Pivot, responsable de l'émission.
André Comte-Sponville, philosophe et auteur d'un ouvrage de vulgarisation philosophique, *Impromptus* (éd. PUF).
Marc Sautet, philosophe et animateur du café des Phares, à Paris, auteur de *Un café pour Socrate* (éd. Laffont).

EXTRAIT A 

B. PIVOT : Pourquoi la philosophie est-elle devenue populaire ? D'abord en librairie, on peut même dire que, depuis deux ans, le... la chose la plus importante qui s'est passée dans l'édition, c'est le succès de ces ouvrages de philosophie. Alors, un titre particulièrement célèbre, c'est *Le Monde de Sophie* du Norvégien Jostein Gaarder : 900 000 exemplaires en librairie et 350 000 en club, en France et c'est comme ça, peut-être pas dans le monde entier, mais dans de très, très, très nombreux pays. [...] Et puis alors la philosophie se répand à toute allure dans les cafés. Quelle ville n'a pas, aujourd'hui, son ou ses cafés philosophiques ?

A. COMTE-SPONVILLE : [...] Alors, ce qui se passe, en effet, c'est qu'aujourd'hui c'est pas la philosophie qui revient, c'est plutôt le grand public qui revient à la philosophie, un petit peu en raison de cette espèce de crise de la politique, crise d'ailleurs dommageable et inquiétante. [...] Le déclin[1] aussi des réponses toutes faites apportées par les grandes religions, par les grandes idéologies, par une certaine illusion qu'on se faisait autour des sciences humaines[2] quand on pensait que les sciences humaines, bien sûr, utiles dans leur ordre, allaient tenir lieu de philosophie, allaient apporter du sens, des valeurs, une morale. Cette illusion a fait long feu[3], je crois, si bien que nos contemporains se sentent à la fois désorientés parce qu'ils n'ont plus vraiment de repères. Ils n'ont plus vraiment de réponses toutes faites. Ils cherchent donc leurs propres réponses et, au fond, philosopher c'est ça, c'est essayer de penser par soi-même pour chercher ces réponses.

---

[1] Le déclin : la diminution, la baisse de quelque chose ou de quelqu'un.
[2] Les sciences humaines : l'histoire, la psychologie, l'anthropologie, etc.
[3] Faire long feu : ne mener à rien.

Écoutez

1 Extrait A. Choisissez les bonnes réponses.

1. Dans ce débat, on discute :
a. de l'importance de l'édition ;
b. de la crise politique ;
c. du retour de la philosophie.

2. La politique, les grandes religions, les grandes idéologies :
a. sont des points de référence pour les gens ;
b. remplacent la philo ;
c. sont en crise.

2 Extrait B. Qui parle : B. Pivot, M. Sautet ou A. Comte-Sponville ?

1. J'ai discuté de philosophie avec des personnes que je ne connaissais pas et ces discussions sont devenues habituelles.
2. Le nombre des cafés philosophiques augmente rapidement. Leur succès signifie aussi que les gens ont besoin de se rencontrer.
3. Plus les choses vont mal, plus on a besoin de réfléchir pour trouver des réponses aux problèmes.

EXTRAIT B

B. PIVOT : [...] Est-ce qu'on peut se dire, après toutes les raisons que vous venez de donner qu'il y a aussi un effet de la crise, c'est-à-dire : la crise, les affaires[4], le chômage, une sorte de mélancolie[5] des gens qui fait qu'ils ont envie de se poser à eux-mêmes des vraies questions et qu'ils se tournent vers les philosophes ?

A. COMTE-SPONVILLE : [...] C'est vrai qu'au fond, quand tout va bien, on a peut-être, au fond, moins besoin de réfléchir ; et quand tout va mal ou quand les choses se déstabilisent, quand on ne voit pas d'issue, quand la politique ne répond pas ou quand la religion ne répond plus, [...] les gens sentent davantage le besoin de philosopher.

M. Sautet au café des Phares

B. PIVOT : Et vous alors, est-ce que vous êtes l'inventeur du café philosophique d'aujourd'hui, Marc Sautet ? [...]

M. SAUTET : [...] Mon seul mérite est d'avoir, au fil des semaines, accepté de débattre philo à l'improviste, avec des inconnus. Et de là est né le café, ce rendez-vous régulier qui ensuite a fait fortune. [...]

A. COMTE-SPONVILLE : Mais que des gens se réunissent pour parler de philosophie, au fond, je ne peux pas être contre. [...] Ma perplexité, disons, c'est le « modèle socratique », c'est-à-dire : des gens qui discutent en espérant que la vérité va jaillir, comme ça, de la rencontre des intelligences, en faisant l'économie de tout enseignement. [...]

B. PIVOT : Comment expliquez-vous ce succès ? [...] Il y a la liste de tous les cafés de philosophie, c'est incroyable ! Ça se multiplie. Vous ne pensez pas qu'il y a autre chose ? Il y a un besoin d'un lien social qui se manifeste. C'est-à-dire : on va dans les cafés, c'est l'heure de la messe, on ne va plus à la messe, on va au café philosophique, on va... on chante le karaoké, on défile dans la rue... c'est-à-dire les gens ont besoin de se rassembler.

Paris, le 20 décembre 1996.

[4] Les affaires : au pluriel, ce mot fait allusion aux problèmes de corruption du monde politique, qui ont donné lieu à des enquêtes et des procès.
[5] La mélancolie : état de tristesse, de dépression, de déception.

Observez et répétez

▶ Expliquer et argumenter

3 Dans sa première réponse, A. Comte-Sponville explique pourquoi la philo est populaire.

1. Repérez les mots : *la crise, le déclin, l'illusion.*

2. Reliez-les à la définition correspondante :
a. perte d'importance ; **b.** idée fausse ;
c. changement rapide et négatif.

3. À quels domaines ces mots se rapportent-ils ?
a. les sciences humaines ; **b.** la politique ;
c. les grandes religions et les grandes idéologies.

4 Les produits biologiques ont de plus en plus de succès. Un journaliste vous demande d'expliquer pourquoi.

1. À deux, faites la liste des domaines où les consommateurs se sentent déçus :
l'agriculture industrielle (engrais, insecticides) ; l'élevage intensif (des poules, des moutons)...

2. Préparez les questions du journaliste et vos explications. Jouez la scène.
– *Pourquoi les produits biologiques sont-ils devenus populaires ? – C'est en raison de la crise...*

Exprimez-vous

À VOUS ! **5 M. Sénèze est un « jeune retraité » de 52 ans. Son entreprise lui a demandé de partir en retraite anticipée. il se sent inutile et isolé. Il s'en plaint à un ami qui lui conseille d'aller en parler dans un café de philosophie. Imaginez leur conversation.**
M. SÉNÈZE : Ça ne va pas du tout...

À VOUS ! **6 Vous allez assister à un débat philosophique dans un café.**

1. Choisissez ensemble un thème de discussion (le rôle du travail, le rôle des « jeunes retraités » dans la société...). Mettez en commun vos idées puis imaginez la discussion.

2. Faites un compte rendu écrit du débat.

Femmes

1 Carrières professionnelles : cherchez la femme…

Le nombre des femmes ayant une profession s'accroît. Certaines professions, où les femmes étaient traditionnellement les plus nombreuses – infirmières, secrétaires, professeurs – demeurent féminisées, mais d'autres professions s'ouvrent au « sexe faible » : géomètres, huissiers, vétérinaires… Les professions libérales (santé, justice), techniques et culturelles ont vu la présence féminine augmenter régulièrement ces quinze dernières années : le pourcentage de magistrats et d'avocats-femmes, par exemple, est passé de 18 %, en 1980, à 32 % en 1995 !
Mais les femmes restent toujours moins payées que les hommes, comme les chiffres permettent de le constater :

Autre point noir : au niveau des responsabilités les plus élevées, les femmes sont rares, voire introuvables. Les trois cents premières entreprises françaises n'ont que très peu de femmes dans leur direction générale. Alors que même la police en compte aux postes de cadres supérieurs, les grandes entreprises et la politique restent encore réservées aux hommes : les femmes parlementaires à l'Assemblée nationale ne sont que 6 %, un des pourcentages les plus bas d'Europe, un point de plus que les postes de P.-D.G. (5 %) attribués aux femmes dans les grands groupes.

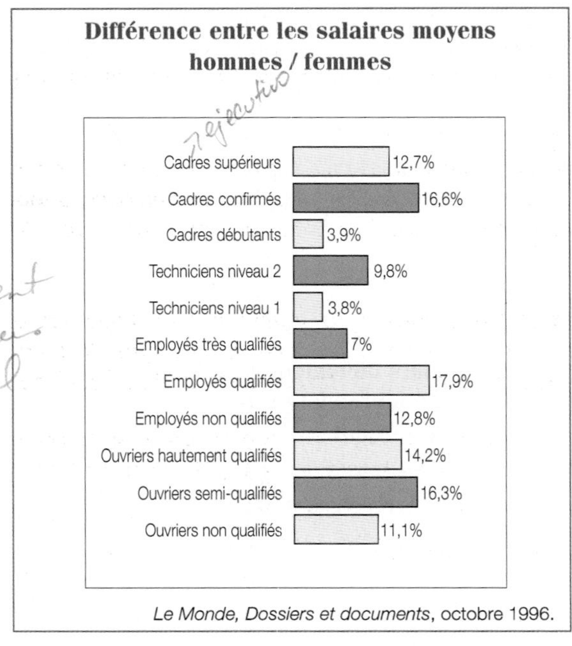

Le Monde, Dossiers et documents, octobre 1996.

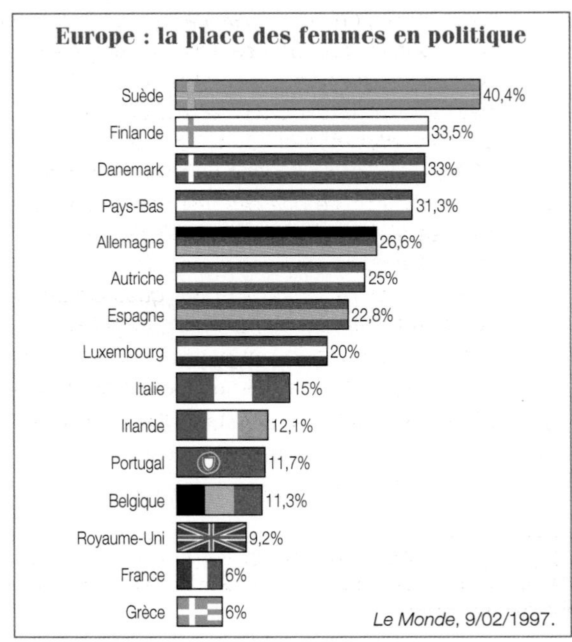

Le Monde, 9/02/1997.

▶ **1.** Dans quels secteurs la présence des femmes a-t-elle augmenté ?

▶ **2.** Est-ce que leur salaire est le même que celui des hommes ?

Observez le tableau sur les salaires moyens hommes / femmes.

▶ **3.** Quelles sont les professions où cette différence est plus importante ? Où cette différence est-elle moins marquée ?

▶ **4.** À quel niveau et dans quels domaines existe-t-il un autre « désavantage » lié au sexe ?

Observez le tableau sur la place des femmes en politique.

▶ **5.** Quels sont les pays qui ont le plus grand nombre de femmes en politique ?

▶ **6.** Dans quels pays les femmes sont-elles le moins représentées ?

▶ **7.** Vous attendiez-vous à ces pourcentages ? Pourquoi ?

2 Portrait

Nicole Notat est la première femme responsable d'une grande confédération syndicale, la CFDT[1] et, à ce titre, elle appartient déjà à l'histoire des femmes. La cinquantaine, aimable, élégante, attentive aux autres, cette syndicaliste parle avec une sincérité étonnante. À Villiers-en-Argonne, son village natal de Lorraine, elle rêvait de devenir institutrice. La vie lui a réservé d'autres responsabilités, publiques. Dans l'interview qui suit, Nicole Notat évoque ses difficultés, mais aussi sa détermination à lutter contre les discriminations.

La journaliste – *Au cours de votre montée vers les responsabilités, le fait d'être une femme a-t-il été un handicap ?*

Nicole Notat – Je n'ai pas souffert d'être femme dans mon itinéraire, jusqu'au moment où on a proposé ma candidature à la tête de la CFDT. Je me suis retrouvée en position de désignée. À partir de ce moment-là, j'ai été évidemment soupçonnée de vouloir le pouvoir et je n'ai jamais réussi à me dégager de cette étiquette[2].

J. – *Tous les gens qui deviennent « premiers » sont soupçonnés d'être ambitieux. Et ils le sont !*

N. N. – En 1985, je ne pensais pas à ce poste. Je n'étais pas frustrée, les responsabilités syndicales que j'avais en Lorraine me satisfaisaient. Je n'avais pas du tout l'ambition d'être numéro un.

J. – *Être numéro un, c'est spécialement difficile pour une femme ?*

N. N. – Oui, même si tout le monde s'imagine le contraire. Malgré les apparences, les femmes doivent se forcer pour sortir d'une réserve qui leur est naturelle.

J. – *Pourquoi les femmes hésitent-elles à entrer en politique ?*

N. N. – Je ne sais pas si elles hésitent. Parfois elles se lancent, puis renoncent. Ce n'est pas toujours naturel dans la tête d'une femme de se mettre en avant...

J. – *Ont-elles réellement moins le goût pour le pouvoir que les hommes ?*

N. N. – Je dirais oui. Elles en ont moins le goût, et moins l'expérience. Elles subissent un conditionnement qui leur fait croire que ces responsabilités sont réservées aux hommes. Il y a des résistances dans la tête des femmes, mais je pense que les résistances les plus importantes sont dans l'environnement. Dans le refus plus ou moins avoué[3] des hommes.

J. – *C'est aussi sans doute une question de temps...*

N. N. – Le temps est un peu un prétexte ; c'est plutôt une question d'organisation et d'autonomie réciproque dans le couple qui permet à une femme de faire de la politique. Si l'homme, le mari, l'encourage, la femme trouve le temps. Mais si une femme pense qu'en faisant de la politique elle peut perdre son compagnon ou son mari, elle y renoncera.

D'après « L'interview de Michèle Manceaux : Nicole Notat », *Marie-Claire*, février 1997.

---

[1] La CFDT : Confédération Française Démocratique du Travail, un des plus importants syndicats français.
[2] À me dégager de cette étiquette : à me libérer de ce jugement négatif.
[3] Avoué : dit, déclaré.

▶ **1.** À partir de la présentation écrite et de la photo, rédigez une fiche de la personne présentée.

NOM, PRÉNOM : ...
FONCTION : ...
ÂGE : ...
LIEU DE NAISSANCE : ...
ASPECT PHYSIQUE : ...
QUALITÉS : ...

▶ **2.** Quel reproche a-t-on adressé à N. Notat quand elle est arrivée à la tête de la CFDT :
- **a.** de se sentir supérieure aux autres ;
- **b.** d'être attirée par le pouvoir ;
- **c.** d'avoir éliminé ses adversaires ?

▶ **3.** Est-ce qu'elle avait pensé être un jour le numéro un du syndicat ? Pourquoi ?

▶ **4.** Quelles sont les difficultés spécifiques que rencontrent les femmes en politique ? Ces difficultés viennent-elles toutes de l'extérieur, des autres ?

▶ **5.** Donnez votre opinion sur les problèmes qui sont évoqués dans cette interview :
- **a.** la place de la femme dans le monde du travail ;
- **b.** le niveau de responsabilités qu'elle assume ;
- **c.** les problèmes que son engagement peut poser dans un rapport de couple ou en famille.

▶ **6.** Quelle est la place de la femme dans votre pays ?

UNITÉ 11

Thème
- les sondages

Savoir-faire
- interpréter un sondage
- dire pourquoi on aime, pourquoi on n'aime pas
- comprendre un texte explicatif

Vocabulaire
- le verbe *passer*
- les moyens de communication
- des mots dérivés

Grammaire
- les adverbes en *-ment*
- la place des adverbes
- l'expression de l'opposition : *bien que* + subjonctif, *pourtant, quand, même, cependant, malgré tout*

Opinions

Les sondages : pourquoi et comment ?

LES SONDAGES SERVENT-ILS À QUELQUE CHOSE ?

• La réponse est oui.
De quoi parlerait-on à la radio, à la télé, dans les journaux, s'il n'y avait pas de sondages ? Mais soyons sérieux ! Prenons deux exemples.

Pour organiser leur saison, les professionnels du tourisme doivent savoir dans quelle proportion les Français passeront leurs vacances à la mer, à la montagne ou tout simplement chez eux. De même, la veille des grands weekends, bien qu'il soit impossible d'éviter complètement les embouteillages, on peut donner de bons conseils aux automobilistes quand on sait à quel moment de la journée ils ont l'intention de partir. Ce sont toujours des sondages qui fournissent ces informations utiles.

• Comment réalise-t-on un sondage ?
En politique, par exemple : on veut savoir quel est l'homme politique préféré des Français. On sélectionne 1 000 personnes représentatives de la population française et on les interroge par téléphone. On regroupe ensuite les réponses. Si 45 % des personnes interrogées disent qu'elles préfèrent monsieur Martin, on peut en déduire qu'environ 45 % de l'ensemble de la population française préfère monsieur Martin. Si, quelques semaines après, monsieur Martin passe de 45 % à 44 %, on peut dire qu'il reste stable : la différence est trop faible pour qu'on puisse voir s'il baisse ou non. Mais, s'il passe de 45 % à 35 %, on peut dire qu'il chute dans les sondages.

Cependant, il ne faut pas croire que les sondages puissent vraiment résoudre tous les problèmes. Ils donnent une indication sur l'opinion des gens à un moment donné, mais ce n'est pas toujours une image fidèle de la réalité. En effet, 1 000 personnes interrogées, même si on les a bien choisies, ne peuvent pas répondre pour 60 millions de Français. De plus, les sondés peuvent changer d'avis et ils ne disent pas toujours la vérité, bien que les réponses soient anonymes. Pour qu'un sondage fournisse des données fiables, il ne suffit pas de poser les bonnes questions et d'interroger un échantillon de personnes représentatif.
Il faut surtout savoir interpréter les réponses.
On peut tout faire dire aux chiffres : ainsi, avant des élections, un parti de droite et un parti de gauche verront tous les deux dans un même sondage la confirmation de leur politique.

1 Lisez le texte. Vrai ou faux ?

1. Les professionnels du tourisme utilisent les sondages.
2. On utilise les sondages pour éviter les embouteillages.
3. Pour faire un sondage, on pose des questions à une sélection de personnes.
4. On va interroger les personnes chez elles.
5. Les sondés disent toujours la vérité.
6. Les sondés signent leurs réponses.

...ils ne disent pas toujours la vérité, bien que les réponses soient anonymes.
...tout simplement...
...vraiment...

2 Qu'est-ce qui va ensemble ?

1. On fait beaucoup de sondages
2. Les sondages donnent parfois des indications fausses
3. On dit que le président de la République est stable dans les sondages
4. Il faut faire ce travail
5. Il ne parle pas français

a. bien que l'échantillon soit correct.
b. bien qu'il ait baissé d'un point et demi.
c. bien que ses parents soient français.
d. bien que le public n'y fasse pas toujours attention.
e. bien qu'il soit très ennuyeux.

3 1. Dans le premier paragraphe,

a. trouvez les deux exemples donnés ;
b. trouvez l'élément qui relie les deux exemples.

2. Dans le deuxième paragraphe,

a. dites quel est l'exemple donné ;
b. relevez les quatre étapes nécessaires pour faire un sondage ;
c. dites quel est le pronom sujet employé pour décrire les quatre étapes.

3. Dans le troisième paragraphe,
trouvez les limites des sondages :

a. du côté des personnes interrogées ;
b. du côté de ceux qui font les sondages.

4 Dans le troisième paragraphe, repérez les mots suivants : *cependant, en effet, de plus.*

Lequel permet de :

1. donner une information supplémentaire ;
2. expliquer ;
3. préciser une information ?

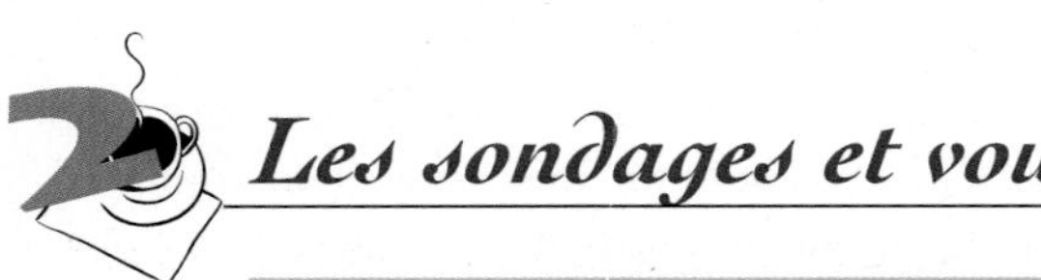

2 Les sondages et vous

Chère lectrice, cher lecteur,
Aidez-nous à mieux vous connaître en répondant aux questions suivantes.

1. **Trouvez-vous les sondages :**
   indispensables ❑ plutôt utiles ❑ plutôt inutiles ❑ dangereux ❑ sans opinion ❑
2. **Si on vous le demandait, répondriez-vous aux questions d'un sondage ?**
   oui, bien sûr ❑ cela dépend du sujet ❑ non, en aucun cas ❑ sans opinion ❑
3. **Préférez-vous être interrogé :**
   par courrier ❑ par téléphone ❑ dans la rue ❑ sans opinion ❑
4. **Qu'est-ce qui est le plus important, pour vous, dans un sondage ?**
   les questions posées ❑ les personnes interrogées ❑ l'interprétation des réponses ❑

Merci de nous avoir répondu. Vous pourrez lire les résultats de ce sondage dans notre numéro d'été.

5 Répondez à ce sondage paru dans un magazine de consommateurs. Comparez vos réponses avec celles des autres étudiants.

6 Interprétez les réponses du groupe. Quelles caractéristiques du groupe pouvez-vous en déduire ?

3 Les Français et la télévision

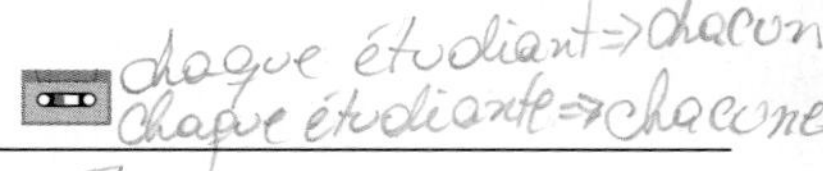

On vit vingt ans de plus qu'en 1890. On travaille deux fois moins. Pourtant, chacun se plaint d'être toujours débordé ! Notre premier voleur de temps est la télévision. En France, elle est présente dans plus de 95 % des foyers et nous retient en moyenne près de quatre heures par jour contre deux heures il y a dix ans.

Notre journaliste a posé la même question à quatre personnes différentes.

LE JOURNALISTE : *Combien de temps est-ce que vous passez devant la télé ? Quelles sont vos émissions préférées ?*

PERSONNE A : Je regarde la télé une heure et demie ou deux heures par jour environ. Le soir, à 8 heures, je regarde les infos. Ensuite je fais la vaisselle pendant la pub et la météo. Puis, vers 9 heures, je cherche une émission qui m'intéresse. J'aime surtout les reportages, les films sur les animaux.

PERSONNE B : Moi, je n'aime que les films. Le reste ne m'intéresse pas. Alors, selon le programme, je passe de deux à trois heures devant la télé.

PERSONNE C : Je déteste passer la soirée devant la télé, mais je regarde quand même les informations. Je trouve que les émissions sont nulles. Je préfère lire ou sortir.

PERSONNE D : Maintenant que je suis à la retraite, je passe beaucoup de temps devant la télé. Je zappe et je finis toujours par trouver une émission qui me plaît. J'aime les films comiques et je regarde tous les matchs de foot. Malgré tout, je lis régulièrement le journal et je fais une partie d'échecs tous les soirs.

Je déteste passer la soirée devant la télé, mais je regarde quand même… Malgré tout…

7 Écoutez l'interview et répondez aux questions.

1. Quelles sont les émissions préférées des personnes interrogées ?
2. Combien de temps passent-elles devant la télé ?
3. De quels loisirs parlent-elles ?

8 Qu'est-ce qui va ensemble ?

1. J'ai interdit à mes enfants de regarder la télé,
2. Je déteste l'avion,
3. J'adore la télévision et je la regarde beaucoup,
4. Je ne suis pas très sportive,

a. je fais malgré tout de la natation une fois par semaine.
b. mais ils la regardent quand même.
c. je choisis malgré tout les émissions que je regarde.
d. mais je le prends quand même.

À VOUS ! **9 Expliquez pourquoi vous choisissez de regarder la télévision. Dites quelles sont vos émissions préférées. Quelle place occupe la télé parmi vos loisirs ?**

VOCABULAIRE

1 Qu'est-ce qui va ensemble ? Pour chacune des expressions suivantes, trouvez le sens du verbe *passer*.

1. passer un coup de fil
2. passer la frontière
3. passer un examen
4. passer son temps à discuter
5. passer à table
6. passer à la télé

a. traverser
b. être dans une émission
c. employer
d. téléphoner
e. se présenter à
f. se mettre à

2 1. Regroupez les termes suivants selon le moyen de communication :
a. la poste ; **b.** le téléphone.

1. Adresse. **2.** Téléphone. **3.** Numéro. **4.** Coup de fil. **5.** Enveloppe. **6.** Affranchir. **7.** Courrier. **8.** Répondeur. **9.** Ligne. **10.** Envoyer. **11.** Bureau de poste. **12.** Correspondre. **13.** Combiné. **14.** Timbre. **15.** Lettre.

2. Faites les deux réseaux : la poste, le téléphone.

3 Pour chaque verbe, trouvez au moins deux noms dérivés.

Enquêter. ➜ *Une enquête, un enquêteur.*
1. Interroger. **2.** Interviewer. **3.** Questionner.

4 Complétez les phrases avec le nom ou le verbe adaptés. Utilisez les mots que vous avez trouvés dans l'exercice précédent.

1. La police … le témoin.
2. Le journaliste a … le vainqueur des élections.
3. Le commissaire dit que l'… n'est pas encore terminée.
4. Les journalistes n'ont pas posé les bonnes …

GRAMMAIRE

LES ADVERBES EN -MENT

On ne peut pas éviter ***complètement*** *les embouteillages.*
Beaucoup de Français passent leurs vacances tout ***simplement*** *chez eux.*
Je lis ***régulièrement*** *le journal.*

- En général, on forme les adverbes en -ment en ajoutant la terminaison -ment à la forme féminine de l'adjectif.

adjectif				adverbe
masculin		**féminin**		
complet	➜	complète	➜	**complète**ment
simple	➜	simple	➜	**simple**ment
régulier	➜	régulière	➜	**régulière**ment

Quand l'adjectif masculin se termine par une voyelle, on ajoute -ment.
poli ➜ ***poli****ment*
vrai ➜ ***vrai****ment*
absolu ➜ ***absolu****ment*

Quand l'adjectif se termine par -ent, l'adverbe se termine par -emment.
fréquent ➜ *fréquemment*
récent ➜ *récemment*
excellent ➜ *excellemment*

Quand l'adjectif se termine par -ant, l'adverbe se termine par -amment.
suffisant ➜ *suffisamment*
abondant ➜ *abondamment*

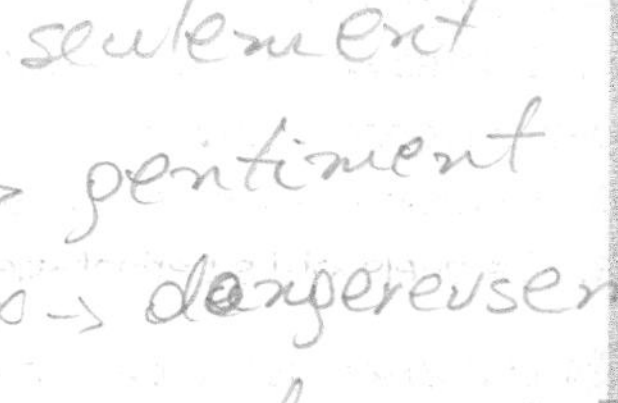

- Les adverbes sont toujours invariables.

1 Complétez le texte avec les adverbes correspondant aux adjectifs suivants :

régulier – difficile – dangereux – prudent – tranquille – absolu – fréquent

Les sportifs vivent … . Par exemple, on peut … faire de la course automobile et attendre … que la pluie s'arrête de tomber pour partir. C'est donc souvent impossible de conduire … et des accidents arrivent … . Des règlements sortent … mais il est … impossible de garantir la sécurité aux pilotes.

LES ADVERBES

*Elle joue **bien** au tennis.*
*Elle a **bien** joué, elle a gagné le match.*

- Les adverbes de quantité et de qualité : **beaucoup, trop, plus, autant, bien, mal** se placent après le verbe conjugué et avant le participe passé.

*Elles sont arrivées **ici** très tard.*
*Elles se sont promenées **tranquillement**.*

- Les adverbes de temps et de lieu : **maintenant, demain, tard, ici, là-bas, partout, etc.,** ainsi que les adverbes en **-ment**, se placent en général après le verbe.

2 Dites ce qui s'est passé en changeant les adverbes. Utilisez le passé composé.

J'arrive rarement en retard, mais cette semaine…
➜ je suis souvent arrivé(e) en retard.

1. En général, je dors bien, mais cette nuit…
2. On mange peu le soir, mais hier soir…
3. Je roule lentement la nuit, mais cette nuit…
4. Les enfants se lèvent tôt, mais dimanche dernier ils…
5. Mon équipe joue bien au football, mais cette fois-ci elle…

L'EXPRESSION DE L'OPPOSITION

***Bien qu'**il **soit** impossible d'éviter les embouteillages, on peut donner des conseils aux automobilistes.*
*(= Il est impossible d'éviter les embouteillages **mais** cela n'empêche pas de donner des conseils aux automobilistes.)*
*Les gens ne disent pas toujours la vérité, **bien que** les réponses **soient** anonymes.*
*(= Les réponses sont anonymes. **Pourtant** les gens ne disent pas toujours la vérité.)*

- Pour opposer deux éléments, on peut utiliser **bien que + subjonctif** ou des **adverbes**.

*Je déteste la télé, **mais** je regarde **quand même** les informations.*
*Les sondages donnent des informations utiles ; **cependant,** il ne faut pas croire qu'ils puissent résoudre tous les problèmes.*
*Je passe beaucoup de temps devant la télé. **Malgré tout,** je lis régulièrement le journal.*

- Les adverbes introduisent une modification ou un complément de la première information.

3 Terminez les phrases suivantes.

1. Elle arrive toujours en retard à son travail bien que…
2. Le président ne sera pas réélu. Malgré tout…
3. Il ne faut pas se laisser abattre par les problèmes, mais… quand même…
4. Tout m'énerve au bureau, pourtant…
5. Il a décidé d'habiter en banlieue, cependant…
6. La terre est très sèche. Il a plu un peu aujourd'hui, mais malgré tout…

4 Récrivez ce texte pour exprimer l'opposition d'une autre manière. Changez tous les mots soulignés.

Bien que j'aie déjà soixante ans et que je sois riche, je travaille beaucoup. Tous les matins je suis debout à 6 heures et je prends le métro, bien que je déteste me lever tôt et voyager dans les transports en commun. Au bureau, nous avons une excellente cantine, malgré tout je préfère déjeuner dans un petit restaurant du quartier avec mes collègues. Je sors assez tard de l'entreprise, cependant je prends encore le temps de me promener un peu avant de rentrer. Le soir, je suis fatigué mais je lis quand même le journal. Dans ma vie de petit employé, il ne se passe jamais rien d'intéressant. Pourtant je raconte toujours ma journée à Esmeralda. Bien qu'elle ne soit qu'une petite chienne noire, elle m'écoute comme une amie.

◆ ÉCRIT ◆

Cabinet Roland Leguillou
3, boulevard du Maréchal-Foch
49000 Angers

Compte rendu de la réunion des copropriétaires du 14 octobre
Résidence des Lilas 23, rue des Petits-Champs – 49000 Angers

Copropriétaires présents ou représentés : 17 présents et 0 non représentés.

Code ou interphone pour la porte d'entrée ?
À la suite de vols répétés dans les caves de l'immeuble et de graffitis dans les escaliers, plusieurs copropriétaires et locataires ont demandé que les visiteurs ne puissent plus entrer dans l'immeuble sans que quelqu'un ne leur ouvre la porte d'entrée.

Le syndic présente deux solutions.
La première : la pose d'un code à la porte d'entrée. Pour que la porte s'ouvre, il suffit de composer le code. Ce système est simple et assez bon marché. L'inconvénient est qu'on ne peut pas joindre un habitant de l'immeuble si on ne connaît pas le numéro de code de la porte d'entrée.
La deuxième possibilité est la pose d'un interphone relié à chaque appartement. Le visiteur qui sonne chez la personne qu'il veut voir doit d'abord se présenter. Si on veut faire entrer le visiteur, on commande l'ouverture de la porte d'entrée de son appartement. Ce système est sûr. Seul inconvénient, ce système est beaucoup plus cher que le code.

Résultat du premier vote

pour un code :	7 voix	pour un interphone :	10 voix
contre un code :	8 voix	contre un interphone :	6 voix
indifférent :	2 voix	indifférent :	1 voix

❶ Complétez le plan ci-dessous.
Reportez-vous aux éléments soulignés dans le texte.

1. En-tête.
   a. Qui écrit ?
      Cabinet ...
   b. Qui sont les destinataires ?
      Copropriétaires de la résidence...
   c. Quel est le type du texte ?
      Compte rendu...
2. Première partie : la présentation du problème.
   À la suite ...
3. Deuxième partie : la présentation des solutions.
   La première...
   L'inconvénient est...
4. Troisième partie : la résolution du problème.
   Vote pour un code...
   Vote pour un interphone...

❷ Vous avez assisté à une réunion dans laquelle il fallait prendre une décision à la majorité des voix. Faites le compte rendu de cette réunion.
Suivez le plan du texte ci-dessus.

◆ ORAL ◆

❸ Vous avez assisté à une réunion dans laquelle il fallait organiser un vote pour connaître l'opinion des gens sur la question suivante : Faut-il contrôler l'identité de toutes les personnes qui entrent dans l'école/l'entreprise ?

1. Vous allez voir votre directeur et vous lui faites le compte rendu de la réunion. Vous dites :
   – qui a parlé ;
   – comment cette personne a présenté le problème ;
   – quelles solutions elle a proposées ;
   – quels sont les résultats du vote.
2. Un(e) de vos collègues n'a pas pu assister à la réunion. Vous lui rapportez ce qui a été dit, et ce qu'en a pensé votre directeur. Vous faites des commentaires et votre collègue aussi.

❹ Vous êtes en France. Une radio locale vous demande de faire le compte rendu d'un sondage qui a eu lieu dans votre pays (sur la fréquentation des salles de cinéma, les loisirs...).
Préparez un petit texte et dites-le comme si vous étiez à la radio.

La gastronomie, en France, est un élément important de la culture. Plusieurs manifestations le prouvent : la Semaine du goût, dans les écoles, consacrée aux saveurs ; de nombreux ouvrages, qui sélectionnent les meilleurs restaurants ; des écoles de cuisine, comme le Cordon bleu, qui, depuis un siècle, forme les professionnels, mais aussi les amateurs.
Du côté des consommateurs, on remarque une demande croissante de produits naturels aux goûts plus authentiques.

Bouillon de culture (3)

LA CUISINE DES AMATEURS

Les intervenants

Bernard Pivot, responsable de l'émission qui a lieu, cette fois-ci, au Salon international du livre gourmand, à Périgueux, dans le Périgord.
Jean-Philippe Derenne, professeur spécialiste en pneumologie, cuisinier amateur, auteur de *L'Amateur de cuisine* (éd. Stock).

EXTRAIT A

B. PIVOT : Nous sommes en direct du nouveau théâtre de Périgueux, où a lieu, pour la quatrième fois, le Salon international du livre gourmand. Il y a des centaines et des centaines de livres avec de bons produits. Des livres qui parlent aussi bien de la diététique[1], de la cuisine, des vins ou des grands chefs. Et puis, comme dans tous les salons du livre, il y a des conférences, des signatures de livres, des expositions, [...] tout ce qui fait la vie et le sel d'un salon du livre, sauf que celui-ci est gourmand [...].
Alors, à vous, professeur Jean-Philippe Derenne. Alors, avec ce premier livre dont nous allons parler, vous nous avez apporté du pain fait maison. [...] Vous faites votre pain ?

J.- P. DERENNE : Oui, c'est un pain qui se fait très facilement, parce que c'est un pain qui ne demande pas de pétrissage[2] : c'est-à-dire que c'est un pain qu'on fait à la fourchette, qui est fait avec de la farine, mélange de farine complète, farine blanche, qui a de la levure de boulanger, du yaourt et puis ce que l'on veut d'autre, du sel, et il pousse[3] en deux heures dans une cocotte.
C'est pour ça qu'il a cette forme, il a la forme de la cocotte.

B. PIVOT : Oui, il est très beau en plus.

[1] La diététique : une manière de manger bien équilibrée. [2] Le pétrissage : travail de la pâte.
[3] Pousser : (sens figuré) lever, gonfler.

Écoutez

1 Extrait A. Qu'est-ce qui va ensemble ?

1. Aujourd'hui, les Français sont plus sensibles
2. L'émission est enregistrée à Périgueux
3. Les livres exposés traitent
4. Le professeur Derenne explique
5. B. Pivot trouve

a. la recette de son pain.
b. où a lieu le Salon international du livre gourmand.
c. que ce pain est très beau.
d. de l'alimentation et du plaisir de la table.
e. aux produits naturels et traditionnels.

2 Extrait B. Complétez ces phrases.

1. Le plat que le professeur Derenne a préparé est...
2. Il le cuisine, en général, à l'occasion...
3. On peut le manger... ou...
4. Dans son livre, le professeur Derenne parle de cinq types de repas : le repas de..., ...
5. Quand le professeur Derenne cuisine, il le fait avec amitié et avec... pour les produits, pour les... et les...

EXTRAIT B

B. PIVOT : Et puis, vous nous avez apporté une poitrine de veau farcie[4]. [...] Vous dites d'ailleurs, dans les commentaires de cette poitrine de veau farcie, que « c'est un plat spectaculaire, c'est vrai, et amical ». Qu'est ce que c'est qu'un plat amical ? D'ailleurs, le mot « amitié » revient souvent.

J.-P. DERENNE : Oui, c'est vrai, d'ailleurs amitié, amateur, tout ça tourne autour de la même problématique. Et euh bien, c'est le plat que je fais, en général, quand il y a des fêtes. [...] On peut le servir chaud, on peut le servir froid, et quand on le voit arriver, ça donne une idée de convivialité et euh de plaisir partagé qui est assez... qui est toujours assez spectaculaire.

B. PIVOT : Alors, par exemple, il y a un chapitre que j'adore, c'est le chapitre sur les repas. Il y a le repas, vous dites, le repas de l'amitié, il y a le repas de famille, bien entendu, il y a le repas du rêveur solitaire, le repas de la séduction, il y a le repas... il y a même le repas de l'insomnie[5]. [...]
Mais, dans votre passion pour la cuisine, l'amitié entre, c'est évident, mais je me demande s'il (n') y a pas aussi de l'amour qui entre.

J.-P. DERENNE : Oui, bien sûr.

B. PIVOT : De l'amour pour les produits, pour les gens que vous invitez, pour...

J.-P. DERENNE : Pour tout, oui. Pour les... pour les hommes, pour ma femme, parce que, après tout, je suis un cuisinier quotidien.

Périgueux, le 29 novembre 1996.

[4] La poitrine de veau farcie : viande cuisinée remplie d'aliments et d'épices.
[5] L'insomnie : difficulté à dormir.

Observez et répétez

▶ Présenter un évènement

3 B. Pivot présente et explique ce qu'est le Salon international du livre gourmand.

1. Repérez cette explication dans l'extrait A.

2. Sur le même modèle, présentez ce qu'est :

a. le Salon de la science-fiction (livres, films...) qui a lieu... , en octobre...

b. le Festival du jardinage (outils, types de plantes, vêtements...) qui a lieu..., en...

4 Le professeur Derenne explique pourquoi il aime la poitrine de veau.

1. Repérez cette explication dans l'extrait B.

2. Sur le même modèle, parlez de votre plat préféré. Dites pourquoi vous l'aimez.

On peut le préparer le jour d'avant, on peut le préparer la veille. Ça permet de faire une jolie présentation...

Exprimez-vous

À VOUS ! **5 Vous devez réaliser un sondage sur les amateurs de cuisine.**

1. À deux, faites d'abord la liste des raisons pour lesquelles on peut aimer cuisiner.

Quand on cuisine, on oublie ses problèmes...

2. Préparez cinq questions à poser. Imaginez les réponses et jouez la scène.

Depuis combien de temps passez-vous vos loisirs à cuisiner ?...

À VOUS ! **6 Vous avez mangé dans un restaurant recommandé par un guide. La nourriture et l'accueil n'étaient pas excellents. Rédigez une lettre au guide. Expliquez pourquoi vous êtes déçu(e). Dites ce que vous vous attendiez à trouver.**

Messieurs,

J'ai dîné dimanche dernier... Bien que vous recommandiez...

UNITÉ 12

Thème
- le français, en France et ailleurs
- les papiers d'identité

Savoir-faire
- donner des explications dans un échange formel
- comprendre un texte explicatif

Vocabulaire
- des mots pour faire une déclaration de perte
- des mots de la même famille

Grammaire
- le passif
- les pronoms possessifs *le mien, les miens*

En France

1 *La France ne s'est pas faite en un jour…*

L'histoire de France, pour la plupart des Français, c'est Vercingétorix, Clovis, Charlemagne, Jeanne d'Arc et de nombreux rois, mais bien peu savent à quoi la France ressemblait dans ces temps lointains.

À partir du XVIIIe siècle, la France prend peu à peu sa forme actuelle, mais c'est un pays où le français est parlé par une petite partie de la population seulement : dans le Sud, on parle occitan, et dans les régions périphériques, on parle breton, flamand, allemand, italien, catalan, basque. La France est divisée en provinces relativement autonomes qui gardent leurs traditions.

La révolution de 1789 change tout : le territoire national est divisé en départements, l'autonomie des provinces est supprimée, on essaie de remplacer les langues régionales par le français, mais les populations sont très attachées à leur langue. Ce n'est qu'à la fin du XIXe siècle, avec l'enseignement obligatoire, que l'emploi du français se généralise dans tout le pays.

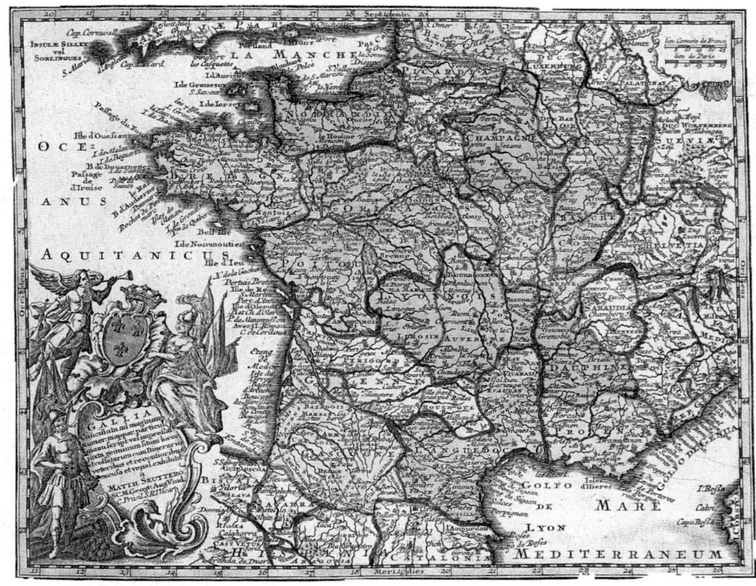

Carte de France, XVIIIe siècle

Au XXe siècle, la France se transforme profondément : l'administration se modernise, le français est la seule langue de la République, l'industrie, l'agriculture et le commerce se développent. Le centralisme domine toute la vie française : tout se décide à Paris où on donne les ordres qui seront exécutés en province. À la fin du XXe siècle, avec la création de l'Union européenne, la France a trouvé un meilleur équilibre entre la capitale et la province. Cette harmonisation a permis la création de régions administratives (correspondant souvent aux anciennes provinces) qui possèdent une certaine autonomie : c'est ainsi que les langues régionales sont de nouveau enseignées en France après avoir été souvent interdites à l'école.

Une école dans le Nord de la France vers 1905.

❶ Lisez le texte et répondez aux questions.

1. Comment est-ce que la France était divisée au XVIIIe siècle ?
2. Quels changements a apportés la révolution de 1789 ?
3. Quelles étaient les langues parlées au XVIIIe siècle ?
4. À quel moment le français est-il devenu la seule langue de la République ?
5. Qu'est-ce qui a permis de nouveau l'enseignement à l'école des langues régionales ?

❷ Qu'est-ce qui va ensemble ?

1. Après la révolution de 1789, les populations des régions
2. L'autonomie des régions
3. Dans la première moitié du XXe siècle, en France, les ordres
4. Beaucoup de décisions
5. Aujourd'hui, les langues régionales

a. sont donnés à Paris.
b. ont dû apprendre le français.
c. sont prises à Paris.
d. sont enseignées dans certaines écoles.
e. a été supprimée.

...le français est parlé par une petite partie de la population...
...les ordres qui seront exécutés en province.

❸ 1. Repérez les indications de temps en début de phrase.
2. Expliquez l'évolution de la langue française en quatre dates :

a. au XVIIIe siècle ;
b. en 1789 ;
c. au XIXe siècle ;
d. au XXe siècle.

Au commissariat

DANIEL B. : Bonjour monsieur, je voudrais faire une déclaration de perte.
LE POLICIER : Bon, asseyez-vous, je vous écoute.
DANIEL B. : Voilà, ce matin, j'ai pris le métro vers huit heures à Vanves, je suis descendu à Montparnasse. Je me suis aperçu que je n'avais plus ma mallette en arrivant au bureau. J'ai tout de suite téléphoné à la RATP, mais personne n'avait rapporté de mallette. Je suis vraiment ennuyé parce que j'avais tous mes papiers dedans et que je dois partir après-demain pour l'étranger.
LE POLICIER : Qu'est-ce que vous aviez exactement dans votre mallette ?
DANIEL B. : Eh bien, mon portefeuille avec mes papiers d'identité, un livre, des notes, mon carnet d'adresses… et mes clés.
LE POLICIER : Alors, vous n'avez plus de papiers d'identité ?
DANIEL B. : Non, et c'est bien ça qui m'ennuie. De plus, je suis étranger, plus précisément, je suis suisse.
LE POLICIER : Il va falloir que vous alliez à votre consulat avec une copie de votre déclaration de perte. On vous fera des papiers provisoires. Vous aviez de l'argent ?
DANIEL B. : Oh ! pas grand-chose, heureusement ! 25, 30 euros au maximum.
LE POLICIER : Est-ce qu'on peut vous joindre par téléphone dans la journée ?
DANIEL B. : Bien sûr. Au 01 44 90 70 82, je voulais dire au 01 44 90 70 82.
LE POLICIER : C'est votre numéro direct ?
DANIEL B. : Non, ce n'est pas le mien. C'est le numéro de la secrétaire. Normalement, je travaille à Fribourg. Mais elle est au courant.
LE POLICIER : De toute façon, le sien ou le vôtre, pour nous, c'est la même chose. L'important, c'est que nous ayons un numéro à Paris. Dès que nous saurons quelque chose, nous vous appellerons.
DANIEL B. : Merci bien. Au revoir, monsieur.
LE POLICIER : À votre service.

> **– C'est votre numéro direct ?**
> **– Non, ce n'est pas le mien.**
> **– …le sien ou le vôtre, pour nous, c'est la même chose.**

4 Écoutez le dialogue et répondez aux questions.

1. Pourquoi est-ce que Daniel est allé au commissariat de police ?
2. Où est-ce que Daniel a oublié sa mallette ?
3. Qu'est-ce qu'il y avait dans sa mallette ?
4. Qu'est-ce qui ennuie beaucoup Daniel ? Pourquoi ?

5 Complétez le dialogue. Employez : *le mien, le sien, le vôtre..*

À la douane, en gare de Genève.
LE DOUANIER : Vous voulez ouvrir votre sac, s'il vous plaît, Monsieur ?
LE VOYAGEUR : Bien sûr. Attendez. Mais ce n'est pas … .
LE DOUANIER : Comment, ce n'est pas … ?
LE VOYAGEUR : Excusez-moi, c'est celui de ma collègue. On voyage ensemble et on a le même modèle de sac. J'ai pris … en descendant du train.
LA VOYAGEUSE : Oui, effectivement, c'est … .
Je vous l'ouvre tout de suite, Monsieur. Et voilà, le sac de mon collègue.

6 Observez comment Daniel raconte au policier ce qui lui est arrivé.

1. Répétez son récit.
2. Trouvez ce que dit le policier pour obtenir plus d'informations.
3. Trouvez le conseil du policier.

À VOUS ! **7 Vous avez perdu un objet, des papiers, etc. Vous allez faire une déclaration de perte au commissariat de police. À deux, préparez et jouez la scène.**

VOCABULAIRE

Des expressions pour faire une déclaration de perte

On vous pose des questions.	Si vous n'êtes pas sûr(e), vous dites :
– Où est-ce que vous avez perdu votre serviette ?	– Je ne sais pas exactement…
– Quand vous en êtes-vous aperçu ?	– Je ne peux pas vous dire.
– Qu'est-ce qu'il y avait dedans ?	– Je ne me rappelle pas très bien.
– Vous étiez seul(e) ?	– Je ne me souviens plus.
– Il y avait d'autres gens dans le… ?	– Je ne crois pas que…
– La personne assise à côté de vous était comment ?	– Je me suis aperçu seulement le soir…
– Cela s'est passé à quelle heure ?	– Je l'avais en sortant du bureau.

À VOUS !

1 À deux. Vous ne savez pas où vous avez laissé un objet. Un(e) ami(e) vous aide à le retrouver et vous pose des questions. Utilisez les expressions ci-dessus. Jouez la scène.

2 Trouvez un titre à ces informations. Utilisez des mots de la même famille que les verbes soulignés.

La bibliothèque sera fermée du 1er au 31 août.
→ Fermeture de la bibliothèque.

1. Les habitants du Cotentin manifestent contre l'usine nucléaire de La Hague.
2. Les locaux du centre d'information pour la jeunesse ont été inaugurés officiellement par le ministre de la Jeunesse et des Sports.
3. En raison de la sécheresse, il est interdit d'arroser les jardins en Île-de-France.

3 Transformez ces titres en phrases comme dans l'exemple.

Ouverture du festival de Cannes.
→ Le festival de Cannes a été ouvert.

1. Développement du commerce et de l'industrie.
2. Création de l'Union européenne.
3. Enseignement des langues étrangères.

GRAMMAIRE

LE PASSIF

présent	*Au XVIIIe siècle, le français **est parlé** par une petite partie de la population.*
imparfait	*Avant la Révolution, la France **était divisée** en régions autonomes.*
futur simple	*À Paris, on donne les ordres qui **seront exécutés** en province.*
futur proche	*La vie en Europe **va être transformée** par l'Union européenne.*
passé récent	*Un meilleur équilibre entre la capitale et la province **vient d'être trouvé**.*
passé composé	*La France **a été** profondément **transformée** au XXe siècle.*
conditionnel	*Sans l'Europe, le breton **serait-il** encore **parlé** aujourd'hui en France ?*
subjonctif	*On ne craint plus que les langues régionales **soient interdites**.*

• Pour former le passif d'un verbe, on met le verbe **être** au temps souhaité et on ajoute le participe passé de ce verbe. Le participe passé s'accorde toujours avec le sujet du verbe **être**.

 Les verbes intransitifs (qui ne peuvent pas avoir de COD) n'ont pas de passif.

• On emploie le passif :
– pour attirer l'attention sur l'action elle-même ou sur son résultat. C'est le cas quand le sujet n'est pas connu ou pas important ;
*Le territoire national **est divisé** en départements.*
*Les langues régionales **sont enseignées** en France après avoir été souvent interdites.*
– pour faire apparaître l'acteur de l'action. On emploie alors la préposition **par**.
*Au XVIIIe siècle, le français **est parlé par** une petite partie de la population seulement.*

• Le passif est surtout employé dans la lange écrite. Dans la langue parlée, on le remplace souvent par une phrase impersonnelle avec **on** ou par un verbe à la forme pronominale.
*Dans le Sud, **on parle** occitan.* *L'administration **se modernise**.*

1 Transformez ces phrases actives en phrases passives.

On a perdu le secret de la bonne cuisine familiale : on fabrique les aliments dans des usines et on les vend en boîtes. On achète souvent la viande et le poisson dans un supermarché et non plus chez le boucher ou le poissonnier.

2 Transformez ces phrases passives en utilisant d'abord la forme pronominale, puis la forme impersonnelle.

Les langues régionales sont enseignées dans toute la France, mais elles ne sont plus beaucoup parlées et encore moins écrites.

3 Classez les phrases suivantes en quatre groupes et donnez le temps des verbes.

a. construction active ;
b. construction passive complète ;
c. construction passive incomplète ;
d. construction impersonnelle à sens passif.

1. Des sondages sont faits tous les ans par les professionnels du tourisme.
2. Les résultats devront être publiés rapidement.
3. 1 000 personnes ont été interrogées au téléphone.
4. Les résultats surprennent toujours.
5. Grâce au sondage, l'opinion des gens est mieux connue.
6. Mais on se trompe souvent dans l'interprétation des réponses.
7. Les Français ne sont jamais tous sondés.

LE PRONOM POSSESSIF : LE MIEN

*– C'est votre numéro direct ? – Non, ce n'est pas **le mien** (= ce n'est pas mon numéro).*
*– **Le sien** ou **le vôtre**, pour nous c'est la même chose (= son numéro ou votre numéro, pour nous, c'est la même chose).*
• Le pronom possessif remplace un groupe nominal formé d'un déterminant possessif et d'un nom.

déterminant possessif	**pronom possessif**			
	singulier		**pluriel**	
	masculin	**féminin**	**masculin**	**féminin**
mon, ma, mes	le mien	la mienne	les miens	les miennes
ton, ta tes	le tien	la tienne	les tiens	les tiennes
son, sa, ses	le sien	la sienne	les siens	les siennes
notre, nos	le/la nôtre		les nôtres	
votre, vos	le/la vôtre		les vôtres	
leur, leurs	le/la leur		les leurs	

Il ne faut pas oublier l'accent circonflexe sur **nôtre(s)** et **vôtre(s)** quand ils sont pronoms.

*Ne me parle pas de mon pays, parle-moi **du** tien !*
• Le pronom possessif peut s'employer avec toutes les prépositions.

4 Imaginez le nom repris par chaque pronom possessif.

1. … est meilleur que le mien. Tu parles vraiment bien.
2. Nous prendrons … au lit, mais les enfants prendront le leur dans la cuisine.
3. … ne marche plus. Je vais demander à Thomas de me prêter la sienne pour mon examen.
4. … sont toujours mal rangées. Les miennes sont toujours en ordre.
5. … est très sympathique, mais la nôtre est désagréable.
6. Je mets … ici, vous mettrez les vôtres dans l'autre pièce.

5 Simplifiez les phrases suivantes en employant des pronoms possessifs.

1. – On prend ta voiture ou on prend ma voiture ?
– Ta voiture est plus rapide que ma voiture, mais ma voiture est plus confortable !
2. – Vous connaissez nos machines ?
– Je les connais ; elles sont plus chères que nos machines, mais nos machines sont peut-être moins belles que vos machines.
– C'est vrai. Est-ce que vous connaissez celles de nos concurrents ?
– Bien sûr. Leurs machines sont encore plus chères que vos machines… et encore moins belles que mes machines !

EXPRESSION

◆ ÉCRIT ◆

Déclaration de vol dans une voiture garée devant un hôtel

Monsieur Antoine Goujon déclare qu'il a été victime d'un vol dans la nuit du 14 au 15 juin. Actuellement en vacances dans la commune de Collioure, il occupe une chambre à l'hôtel des Pins, boulevard de la Mer. Comme tous les soirs, il a garé sa voiture (une Peugeot 406 de couleur rouge, numéro d'immatriculation : 3076 DK 92) sur le boulevard de la Mer, en face de l'hôtel, du côté des numéros pairs. Il était entre 23 heures 30 et minuit. Ce matin, vers 8 heures, alors qu'il voulait prendre sa voiture, il a constaté que la portière avant droite (côté du passager) avait été cassée. La porte du coffre avait été également ouverte de force. Ses lunettes de soleil, ses lunettes pour conduire et une paire de petites jumelles n'étaient plus dans la boîte à gants, une valise en cuir (vide) avait disparu du coffre. La radio a été cassée, mais le voleur n'a pas pu la prendre.

Nous avons constaté les dégâts sur la portière droite, la porte du coffre et la radio.

Fait le 15 juin au commissariat de police de Collioure

signature de l'officier de police ML

signature du déclarant GOUJON

❶ Où est-ce que le texte a été écrit ? Qui a écrit ce texte ?

❷ Repérez dans le texte :

1. le moment de la déclaration ;
2. le moment où Antoine Goujon a garé sa voiture ;
3. le moment où il a constaté le vol ;
4. la description de la voiture ;
5. les informations sur le lieu où elle était garée ;
6. l'énumération des dégâts. Dans cette énumération, à quels temps sont les verbes ?

❸ Complétez le plan ci-dessous.

Reportez-vous aux éléments soulignés dans le texte.

1. En-tête.
Déclaration de vol.

2. Première partie : le motif de la déclaration.
Monsieur Antoine Goujon déclare…

3. Deuxième partie : les informations sur le sujet.
Actuellement en vacances…
…

4. Troisième partie : le constat.
Ce matin, il a constaté que…
…

5. Quatrième partie : l'authentification.
Fait le…
Signatures.

❹ Vous accompagnez un groupe de touristes en France. Un des touristes est victime d'un vol. Comme il ne parle pas français, vous écrivez pour lui une déclaration de vol.

Suivez le plan du texte ci-dessus.

POUR VOUS AIDER À ÉCRIRE…

Des indications de temps et de lieu peuvent être placées en début de phrase :

Actuellement en vacances dans la commune de Collioure, il…
Comme tous les soirs, il…
Ce matin, vers huit heures, alors qu'il…

◆ ORAL ◆

❺ Vous avez assisté à un vol, un accident ou un fait extraordinaire. Vous en parlez à un ami, qui vous conseille d'aller au commissariat. À trois, préparez puis jouez les deux jeux de rôle :

1. vous et votre ami ;
2. vous et le fonctionnaire de police.

Votre ami et le policier ne vous posent pas les questions de la même manière. Votre ami donne des appréciations, des conseils, etc. Le policier veut obtenir des informations les plus précises possibles.

Pablo Picasso est né en Espagne, à Malaga, en 1881, et il est mort près de Cannes, en 1973. Tout jeune, il s'est installé à Paris. Peintre, sculpteur, dessinateur, céramiste, c'est l'artiste aux multiples talents le plus célèbre de notre époque. Sa production est extrêmement riche. Il a interprété d'une manière originale tous les courants artistiques : de la représentation traditionnelle de la réalité au cubisme et à l'expressionnisme. Des musées consacrés à Picasso existent à Barcelone, à Antibes et à Paris.

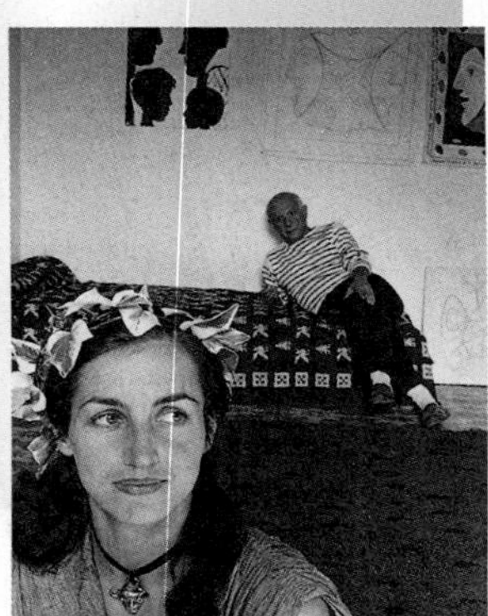

Picasso et F. Gilot en 1952.

Bouillon de culture (4)

PORTRAITS DE PICASSO

Les intervenants

Bernard Pivot, responsable de l'émission qui est consacrée à Picasso, à l'occasion de l'exposition « Picasso et le portrait ».
Gérard Régnier, directeur du musée Picasso, à Paris.
Hélène Seckel, conservateur en chef du Patrimoine et commissaire de l'exposition « Picasso et le portrait ».
Françoise Gilot, peintre, compagne et inspiratrice de Picasso dans le années d'après-guerre qui vit maintenant à New-York..

EXTRAIT A 

B. Pivot : Gérard Régnier, vous qui dirigez le musée Picasso, à Paris, est-ce que, au fil des années, vous sentez qu'il y a une ferveur[1] autour de Picasso qui monte et, surtout, est-ce qu'il y a une connaissance de l'œuvre de Picasso qui augmente ?

G. Régnier : Oui, alors, en ce qui concerne la ferveur, oui, certainement. [...] Actuellement il y a six expositions Picasso, au même moment, en Europe. [...] Si on compte en plus les expositions thématiques [...], alors là c'est pas six, c'est quarante-cinq, cinquante expositions, en une seule année, où Picasso reste la figure dominante. [...]

B. Pivot : Alors, évidemment, une exposition comme celle-ci, est-ce que le... la Réunion des musées nationaux peut se l'offrir sans le mécénat[2] ou pas ?

H. Seckel : Sans le mecénat, non.

B. Pivot : Alors, donc, là qui vous a aidés ? Je crois que c'est LVMH[3]...

H. Seckel : LVMH et Guerlain[4] [...]. On ne fait plus de grandes expositions sans l'apport d'un mécénat.

1 La ferveur : élan, enthousiasme.
2 Le mécénat : activité de protection et d'aide sociale et financière au monde artistique et culturel. celui qui l'effectue est ***un mécène***.
3 LVMH : initiales de Louis Vuitton (accessoires de mode), Moët et Hennessy (champagne), grande société française de produits de luxe.
4 Guerlain : grande marque de parfums et de produits de luxe.

Écoutez

❶ Extrait A. Vrai ou faux ?

1. Le musée Picasso se trouve à New-York.
2. L'œuvre de Picasso est peu abondante.
3. En Europe, aujourd'hui, on manifeste un grand intérêt pour Picasso.
4. L'intervention de l'État et de groupes privés est indispensable pour financer des manifestations culturelles comme les expositions.

❷ Extrait B. Choisissez la bonne réponse.

1. Pour peindre des portraits, Picasso :
  a. imitait un modèle ;
  b. ne se servait jamais de modèle ;
2. Ses portraits expriment :
  a. sa relation avec les personnages ;
  b. le physique des personnes.
3. Pour l'artiste :
  a. l'art est une imitation de la vie ;
  b. la vie imite l'art.
4. Il trouvait que Françoise Gilot ressemblait :
  a. à des personnages qu'il avait peints ;
  b. à des personnages qu'il avait connus.

EXTRAIT B

B. PIVOT : Françoise Gilot, vous l'avez vue cette exposition, à New- York ?

F. GILOT : J'ai vu l'exposition à New York.

B. PIVOT : Qu'en avez-vous pensé ?

F. GILOT : [...] Les portraits de Picasso ne sont pas des portraits au sens où on l'entend d'habitude. Ce sont... ils sont en effet très proches des personnes qui sont évoquées, mais c'est plutôt une évocation[5] symbolique qu'une évocation réaliste. [...] Picasso ne faisait jamais poser ses modèles. [...] Donc, je veux dire, les portraits de Picasso, c'étaient pas des portraits avec un modèle. C'était l'essence d'une personne, c'était sa relation à lui avec cette personne, c'était une chose extrêmement subjective, c'était une partie de sa création. [...]

B. PIVOT : Comment expliquer ça ? [...]

F. GILOT : Écoutez, c'est le phénomène de la... de la mémoire. Vous savez bien que, quand on a un certain domaine, on a une mémoire très exercée d'abord. Et puis, pour Picasso, par exemple, il disait toujours que « c'est la vie qui imite l'art et pas l'art qui imite la vie », que donc, quand par exemple il m'a trouvée, moi, intéressante, c'est parce qu'il trouvait que je ressemblais à des tableaux ou à des dessins qu'il avait faits avant de me connaître, quand j'étais une enfant [...]. Mais quand il m'a vue, il a dit : « Voilà quelqu'un qui entre dans mon univers. »

Paris, le 11 octobre 1996

La Femme-fleur, 1946

[5] Une évocation : vision, représentation.

Observez et répétez

▶ Demander des explications

3 1. Dans sa première intervention, B. Pivot demande s'il existe, aujourd'hui, de l'intérêt pour Picasso. Relevez ses deux questions.

2. Repérez la réponse précise donnée par G. Régnier. Comment justifie-t-il le succès grandissant de Picasso ?

4 Comme B. Pivot, posez des questions :

1. au directeur du gymnase de votre ville, au sujet du succès des cours de gymnastique aérobique ;
Est-ce que vous sentez qu'il y a une mode autour de...

2. à un éditeur au sujet du succès des ouvrages de philosophie.

Imaginez leurs réponses précises.

Exprimez-vous

5 Picasso a représenté sa compagne Françoise Gilot dans son tableau *La Femme-fleur*.

1. Comparez le tableau avec la photo de F.Gilot.

2. Qu'évoque ce tableau pour vous ? À votre avis, comment Picasso voyait-il F. Gilot ?

À VOUS ! **6 Le tableau de Picasso *La Femme-fleur* a été volé lors d'une exposition. Rédigez la déclaration de vol.**
Suivez le plan : la déclaration du vol, les lieux, date, heure, les indices utiles, la description du tableau.

7 Relisez la note biographique sur Picasso, puis rédigez un texte sur votre peintre préféré.

TEMPS LIBRE

DOC 1

Combien de temps libre avons-nous dans une vie ?

Le temps libre, c'est le temps qu'on peut utiliser comme on veut. D'après des études sérieuses, la part de temps libre dans la vie d'un Français d'aujourd'hui est statistiquement plus importante que le temps consacré au travail. Les raisons en sont nombreuses : on vit de plus en plus vieux, mais on ne prend pas sa retraite plus tard, au contraire. Les vacances sont de plus en plus longues et la durée du travail hebdomadaire est de plus en plus courte.

Il y a cent ans, par exemple, la durée du travail dans une vie était en moyenne de 12 ans alors que la durée moyenne de la vie d'un homme était de 46 ans. Aujourd'hui, la durée du travail moyenne dans une vie est de 6 ans, mais l'espérance de vie est passée à 74 ans, et le travail ne représente plus que 8 % du capital temps. De plus, les travaux ménagers prennent de moins en moins de temps (grâce aux appareils comme le lave-linge, le lave-vaisselle, le chauffage central, l'aspirateur ou à la voiture, qui permet de faire des courses plus rapidement, et au réfrigérateur, qui permet de les faire moins souvent).

Si on tient compte du temps consacré au sommeil (23 ans), à la toilette et aux repas et du temps que nous avons passé à l'école, il nous reste 16 années de temps libre, c'est-à-dire 22 % de notre capital temps.

Cependant, si on en croit les chiffres, nous passons la plus grande partie de notre vie à dormir (31 % du capital temps) !

Profil de la journée moyenne des Français DOC 2

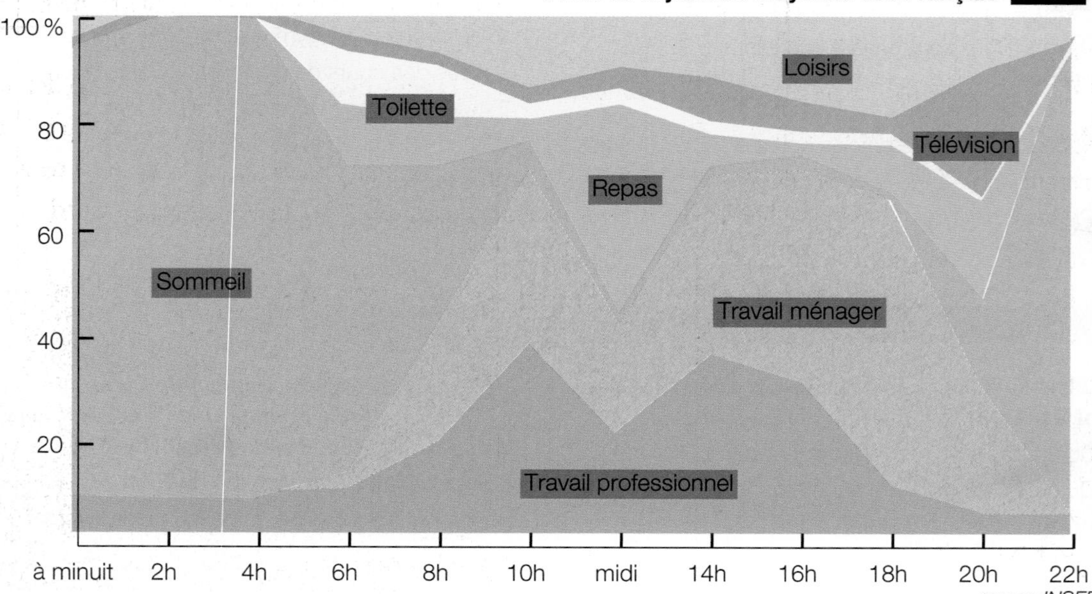

source INSEE

DOC 3

LOISIRS

Qu'est-ce que les Français font de leur temps libre ?

Cette question a sans doute été posée pour la première fois par un statisticien qui s'ennuyait ou qui n'avait pas assez de travail. En effet, le domaine des loisirs change tout le temps : les loisirs choisis dépendent de l'âge, de la formation scolaire, de la profession, du sexe, des revenus, de l'endroit où on habite, des progrès de la technique (les médias avec la radio, la télévision, les ordinateurs, etc.), de la mode et du pouvoir de suggestion de la publicité.

Musée d'art contemporain, Lyon.

En tout cas, grâce au temps libre, les Français s'intéressent de plus en plus à la culture : ils ne partent plus seulement en vacances pour aller à la plage ou faire du ski. Ils sont de plus en plus nombreux à consacrer une partie de leurs vacances à visiter des villes pour y découvrir des musées et des expositions. Les dépenses culturelles des ménages représentent 4 % des dépense totales. C'est pour l'écrit (la presse et les livres) que les Français dépensent le plus (presque 40 % de leur budget culturel). Cependant, les Français ne sont pas seulement des consommateurs passifs de culture. Au cours de leur vie, 32 % auront fait de la musique, 15 % auront écrit, 8 % auront fait de la danse, 18 % de la peinture ou du dessin, 14 % auront même fait du théâtre amateur.

C'est un paradoxe, mais le temps libre fait découvrir le travail à de nombreux Français. En effet, on estime que 80 % des hommes et 50 % des femmes bricolent. Le bricolage, c'est par exemple faire soi-même la décoration de son appartement, réparer le lave-linge, aménager une pièce dans le grenier, installer une douche, construire un placard ou changer la porte du garage. Derrière le bricolage, on trouve le jardinage. Un ménage sur deux a un jardin (d'une surface moyenne de 650 m^2) qu'il faut entretenir : planter des fleurs, tondre la pelouse, récolter les fruits et les légumes. Ces activités sont-elles la preuve qu'on ne peut pas vivre sans travail ? Peut-être pas. Bricoler et jardiner, c'est travailler pour le plaisir : toute la différence est là.

Repérages

STRATÉGIES DE LECTURE

▶ **1.** Lisez rapidement ces documents. Ne vous arrêtez pas, même si vous ne comprenez pas quelques mots. Quelle est la nature de ces documents ? D'où sont-ils extraits ?

▶ **2.** Lisez le graphique. À deux, dites s'il donne des informations qui vous surprennent et expliquez pourquoi.

▶ **3.** Trouvez dans les documents 1 et 3 une réponse aux deux questions qui constituent les titres. Appuyez-vous sur : l'introduction et la conclusion des textes ; la mise en page ; les chiffres ; les mots que vous connaissez.

Comparez ensuite vos réponses avec celles des autres étudiants.

▶ **4.** À deux, discutez. Quelle est l'information qui vous a le plus surpris(e) ? Comparez votre réponse avec celle des autres étudiants. Quelles sont les informations données qui peuvent s'appliquer à votre pays ?

TOP CHRONO !

Quel est le premier de votre groupe qui trouvera, dans les textes, les réponses à ces questions ?

◆ Quels chiffres cite-t-on en évoquant les mots suivants :

1. l'écrit ; **2.** le sommeil ;

3. le jardin ; **4.** l'espérance de vie actuelle ?

STRATÉGIES D'ÉCOUTE 

▶ **5.** Écoutez le texte enregistré jusqu'au bout, même s'il y a des mots que vous ne comprenez pas. Dites combien de personnes parlent et dans quelle situation elles se trouvent.

▶ **6.** Réécoutez le texte une deuxième fois. Concentrez-vous sur les réponses. Prenez des notes. Ensuite, à deux, essayez de faire le portrait de la personne interrogée. Comparez avec ce que proposent les autres étudiants.

▶ **7.** Réécoutez une troisième fois le texte et dites s'il y a des questions qui ne reçoivent pas de réponses. Dites si cela vous étonne et pourquoi.

◆ Combien de fois entendez-vous des mots de la famille de *jardin* ?
Quels sont ces mots ?

À ne pas lire **TRANSCRIPTION DU DOCUMENT ORAL**  *À ne pas lire* 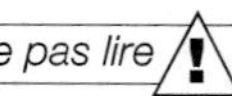

Enquêteur – Allô ? Bonjour, Monsieur. Ici l'institut de sondage et d'enquête publique OPTI. Est-ce que vous voulez bien répondre à nos questions dans le cadre d'une étude sur les loisirs ?
Monsieur – De quoi s'agit-il exactement ?
E. – D'un sondage sur le bricolage et le jardinage pour mieux connaître les habitudes des Français pendant leur temps libre. Vous restez anonyme. OPTI n'est intéressé que par les pourcentages. Vous pouvez très bien refuser de répondre aux questions qui vous semblent trop personnelles.
M. – On va bien voir. Je vous écoute.
E. – Je vais vous poser des questions numérotées : 1, 2, 3 ou 4. Vous ne répondrez qu'à une seule de ces questions : 1. Vous bricolez ; 2. Vous jardinez ; 3. Vous faites les deux ; 4. Vous ne faites ni l'un ni l'autre.
M. – 2. Je jardine.
E. – Vous avez 1. des fleurs ; 2. des légumes ; 3. des fleurs et des légumes ; 4. ni l'un ni l'autre.
M. – 3. J'ai des fleurs et des légumes.
E. – Votre jardin fait : 1. moins de 600 m^2 ; 2. plus de 600 m^2 ; 3. 600 m^2.
M. – Il fait exactement 600 m^2, réponse 3.
E. – Vous êtes 1. propriétaire ; 2. locataire de votre jardin ; 3. ni l'un ni l'autre.
M. – Réponse 1 : Je suis propriétaire.
E. – Est-ce que vous achetez ce que vous utilisez dans votre jardin plutôt 1. dans un magasin ; 2. dans une grande surface ; 3. au marché ; 4. vous n'avez pas de préférence.
M. – Dans une grande surface, réponse 2.
E.– Vous achetez dans une grande surface : 1. parce que c'est moins cher ; 2. parce qu'il y a un plus grand choix ; 3. parce qu'on peut regarder sans qu'un vendeur vienne tout de suite vous demander ce que vous voulez.
M. – Parce que c'est moins cher et qu'on peut regarder sans acheter.
E. – S'il vous plaît, donnez-moi une seule réponse.
M. – Réponse 3 : Je peux regarder tout ce que je veux tranquillement.
E. – Est-ce que vous choisissez ce que vous plantez 1. tout seul ; 2. avec votre famille ; 3. avec des amis.
M. – Avec ma femme, réponse 2.
E. – Est-ce que vous lisez des revues de jardinage 1 ; régulièrement ; 2. assez souvent ; 3. rarement ; 4. jamais.
M. – 1. Régulièrement.
E. – Est-ce que : 1. vous êtes abonné à la revue que vous lisez ; 2. vous l'achetez régulièrement chez votre marchand de journaux ; 3. on vous prête cette revue.
M. – 1. Je suis abonné.
E. – Dans quelle fourchette se situent les revenus nets de votre ménage 1. moins de 1 000 € ; 2. entre 1 000 et 1 400 € par mois ; 3. entre 1 400 et 2 000 € ; 4. plus de 2 000 €.
M. – Je n'ai pas envie de répondre à cette question.
E. – Vous savez que ce sondage est anonyme.
M. – Ça ne fait rien. J'aime mieux pas.
E. – Bon. Pour votre jardin, est-ce que vous dépensez par an : 1. moins de 150 € ; 2. entre 150 et 230 € ; 3. entre 230 et 300 € ; 4. plus de 300 €.
M. – 3. Entre 230 et 300 €.
E. – Cette fois vous répondez – si vous le voulez – directement à ma question. Quel âge avez-vous ?
M. – 47 ans.
E. – Est-ce que vous avez une carte de crédit ?
M. – Oui.
E. – Est-ce que vous êtes salarié ?
M. – Non.
E. – Vous exercez : 1. une profession libérale ; 2. une profession artistique ; 3. vous êtes commerçant ; 4. vous ne travaillez pas.
M. – Je suis commerçant, 3.
E. – Voilà, c'est tout. Je vous remercie beaucoup d'avoir bien voulu répondre à ce questionnaire. Je vous souhaite une bonne soirée.
M. – Je vous en prie. Au revoir, monsieur.

Grammaire

1 Rédigez des phrases dans lesquelles vous exprimerez votre sentiment ou votre jugement. Utilisez les expressions suivantes : *on regrette que – il est important que – il est incroyable que – il est souhaitable que – je ne crois pas que.*

On ne lit pas beaucoup les critiques de film.

➜ Il est regrettable qu'on ne lise pas beaucoup les critiques de film.

1. Les gens ne vont pas souvent voir de documentaires.
2. Les films seront proposés à tarif réduit un jour par semaine.
3. Dans de nombreux pays, on a un haut niveau de technologie en cinéma.
4. De nombreux metteurs en scène ne peuvent pas terminer leur film pour des raisons financières.
5. On veut diminuer le prix des places de cinéma.

2 Mettez les phrases au passif. Utilisez la forme passive complète ou la forme passive pronominale, selon les cas.

On lit beaucoup les critiques de films.

➜ Les critiques de films se lisent beaucoup.

Les jeunes lisent beaucoup les critiques de film.

➜ Les critiques de film sont beaucoup lues par les jeunes.

1. On fait les curriculum vitae à la machine, et on les accompagne d'une lettre écrite à la main.
2. Les Anglais envoient très tôt leurs cartes de vœux.
3. En France, on boit généralement l'apéritif au salon.
4. Chaque année en France, on échange des milliers de cartes postales.
5. L'État va racheter la société Ciby pour 66,4 millions d'euros.

3 À partir des notes suivantes sur le thème des femmes, rédigez des phrases contenant des expressions d'opposition. Utilisez : *cependant – bien que – malgré tout – quand même – pourtant.*

Femmes toujours moins bien payées que les hommes/métiers de plus en plus difficiles.

➜ Bien que les femmes fassent des métiers de plus en plus difficiles, elles restent toujours moins bien payées que les hommes.

1. Elles ont de bons diplômes/rarement un poste à responsabilités.
2. La police semble réservée aux hommes/compte une petite quantité de femmes.
3. Pas beaucoup de femmes au parlement/très engagées dans la vie politique.
4. Les femmes politiques semblent trop sérieuses/sens de l'humour.
5. Ne trouvent pas souvent de travail/beaucoup de diplômes.

4 Complétez les dialogues à l'aide de pronoms possessifs ou de pronoms démonstratifs.

– Tu aimes cette voiture Fiat ?

*➜ – Je préfère **celle** qui est sortie au printemps.*

*– Moi, je préfère **la mienne**. C'est la plus élégante.*

1. C'est toi qui as pris ma gomme ?
– Non, c'est Judith qui m'a donné… . Tiens, prends… que Béatrice a oubliée !
2. Tu as trouvé mes clefs ?
– Non ce sont… de Clément.
– Tu peux me prêter… ?
3. Où vont vos enfants pendant ces vacances ?
– Ils partent à la montagne avec… de ma sœur.
– Moi, je ne sais pas quoi faire des… . Ils pourraient peut-être partir avec… !
4. Est-ce que vous avez vu son nouveau bureau ?
– Oui, il est bien mieux situé que… qu'elle avait avant.
– Moi, j'aime mieux…, vous l'avez mieux arrangé.

Vocabulaire

5 Qu'est-ce qui va ensemble ?

1. Un gros plan
2. Une plongée
3. Le cadre
4. Un plan général
5. Le décor

a. montre l'ensemble du paysage.
b. donne l'impression que quelque chose est petit.
c. est composé des éléments du lieu de l'action.
d. montre un détail.
e. est l'ensemble du paysage filmé.

6 Complétez les phrases par les mots qui conviennent.

1. Un des secrets du bonheur, c'est de ne pas se laisser a… par les problèmes.
2. Si vous voulez confier vos problèmes, le choix du c… est très délicat.
3. Quand on est « sur les n… », il faut se calmer !
4. Une zone interdite aux voitures est une zone p… .
5. Une enquête pour connaître l'opinion des gens est un s… .

Test 3

Compréhension et expression orales

7 Vous téléphonez au magazine *Pariscope* pour réserver vos places de cinéma. Écoutez le message, puis répondez aux questions.

1. Quel est l'arrondissement de Paris que l'on cite ?
2. Quel est le film cité ?
3. Quel conseil donne-t-on ?
4. Pour les autres films, quel numéro faut-il appeler ?
5. Que faut-il faire après ?

8 Répondez à ces répliques en exprimant un regret ou un reproche, puis proposez une solution ou un conseil.

–Je ne peux pas faire cette recette de cuisine pour ce soir, je n'ai pas de tomates.
➜ *– Tu aurais dû la regarder avant. Fais-la sans tomates. Tant pis !*

1. Tu n'as pas oublié de payer la facture d'électricité, j'espère. C'était à faire avant hier.
2. Tu as regardé l'émission sur l'acteur italien Mastroianni, hier soir ? C'était formidable !
3. Ils ont déménagé et on ne les a même pas aidés !
4. Je n'ai pas passé mon permis de conduire et maintenant on me le demande pour mon travail...
5. Il n'y a déjà plus de places d'avion pour la Tunisie. Tu te rends compte !

Compréhension et production écrites

La jeune fille et la voix

Céline Dion est un petit phénomène. Cette Québécoise francophone chante depuis l'âge de treize ans ; elle a enregistré dix albums en français ; elle a appris l'anglais et publié dans cette langue trois disques très remarqués aux États-Unis. Mais l'essentiel de ce petit phénomène reste sa voix : puissante, expressive, émouvante, un vrai plaisir !

Elle est la plus jeune d'une famille de quatorze enfants, où la passion de la musique se transmet dès le plus jeune âge. « Mon enfance a baigné dans tous les styles musicaux. Et à douze ans, j'avais mon propre programme ! Il m'arrivait de refuser certaines chansons parce que je ne les « sentais » pas. À mes débuts, je chantais comme on rêve. Aujourd'hui, j'ai encore la tête dans les nuages, mais les pieds sur terre », raconte Céline.

C'est Jean-Jacques Goldman, un chanteur français, qui a écrit le dixième album de Céline Dion et qui accompagne celle-ci lors de ses rencontres avec la presse. « En studio, raconte-t-il, les techniciens et les musiciens les plus exigeants, même ceux qui n'aiment pas du tout la variété, ont été émerveillés en entendant Céline.

9 Lisez ce texte et répondez aux questions.

1. Céline Dion est un phénomène surtout parce que :
a. elle a commencé sa carrière très jeune ;
b. elle chante en plusieurs langues ;
c. elle chante très bien.
2. Quelle est sa langue maternelle ?
3. Elle chante aussi en anglais :
a. vrai ; **b.** faux ; **c.** on ne sait pas.
4. Quelle phrase du texte montre qu'elle a appris la musique très jeune ?
5. Elle refusait de chanter certaines chansons :
a. parce qu'elle n'y arrivait pas ;
b. parce qu'elle ne comprenait pas les paroles ;
c. parce qu'elle n'était pas assez sûre d'elle.
6. Aujourd'hui, elle rêve encore quand elle chante :
a. vrai ; **b.** faux ; **c.** on ne sait pas.
7. Jean-Jacques Goldman :
a. l'accompagne à la guitare quand elle chante ;
b. s'occupe seulement de sa publicité ;
c. a écrit quelques-unes de ses chansons.
8. Quelle phrase du texte montre qu'elle a impressionné beaucoup de monde par sa voix ?

10 Lisez la note ci-dessous. Choisissez un des deux sujets et rédigez un texte de 100 à 120 mots.

Note à tous les habitants de l'immeuble

Je vous rappelle que l'entrée d'un immeuble ne doit pas servir de garages à bicyclettes, à motocyclettes ou à voitures d'enfants.

Je compte sur votre collaboration pour que ce règlement soit respecté.

Le président, G. MONNIÈRE.

sujet 1

Vous habitez dans cet immeuble et vous écrivez une lettre au président de la copropriété pour exprimer votre désaccord et votre regret devant cette mesure. Vous donnez des arguments, vous proposez des solutions et vous demandez de fixer une réunion pour parler de ce problème.

sujet 2

Vous avez assisté à la réunion de copropriétaires pendant laquelle un vote a été organisé sur cette question. Écrivez le compte rendu de cette réunion : présentez le problème, les solutions qui ont été proposées, les résultats du vote et la décision finale.

Partie 4

C'était une nuit sans lune...

UNITÉ 13

Thème
- le Grand Nord canadien
- l'aventure

Savoir-faire
- raconter des événements vécus
- justifier un choix effectué
- comprendre un récit écrit

Vocabulaire
- la formation des mots : suffixes *-tion, -age*
- des expressions pour se repérer dans l'espace

Grammaire
- l'emploi du plus-que-parfait
- la subordonnée de comparaison

Récits de voyage

1 *Un an dans le Grand Nord*

Ma fille Montaine avait 20 mois, un âge où il est important d'être avec ses parents. Nous sommes partis au début de l'été, pour nous adapter progressivement au froid. Nous avons fait la première partie du voyage à cheval. Nous avons parcouru 700 km entre juin et août. Montaine, très sensible à nos émotions, était inquiète quand nous l'étions. Sinon, elle prenait un grand plaisir à ce voyage. Elle chantait, dormait sur mon dos, s'amusait à reconnaître les animaux, parlait à Otchum, notre chien.

Au cours d'un voyage précédent, Nicolas avait déjà repéré le lieu de ses rêves : les bords du lac Thukada, entouré de glaciers superbes et de forêts magnifiques. Le village le plus proche était à 200 km. Nous avons d'abord campé là six semaines, le temps pour Nicolas de construire une cabane de 30 m^2. Un hydravion a transporté les vitres de la fenêtre, les chiens et un traîneau. C'est dans cette cabane que nous avons passé une partie de l'hiver. Vivre, jour après jour, tous les trois ensemble, a été un immense bonheur. Montaine voulait participer à tout : elle ramassait du bois quand le feu s'éteignait, pêchait avec Nicolas... Chaque jour, nous partions dans les montagnes pour observer les animaux. Elle regardait des livres d'images, jouait avec Otchum, vivant avec lui une véritable histoire d'amour. Notre seule peur était les ours.

Après quelques mois, nous sommes repartis vers le sud. Nous avancions de 10 à 80 km par jour, sur les fleuves et les rivières pris par les glaces ou à travers la forêt. Montaine n'a jamais eu froid. Couchée à l'arrière du traîneau, elle dormait trois à quatre heures par jour mais, pour nous, les journées étaient épuisantes. Nous tirions, poussions le traîneau. Nous tombions souvent. Nous craignions que la glace ne cède. Mon pire souvenir ? Le jour où nous avons vu un trou d'eau, à cent mètres du traîneau. Nicolas a essayé de ralentir mais les chiens n'obéissaient pas. J'ai attrapé Montaine, l'ai jetée dans la neige avant de m'y jeter aussi. Le traîneau s'est renversé, par miracle, à deux mètres de l'eau.

Le soir, il fallait deux heures pour installer notre camp. Nicolas montait la tente pendant que je déchargeais le traîneau. Montaine s'énervait parce qu'on ne s'occupait pas d'elle. Cette deuxième partie de l'aventure a duré six mois. J'ai bien sûr connu des moments de découragement, des moments où j'ai pleuré de froid, mais je n'ai jamais rien regretté.

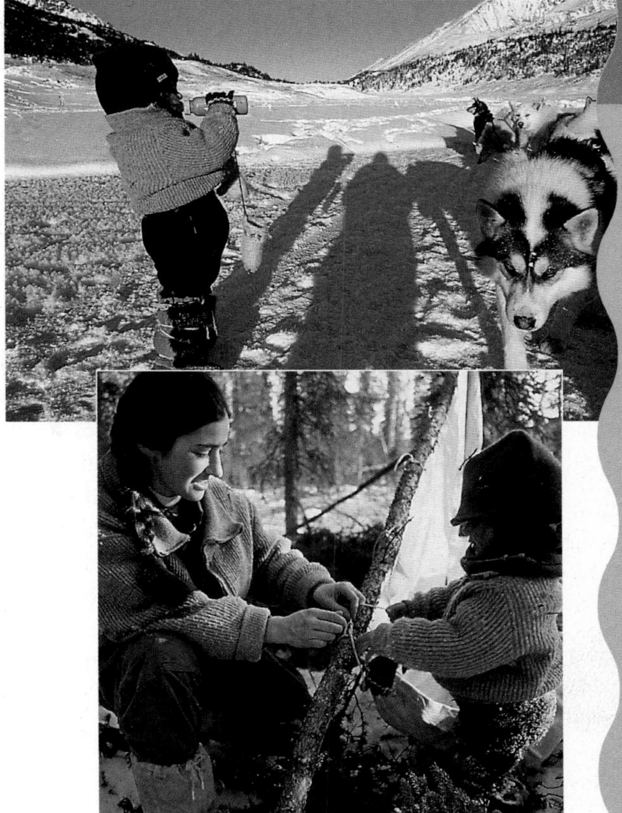

Au cours d'un voyage précédent, Nicolas avait déjà repéré le lieu de ses rêves...

1 Lisez le texte et répondez aux questions.

1. Pourquoi Montaine et ses parents sont-ils partis au début de l'été ?
2. Où est-ce qu'ils se sont arrêtés ?
3. Qu'est-ce que Montaine faisait pendant la journée ?
4. Combien de temps sont-ils restés au bord du lac Thukada ?
5. De quoi est-ce qu'ils avaient peur ?
6. Comment sont-ils repartis après leur séjour au bord du lac ?
7. Combien de kilomètres parcouraient-ils par jour ?
8. Qu'est-ce qu'ils faisaient tous les soirs ?

2 Qu'est-ce qui va ensemble ?

1. Avant de partir avec sa famille,
2. Avant d'arriver au bord du lac Thukada,
3. Quand l'hydravion est arrivé,
4. Quand ils se sont installés dans la cabane,

a. ils avaient déjà construit la cabane.
b. ils avaient déjà campé au bord du lac pendant six semaines.
c. ils avaient déjà parcouru 700 km.
d. Nicolas avait déjà repéré les lieux.

3 1. Repérez dans le texte les expressions de temps suivantes :

a. au début de l'été ;
b. entre juin et août ;
c. au cours d'un voyage précédent ;
d. six semaines ;
e. chaque jour ;
f. après quelques mois ;
g. le soir.

2. Relevez les verbes qui sont liés à ces expressions de temps.

3. Dites lesquels de ces verbes indiquent :

a. deux actions qui se répètent au cours du voyage ;
b. une action qui s'est passée avant le voyage ;
c. les quatre grandes étapes du voyage.

4. Donnez les temps de ces verbes quand vous les connaissez.

4 Lisez uniquement les phrases du texte qui contiennent un verbe au passé composé. Est-ce que celles-ci vous donnent des éléments suffisants pour comprendre le déroulement du voyage ?

À VOUS !

5 Racontez à votre voisin le voyage en quatre phases : le départ, la première partie du voyage, le campement, la seconde partie du voyage.

2 Un entretien avec Diane

LE JOURNALISTE : *Avant de partir, vous n'aviez pas peur du froid, de la solitude ?*
DIANE : J'y pensais, bien sûr, mais j'avais confiance en Nicolas. C'est un passionné du Grand Nord. Il y voyage depuis quinze ans et son expérience me rassurait.
LE JOURNALISTE : *Comment votre famille, vos amis, ont-ils réagi quand vous avez annoncé votre projet ?*
DIANE : Mes parents étaient inquiets et ils nous ont invités à bien réfléchir. Quant à nos amis, ils nous prenaient pour des fous.
LE JOURNALISTE : *Est-ce qu'il ne fallait pas un peu d'inconscience pour entreprendre ce voyage ?*
DIANE : Vous savez, ce n'est pas une idée aussi folle qu'on pourrait le croire ! Ce projet, Nicolas m'en avait déjà parlé longtemps auparavant. Juste avant la naissance de Montaine, il était allé chez les nomades de Sibérie voir comment ils voyageaient avec leurs enfants. Pour la première partie du voyage, à cheval, nous avons fait fabriquer une selle biplace pour Montaine et moi. Nous nous sommes entraînées pendant plusieurs mois à deux. Montaine adorait ça !
LE JOURNALISTE : *Vous avez consulté des médecins ?*
DIANE : Bien sûr, j'en ai consulté plusieurs. Aucun n'a été dissuasif. On m'a dit que le grand froid tuait microbes et virus. Effectivement, Montaine n'a jamais été malade.
LE JOURNALISTE : *Est-ce qu'il vous est arrivé de regretter les avantages de la ville ?*
DIANE : Non. Je vivais dans un autre monde qui m'a beaucoup apporté.
LE JOURNALISTE : *Et aujourd'hui, vous vous sentez différente ?*
DIANE : Oui, je ne regarde plus les choses comme avant. Maintenant, je donne moins d'importance aux petits inconvénients de la vie de tous les jours, je suis plus sereine.

...ce n'est pas une idée aussi folle qu'on pourrait le croire !

6 **Écoutez l'entretien et repérez :**
1. ce que dit Diane de sa confiance en Nicolas ;
2. ce que pensent ses parents et ses amis ;
3. ce que Diane et Nicolas ont fait pour préparer leur voyage.

7 **Qu'est-ce qui va ensemble ?**
1. Ce projet n'est pas aussi difficile
2. Cette ville n'est pas aussi typique
3. Je n'étais pas aussi rassurée
4. Ce n'était pas aussi dangereux

a. que les brochures le disent.
b. que je le croyais.
c. que Nicolas le pensait.
d. qu'on aurait pu le croire.

8 **Le journaliste pose des questions concernant trois moments différents :**
a. avant le voyage ;
b. pendant le voyage ;
c. maintenant.
1. Repérez les trois parties de l'entretien.
2. Dans chaque partie, à quel temps sont les verbes ?

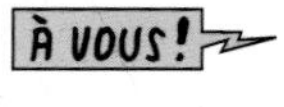
À VOUS !

9 **À deux, préparez l'interview de quelqu'un qui a fait un voyage original.**
Posez des questions sur :
– la préparation du voyage ;
– le voyage lui-même ;
– le bilan du voyage.
Jouez ensuite la scène.

VOCABULAIRE

Pour comprendre des mots nouveaux

Les règles de formation des mots permettent de comprendre des mots qu'on n'a encore jamais vus si on connaît déjà un mot de la famille.

Explorer ➜ Explorateur, exploration, réexplorer…

❶ Les noms suivants correspondent à des verbes que vous avez déjà rencontrés dans les documents 1 et 2 de cette unité. De quels verbes s'agit-il ?

L'adaptation. ➜ s'adapter

Noms en -ion (ils sont tous féminins)

1. La construction. **2.** La participation.
3. L'observation. **4.** La réaction.
5. La réflexion. **6.** La fabrication.
7. La consultation.

Noms en -age (ils sont tous masculins)

8. Le repérage. **9.** Le ramassage.
10. Le montage. **11.** Le couchage.

❷ 1. Faites deux listes avec les expressions soulignées dans le tableau ci-dessous :

a. expressions employées avec les verbes de mouvement ;

b. expressions employées pour préciser un lieu par rapport à un point de repère.

2. Ajoutez dans chaque liste d'autres expressions que vous connaissez.

Des expressions pour se repérer dans l'espace

On est partis pour les États-Unis.
Nous sommes allés au Québec.
Nous marchions vers le nord.
Nous avons marché depuis la cabane jusqu'au lac.
Nous sommes passés par la montagne.
Nicolas marchait devant le traîneau, moi j'étais assise à l'avant et Montaine était assise à l'arrière.

GRAMMAIRE

L'EMPLOI DU PLUS-QUE-PARFAIT (1)

*Au cours d'un voyage précédent, Nicolas **avait** déjà **repéré** le lieu de ses rêves.*
*Nous n'étions pas inquiets parce que nous **avions consulté** plusieurs médecins avant de partir.*

• Le plus-que-parfait est le « passé du passé ». Il permet de parler d'un événement qui a eu lieu avant un autre événement passé.

*Juste avant la naissance de Montaine, il **était allé** chez les nomades de Sibérie.*
(événement de référence dans le passé) (événement antérieur à l'événement de référence)

• On peut insister sur le fait que l'événement est accompli en utilisant l'adverbe **déjà**.

❶ Repérez l'événement le plus ancien, puis, récrivez la phrase en utilisant le plus-que-parfait.

Il a fini de dîner / je suis passé chez lui.
➜ Il avait déjà fini de dîner quand je suis passé chez lui.

1. La maison a été vendue / j'ai voulu l'acheter.
2. La maison a brûlé / les pompiers sont arrivés.
3. Tout le monde est parti / je suis arrivé.
4. La glace a fondu / j'ai voulu traverser.
5. Elle s'est mariée avec un autre / Il a décidé de l'épouser.

❷ Expliquez ce que vous aviez fait avant l'événement raconté.

Pendant mon voyage, je n'ai manqué de rien.
➜ J'avais préparé mes affaires minutieusement.

1. Je n'ai jamais été malade.
2. Je ne me suis jamais trompé de chemin.
3. Je n'étais pas trop chargé.
4. J'ai toujours eu une chambre d'hôtel.
5. Je n'ai jamais eu de problèmes d'argent.
6. J'ai su me débrouiller dans la langue du pays.

L'EMPLOI DU PLUS-QUE-PARFAIT (2)

*Si j'**avais fait** des études, je ne serais pas resté si longtemps sans travail.*

• Dans une subordonnée conditionnelle, on emploie le plus-que-parfait pour indiquer que la condition n'a pas été réalisée dans le passé.

*Je te l'**avais** bien **dit** !*
*Ce n'est pas ce que j'**avais compris**.*
*Vous me l'**aviez promis**.*
*Je t'**avais donné** rendez-vous hier soir !*
*Je vous **avais prévenu**.*

• Dans la langue parlée, on utilise fréquemment le plus-que-parfait dans une phrase isolée, en faisant référence à un événement antérieur mais sans l'exprimer explicitement.

LA SUBORDONNÉE DE COMPARAISON

*Elle n'est pas aussi folle **qu'on pourrait le croire**.*

• La deuxième partie d'une comparaison peut être une subordonnée.

plus / aussi/pas aussi / moins } + adjectif + que (subordonnée)

*Alain est beaucoup plus grand **que je (le) croyais**.*

• la comparaison peut porter sur un adjectif.

verbe } + plus/davantage / autant/pas autant / moins } + que (subordonnée)

*Catherine travaille moins **qu'elle (le) dit**.*

• La comparaison peut porter sur un verbe.

plus/davantage de / autant/pas autant de / moins de } + nom + que (subordonnée)

*Il n'y a pas autant d'habitants **qu'on (l')imagine**.*

• La comparaison peut porter sur un nom.

• L'emploi du pronom **le** est facultatif.

3 Cherchez les situations dans lesquelles les 5 phrases du tableau ci-contre peuvent être dites. Fabriquez des petits dialogues pour les utiliser et jouez-les.

4 Classez les verbes du texte suivant selon les temps du récit : passé, présent, futur.

Le goût de l'aventure

Je viens tout juste de rentrer d'un long voyage à pied dans le Sahara, et je crois que je vais bientôt repartir, pour l'Afrique, l'Inde ou tout simplement pour les Pyrénées. Je suis incapable de rester chez moi, à Paris : il faut que je parcoure le vaste monde. J'ai toujours aimé voyager. Quand j'étais enfant, je voyageais dans ma tête en lisant les merveilleux romans de Jules Verne ou les récits des explorateurs partis à la découverte de l'Afrique ou de l'Amérique du Sud. Mon père avait eu l'idée géniale de me donner un livre de géographie pour mon dixième anniversaire. J'ouvrais le livre magique au hasard et j'accompagnais mes héros dans leurs aventures… J'ai fait mon premier tour du monde à 21 ans. Depuis ce jour-là, je ne me suis plus arrêté. Je suis revenu aux livres, mais cette fois, c'est moi qui écris. À 62 ans, je suis en train de rédiger mes mémoires. J'espère qu'elles donneront à beaucoup de jeunes l'envie du voyage.

5 Imaginez des réponses exprimant le contraire, en utilisant une subordonnée de comparaison.

Tu crois que cet homme est remarquablement intelligent.
➜ *Il n'est pas aussi intelligent que tu le crois !*

1. On dit qu'il parle bien.
2. Il a énormément de succès. Tout le monde le croit.
3. On raconte qu'il ne joue pas très bien au golf.
4. Il gagne très bien sa vie. Tu me l'as dit.
5. Et finalement il n'a pas beaucoup d'ennemis, je pense.

6 À deux, vous décrivez une personne. Vous n'êtes pas d'accord avec votre voisin. Vous dites le contraire en utilisant des subordonnées de comparaison.

EXPRESSION

◆ ÉCRIT ◆

Électronique Paris Nord bulletin n° 19

Nos collègues Lucien Martial et Alain Huet viennent de rentrer de la Martinique où ils ont donné deux semaines de formation au personnel de notre filiale. Ils ont bien voulu nous faire le récit de leur voyage.

Nous n'avions encore jamais quitté notre région parisienne pour notre travail et nous étions un peu inquiets avant notre départ. Nous pensions aux conditions du stage, bien sûr, mais nous nous demandions aussi si nous pourrions vivre tous les deux ensemble pratiquement 24 heures sur 24 pendant 15 jours. Finalement, tout s'est bien passé.

Le voyage, d'abord, a été très agréable. Ensuite, sur place, tout le monde voulait nous aider, nous inviter. On faisait travailler les stagiaires quatre heures le matin et trois heures l'après-midi. Ils étaient très intéressés, comprenaient vite. En fait, ce stage était beaucoup plus sympathique que nous l'avions pensé. Et tous les jours, à partir de 5 heures de l'après-midi, nous étions en vacances. Nous avons fait du bateau, de la plongée. Presque tous les soirs, nous étions invités à dîner chez l'un ou chez l'autre. Et c'était une fête à chaque fois ! Pendant le week-end, nous avons admiré un marché, discuté avec des gens que nous ne connaissions pas et nous avons fait une excursion dans l'intérieur du pays. Nous sommes tous les deux photographes amateurs et nous avons pris plus de 200 photos !

Il est sans doute inutile de dire que nous sommes prêts à accepter le prochain stage de formation outre-mer.

Vous êtes toutes et tous invités à venir découvrir au service documentation les photos que Lucien et Alain ont faites là-bas.

POUR VOUS AIDER À ÉCRIRE...

Il est important de situer les événements dans le temps :

– *D'abord... Ensuite...*
– *Quelques jour après...*
– *Tous les soirs...*
– *Pendant le week end...*
– *Puis..., enfin..., finalement...*

1 Dans quel journal le texte est-il paru ? Quel est le but du texte de Lucien et d'Alain ?

2 Repérez les phrases où Lucien et Alain parlent :

1. de leur inquiétude avant le départ ;
2. du déroulement de leur séjour en Martinique ;
3. de la formation qu'ils ont donnée.

3 Complétez le plan ci-dessous.

Reportez-vous aux éléments soulignés dans le texte.

1. L'introduction de l'article.
...
2. Le récit.
a. Avant le voyage.
...
b. Pendant le voyage : le travail, les loisirs.
...
c. Après le voyage : conclusion du récit.
...
3. La conclusion de l'article : l'invitation.
...

4 Dans le cadre de votre travail, vous avez effectué un voyage. À deux, rédigez un article pour le journal d'entreprise. Pour rédiger votre compte-rendu, suivez le plan du texte ci-dessus.

◆ ORAL ◆

5 Vous venez de rentrer d'un voyage que vous avez fait pour mettre en place un échange entre écoles et entreprises. Vous en faites le compte rendu devant votre directeur et tous vos collègues. À la fin de votre compte rendu, les auditeurs vous posent des questions pour vous demander des précisions. Vous répondez à ces questions.

Vous parlez : de la préparation du voyage ; des lieux que vous avez visité ; des rencontres que vous avez faites ; des différences par rapport à votre pays.

Maigret (1)

L'ÉVASION DE HEURTIN

Maigret et la tête d'un homme
est un roman de Georges Simenon (1903-1989) qui a été adapté sous forme de feuilletons pour la télévision. Le personnage du Commissaire Maigret apparait pour la première fois en 1929, avec un succès immédiat. Sérieux, honnête et calme, Maigret trouve presque toujours une solution aux énigmes qui lui sont confiées. Il n'a qu'un défaut : la pipe qui ne le quitte presque jamais...

PARTIE A

Paris, dans les années cinquante.

Macabre découverte dans une villa de Montfort-l'Amaury

Une riche Américaine, Mme Henderson, et sa femme de chambre, retrouvées poignardées

Le commissaire Maigret mène l'enquête

- **LE SUSPECT**

C'est Joseph Heurtin, employé de cuisine au café La Coupole.
Tout semble l'accuser : des témoignages, des traces de pas, des empreintes digitales...
Maigret arrête Heurtin. Heurtin est condamné à mort.

- **LES DOUTES DE MAIGRET**

Pour Maigret, Heurtin n'est sans doute pas le vrai coupable.
Comment le découvrir ?

- **LA RUSE DE MAIGRET**

Avec l'accord du ministre de la Justice (le garde des Sceaux), Maigret a organisé l'« évasion » de prison de Heurtin.
Heurtin libéré lui fournira-t-il des indices ?
Le vrai coupable se manifestera-t-il ?

Écoutez

1 Partie A. Répondez aux questions.

1. Quel événement est à l'origine de l'enquête du commissaire Maigret ?

2. Qui a été arrêté ? Pourquoi ?

3. Quelle ruse a proposée Maigret ? Pour quelles raisons ?

2 Partie B. Choisissez la bonne réponse.

1. *La tête d'un homme vaut bien un scandale* signifie :

a. Il est préférable de provoquer un scandale et sauver un innocent ;

b. Il vaut mieux couper la tête d'un innocent et éviter le scandale ;

c. La vie d'un homme et un scandale ont la même valeur.

2. Le juge Benneau :

a. est du même avis que Maigret ;

b. ne connaît pas les faits ;

c. est en désaccord avec Maigret.

3. Maigret est persuadé que Heurtin est :

a. fou ;

b. innocent ;

c. coupable.

PARTIE B 

Dans le bureau du juge Benneau.

MAIGRET : Le garde des Sceaux était d'accord !...

BENNEAU : C'est vrai ! Et j'ai été contraint d'accepter votre... expérience ! Vous voyez où elle nous a menés ? Ça va faire un beau scandale[1] ! Sans parler du fait que vous risquez votre carrière !

MAIGRET : Ma carrière, si vous permettez, moi seul peux en juger, monsieur le juge ! J'enverrai ma démission si je ne livre pas le coupable...

BENNEAU : Autrement dit, Heurtin !

MAIGRET : Le coupable. Pour le reste, je pense que la tête d'un homme vaut bien un scandale !

BENNEAU : Je ne comprends pas votre obstination. Heurtin est forcément l'assassin. Tout l'accuse ! Les traces de ses chaussures, ses empreintes digitales. Les témoins de Montfort-l'Amaury !

MAIGRET : Ces preuves, monsieur le juge, c'est moi qui les ai découvertes. J'ai été obligé d'arrêter Heurtin.

BENNEAU : Mais pas de l'aider à s'évader !

MAIGRET : Je cherche la vérité ! [...]

BENNEAU : Que vous faut-il de plus ?

MAIGRET : Un mobile[2], monsieur le juge. Ou un aveu[3]. Heurtin ne connaissait pas les victimes. On n'a rien volé dans la villa. [...]

BENNEAU : Alors ?

MAIGRET : Ou il est fou ou il est innocent !

[1] Un scandale : événement qui soulève l'indignation publique.
[2] Un mobile : raison qui explique le crime.
[3] Un aveu : déclaration par laquelle quelqu'un se reconnaît coupable.

Observez et répétez

Mettre quelqu'un en garde

3 Écoutez et chassez l'intrus.

1. Ça va faire un beau scandale ! Sans parler des risques pour votre carrière !
2. Ça va te coûter cher ! Sans parler du fait que, demain, les agences de voyages sont fermées !
3. Ça me coûterait combien, cette voiture, sans parler de la radio ?
4. Ça va avoir des conséquences sur les comptes ! Sans parler du risque de perdre ton emploi !

4 Reliez les répliques suivantes à celles de l'exercice précédent.

a. J'ai perdu les billets d'avion du directeur !
b. La presse a tout découvert !
c Cette année mon chiffre d'affaires est désastreux !

Lisez ces mini-dialogues à deux. Attention à l'intonation.

5 Vous mettez en garde des personnes qui sont dans les situations suivantes :

1. Un journaliste a accusé sans preuve le maire de sa ville.
2. Votre collègue n'a pas justifié son absence pendant deux semaines.
3. Votre voisin n'a pas payé ses impôts cette année.

Exprimez-vous

À VOUS ! **6 Un journaliste va interviewer Maigret sur son enquête. Préparez les questions et les réponses. Jouez la scène.**

Il l'interroge sur l'identité des victimes, le lieu du crime, la suite de l'enquête...

À VOUS ! **7 À la suite de son entretien avec Maigret, le journaliste écrit un court article pour son journal.**

Il rappelle les faits : le crime, les victimes, le lieu, la date...
Il résume l'opinion de Maigret.
Il exprime son avis sur les faits et justifie son opinion.

UNITÉ 14

Thème
- un récit autobiographique

Savoir-faire
- raconter des expériences personnelles
- décrire un personnage
- exprimer ses sentiments
- comprendre un récit écrit

Vocabulaire
- la formation des mots : préfixes *é-*, *a-*, suffixe *-ir*
- des adjectifs pour décrire un personnage
- des synonymes et des antonymes

Grammaire
- les conjonctions *parce que* et *puisque*
- le participe présent
- le participe passé
- l'expression de la cause

Autobiographie

1 Des bords du Rhin au Sahara

LE JOURNALISTE : *Quand je vous vois entourée de vos amis, j'ai l'impression que votre monde est ici. Et pourtant, vous repartez pour le Sahara. Pourquoi ?*

ÉLISABETH SAUER : Ici, j'ai des amis, ou plutôt des connaissances. C'est vrai, ici je peux sortir, m'amuser, mais, comment dire, j'ai l'impression que toutes ces activités m'étourdissent, qu'elles m'empêchent de vivre parce qu'elles cachent la vraie vie.

LE JOURNALISTE : *Vous recherchez la solitude ?*

ÉLISABETH SAUER : Ce n'est pas ça. Dans le désert, je ne suis pratiquement jamais seule. Ce que je veux dire, c'est que je veux être moi-même, faire des choses peut-être simples, mais des choses que j'ai choisi de faire, sans que des amis, la publicité ou la mode, ne m'aient poussée à les faire. Et je veux pouvoir aimer les gens pour ce qu'ils sont, pour ce qu'ils font, et non pas pour ce qu'ils ont.

LE JOURNALISTE : *Vous fuyez la société de consommation ?*

ÉLISABETH SAUER : Je ne dirais pas ça puisque j'en profite, même quand je suis en plein désert : mon sac à dos, mes chaussures, par exemple sont des produits de cette société. Pourquoi refuserais-je tout confort ? Disons que je recherche un monde naturel, authentique, pour avoir des rapports humains plus francs. Bien que nous ne parlions pas beaucoup, mes meilleures amies sont les femmes du désert. Vous savez que je fais de la peinture. Regardez mes couleurs. C'est le Sahara qui me les a données. Je ne les aurais pas trouvées ailleurs.

LE JOURNALISTE : *Depuis quand êtes-vous à la recherche de cette « authenticité » ?*

ÉLISABETH SAUER : Depuis toujours. Je n'ai pas connu mon père qui est mort avant ma naissance, et ma mère m'a élevée seule en ne me laissant pratiquement pas de liberté. Je crois que c'est par réaction que je rêvais d'aventures, que je voulais être libre, que je ne voulais plus rester une petite gamine et – c'est une image – plus jouer seulement à la poupée. Je tenais à montrer à tout le monde que je vivrais ma vie comme je le voudrais.

1 **Écoutez l'interview. Vrai ou faux ?**

1. Élisabeth Sauer est peintre.
2. Elle repart pour le Sahara.
3. Dans le désert, elle est toujours seule.
4. Les femmes du désert sont ses amies.
5. Elle a eu une enfance très libre.
5. Elle a toujours rêvé d'être libre.

2 **Qu'est-ce qui va ensemble ?**

1. Élisabeth n'a pas connu son père
2. Elle ne communique pas beaucoup avec les femmes du désert
3. Dans le désert elle n'est jamais seule
4. Ses couleurs sont authentiques

a. puisqu'elle ne connaît pas leur langue.
b. puisqu'il est mort avant sa naissance.
c. puisqu'elle les a trouvées dans le désert.
d. puisqu'elle a beaucoup d'amis.

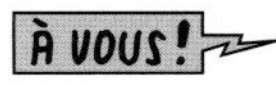

Je ne dirais pas ça puisque j'en profite...

3 **Quelles sont les opinions et les impressions qu'Élisabeth Sauer exprime et qui amènent le journaliste à lui demander :**

1. si elle recherche la solitude ;
2. si elle fuit la société de consommation ;
3. depuis quand elle recherche l'authenticité ?

À VOUS ! **4** **Un de vos amis pratique une activité sportive, culturelle... Vous l'interviewez pour savoir ce qu'il recherche dans son activité et depuis quand il la pratique.**

Biographie

Élisabeth Sauer est née le 17 mars 1945 en Suisse, à côté de Bâle. Sa mère est française, d'origine alsacienne. Elle n'a pas connu son père, allemand, mort en 1944. Elle a passé toute son enfance dans la région de Bâle, séjournant très souvent chez ses oncles et tantes français, à Mulhouse. Elle est parfaitement bilingue, allemand et français, mais elle a toujours considéré le français comme sa langue. Après des études secondaires sans problèmes, elle a passé son diplôme de traductrice-interprète en français-allemand pour « avoir de quoi gagner sa vie ».

Très tôt attirée par le désert, le Sahara en particulier, elle a eu la chance d'y accompagner un groupe comme interprète. Depuis, elle s'est initiée à l'arabe. Vivant au début de traductions pour des entreprises suisses, allemandes ou françaises, elle s'est aujourd'hui spécialisée dans la traduction de livres d'art et de livres sur le Sahara. Curieusement, elle a refusé de traduire un livre sur les femmes touaregs, sans doute par respect pour une culture qu'elle admire.

Depuis quelques années, Élisabeth Sauer fait de la peinture. Elle essaie d'exprimer la couleur qu'elle dit tenir du désert lui-même. Elle présente aujourd'hui ses dernières œuvres inspirées de récents voyages. Femme engagée, elle a créé un petit cercle d'amis dans le but d'aider les femmes dans la zone saharienne. Le produit des ventes de ses peintures doit financer son action au Sahara.

5 **Rédigez le CV d'Élisabeth Sauer à partir de sa biographie.**
Nom, prénom, date de naissance, formation, expérience professionnelle, autres centres d'intérêt.

6 **Qu'est-ce qui va ensemble ?**
1. Cherchant à être vraiment elle-même,
2. Quittant la société de consommation,
3. Elle peint,
4. Elle est bilingue,
5. Respectant profondément la culture touareg,

a. ayant un père allemand et une mère française.
b. elle a refusé de traduire un livre à ce sujet.
c. elle a trouvé un monde plus authentique.
d. trouvant ses couleurs dans le désert.
e. Élisabeth est partie dans le désert.

...séjournant très souvent chez ses oncles... Vivant au début de traductions...

7 **Dans le deuxième paragraphe du texte, relevez les éléments qui se trouvent en début de phrases, avant la virgule. Classez-les suivant qu'ils indiquent :**
a. une indication de temps ;
b. une information sur Élisabeth Sauer ;
c. une appréciation du journaliste.

Carnet de voyage

Le 25 décembre, avant le petit déjeuner

Ce matin, j'éprouve des sentiments contradictoires ! C'est le premier Noël que je passe loin de ma mère, loin de chez moi, loin de mon village, loin de l'hiver. Sans messe de minuit, sans sapin, sans bougies, sans chants de Noël, sans cadeaux à donner ou à recevoir. Hier soir, après notre dîner, quand je me suis coiffée et habillée « comme si je sortais », tout le monde a compris qu'il se passait quelque chose d'important pour moi. Ils m'ont tous laissée partir, mais je me demande ce qu'ils ont pensé quand j'ai allumé mes bougies « magiques » qui lancent des étincelles dans tous les sens.

Jusqu'à aujourd'hui, je n'ai jamais eu l'impression que Noël était important pour moi, sauf quand j'étais petite, à cause du Père Noël et des cadeaux. Et pourtant, hier soir, je ne jouais pas la comédie. Je pensais avec émotion à ma famille, à mes amis du bord du Rhin. C'est peut-être ridicule, mais il me semblait que je comprenais tout d'un coup, pour la première fois peut-être, ce que représentait Noël : message d'amour.

En plein désert, dans ce campement, avec quatre Touaregs et six chameaux, sous un ciel plein d'étoiles, je suis plus proche des origines que tous les chrétiens d'Europe...

Peut-être que je me suis fabriqué moi-même une petite crise de mal du pays, tout bêtement.

Le 25 décembre, le soir

Tout à l'heure, Ahmed, notre cuisinier, le plus curieux et aussi le plus gentil de tous ces hommes qui m'accompagnent, m'a demandé de lui expliquer Noël. Que vais-je lui raconter ?

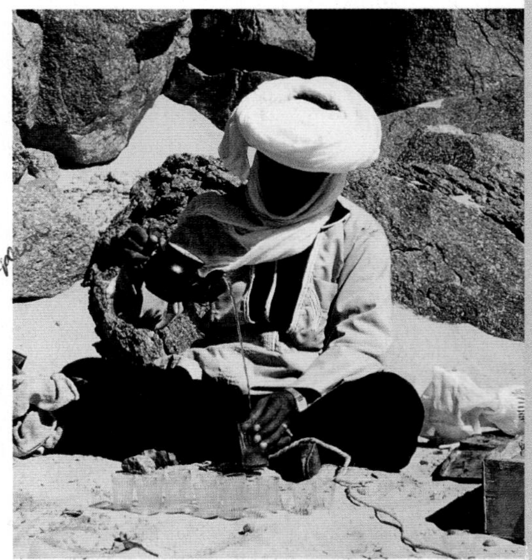

8 **Quels sont les éléments du texte qui indiquent que c'est un journal intime ?**

À VOUS ! **9** **Repérez tous les mots qui se réfèrent à Noël. Comment fêtez-vous Noël chez vous ?**

VOCABULAIRE

1 Formez des verbes à partir des adjectifs.
Vérifiez dans le dictionnaire quels verbes demandent un redoublement de la consonne.

ajout des préfixes : é/a		ajout du suffixe : ir	
clair	*éclairer*	rouge	*rougir*
proche	*approcher*	gros	*grossir*
doux		maigre	
loin		pâle	
grave		grand	
large		jaune	
léger			

2 Voici des adjectifs pour décrire un personnage. Classez les synonymes (mots de sens semblable) et les antonymes (mots de sens opposé).
Aidez-vous du dictionnaire si nécessaire.

Expérimenté *: débutant, inexpérimenté, compétent, qualifié, incompétent, capable.*
➜ *Synonymes : compétent, qualifié, capable.*
➜ *Antonymes : débutant, inexpérimenté, incompétent.*

1. Doué : bête, brillant, habile, capable, incapable, intelligent, borné.
2. Sensible : ouvert, dur, sans âme, sentimental, fin, insensible.
3. Volontaire : tenace, paresseux, obstiné, énergique, courageux, mou, faible.
4. Prétentieux : arrogant, modeste, réservé, sans prétention, orgueilleux, insolent, timide.

À VOUS ! **3 Faites le portrait de plusieurs types de personnes : celles que vous aimez et celles que vous n'aimez pas.**
Utilisez les adjectifs de l'exercice précédent.
Lisez vos textes à haute voix.

GRAMMAIRE

L'EXPRESSION DE LA CAUSE (1) : LES CONJONCTIONS PARCE QUE ET PUISQUE

Élisabeth est bilingue ***parce que*** *sa mère est française et son père allemand.*
(situation) (cause qu'on ne connaissait pas)
- **Parce que** introduit une simple explication. La cause est inconnue des gens auxquels on parle.

Les couleurs d'Élisabeth sont authentiques ***puisqu'****elle les a trouvées dans le désert.*
(situation) (cause qu'on connaissait déjà)
- **Puisque** introduit une justification ou un argument. La cause est déjà connue des gens auxquels on parle.

Puisque peut être placé en début ou en milieu de phrase.
Puisqu'*elle veut aider les femmes sahariennes, Élisabeth vend ses peintures pour elles.*

1 Complétez les dialogues en utilisant *puisque*.
– J'aimerais bien avoir un pull pour mon anniversaire.
➜ *– C'est d'accord, puisque ça te fait plaisir.*

1 – Cet exercice est très facile.
– Donne-moi la solution...
2. Cette maison est vraiment très bien.
– On va l'acheter...
3. Je n'ai pas envie d'aller au théâtre.
– Je vous emmène au cinéma...
4. J'ai raté mon autobus et c'était le dernier.
– Prends un taxi...
5. Tu vas à la réunion ? moi aussi !
– Viens avec moi...

2 Choisissez : *parce que* ou *puisque* ?
1. – Pourquoi est-ce que tu ne leur a pas téléphoné ?
– ... j'avais oublié mon carnet.
2. – Tu veux toujours sortir ce soir ?
– Non, ... il y a un bon dîner, je vais passer la soirée avec vous.
3. – Les magasins sont ouverts demain ?
– Il sont fermés ... c'est lundi, demain.
4. – Il y a beaucoup de monde sur les routes. Qu'est-ce qui se passe ?
– C'est ... il y a un accident.
5. – C'est difficile de s'inscrire à l'université ?
– Oui, ... le nombre d'étudiants augmente tous les ans.

LE PARTICIPE PRÉSENT

• Le participe présent a la même forme que le gérondif mais il n'est pas précédé de **en**. Il peut se rapporter à un sujet ou à un objet. (Le gérondif se rapporte toujours au sujet de la phrase.)
• Le participe présent est toujours invariable.

On peut employer le participe présent pour :
– apporter un complément d'information ;
Elle s'est spécialisée dans la traduction de livres ***touchant*** *le Sahara (= de livres qui touchent le Sahara).*
– exprimer la cause ;
Elle a passé toute son enfance dans la région de Bâle, ***séjournant*** *à Mulhouse (= parce qu'elle séjournait…).*
– marquer une relation temporelle ;
Vivant *au début de traductions, elle est aujourd'hui spécialisée… (= Alors qu'elle vivait de traductions au début, aujourd'hui elle est spécialisée…)*

 Attention aux exceptions : *Ayant, étant, sachant.*

3 Remplacez les éléments soulignés par une construction avec un participe présent.
Je cherche un étudiant qui veut partager mon appartement. J'ai un loyer de 610 €.
➜ *Je cherche un étudiant voulant partager mon appartement, le loyer étant de 610 €.*

1. Je possède un ordinateur mais je ne sais pas m'en servir et j'aimerais trouver une personne compétente qui accepte de m'apprendre les bases.
2. Je n'ai pas de travail en ce moment et je me propose d'accompagner une personne âgée qui n'ose pas faire un voyage seule.
3. Je m'intéresse beaucoup au bridge. Je cherche un partenaire qui sait bien jouer mais qui ne craint pas de perdre.

4 Rédigez une petite annonce dans laquelle vous utiliserez deux ou trois participes présents.

LE PARTICIPE PASSÉ

• Le participe passé peut être employé comme un adjectif. Cette construction est utilisée pour :
– réduire une phrase ;
Très tôt ***attirée*** *par le désert, elle a eu la chance d'y accompagner un groupe. (= Elle a été très tôt attirée par le désert et elle a eu la chance d'y accompagner un groupe).*
– exprimer la cause ;
Femme ***engagée****, elle a créé un petit cercle d'amis… (= Parce qu'elle était une femme engagée, elle…)*
– remplacer une proposition relative avec **qui** ;
Elle présente ses œuvres ***inspirées*** *de récents voyages… (= Elle présente ses œuvres qui ont été inspirées par de récents voyages…)*

 Le participe passé employé comme adjectif s'accorde avec le nom auquel il se rapporte.

5 Transformez ces débuts de lettres selon le modèle. Faites une seule phrase.
Je suis déçue par votre article sur la jeunesse. Je me permets de vous écrire les réflexions suivantes.
➜ *Déçue par votre article, je me permets de…*

1. J'ai été blessé à la main dans un accident. Je vous prie d'excuser mon écriture.
2. Parce que je suis persuadé que vous pouvez m'aider, je vous écris ces quelques mots.

L'EXPRESSION DE LA CAUSE (2)

Pour exprimer la relation de cause entre des événements, on peut employer :
– **parce que/puisque** + verbe ;
– **à cause de** + nom ;
– le gérondif : **en** + participe présent ;
– un participe présent ;
– un participe passé.

6 Trouvez la cause de ces événements et exprimez-la de deux manières différentes. Faites une seule phrase.
Élisabeth Sauer est assez connue. Elle a eu beaucoup de succès avec ses livres.
➜ *Ayant eu beaucoup de succès avec ses livres, Élisabeth Sauer est assez connue.*
➜ *Parce qu'elle a eu beaucoup de succès avec ses livres, Élisabeth Sauer est assez connue.*

1. Ils ne sont pas très chers. Ils se vendront bien.
2. Elle veut aider les femmes du Sahara. Elle crée une association.
3. Elle est très occupée. Elle ne peut pas répondre à toutes les interviews.
4. Elle a refusé de traduire un livre. Le thème ne lui convenait pas.

EXPRESSION

◆ÉCRIT◆

Chers Estelle et Bertrand

Un collègue et ami quitte notre bureau de Barcelone au mois de mai pour s'installer dans votre ville. Luis Rovira est un homme charmant, très réservé, qui s'intéresse beaucoup à la musique. Il ne connaît pratiquement personne dans la région lyonnaise. Peut-être pourriez-vous lui dire où on peut écouter de la bonne musique à Lyon ? Je lui ai donné votre numéro de téléphone. Je pense qu'il vous appellera.

Luis a 45 ans, il est ingénieur spécialisé dans la construction de ponts pour la circulation automobile. On vient de lui proposer la direction d'une équipe d'ingénieurs pour un projet européen. Il n'a pas hésité un instant. Il a toujours eu envie de faire quelque chose en France. De plus, il parle parfaitement le français.

C'est un homme qui a beaucoup voyagé : il a travaillé en Amérique du Sud et il a passé un an et demi en Australie au milieu des années 90. Il n'a plus de famille en Espagne. Sa femme est morte il y a trois ans et ses deux frères travaillent à l'étranger. Très actif, il s'intéresse à tout. Après le lycée, il avait commencé des études d'architecture, mais sa passion pour les problèmes techniques l'a fait changer d'orientation, et il est devenu ingénieur. C'est aussi un grand sportif, et nous avons beaucoup joué au tennis et fait de la randonnée ensemble. Mais attention, si vous l'invitez, il est très fort et absolument « increvable » ! Et il est trop modeste pour le dire.

Je vous remercie de lui faciliter ses débuts à Lyon. Je suis sûr que vous le trouverez sympathique.

Je vous embrasse,

Richard

❶ Qui a écrit ce texte ? À qui s'adresse-t-il ? De quel type de texte s'agit-il ? Quel est le but de celui qui écrit ?

❷ Mettez en ordre chronologique les étapes de la formation et de la carrière de Luis Rovira.

❸ Relevez dans le texte les phrases qui décrivent :

1. les qualités humaines de Luis Rovira ;
2. ses qualités professionnelles ;
3. sa situation familiale.

❹ Complétez le plan ci-dessous.

Reportez-vous aux éléments soulignés dans le texte.

1. Première partie : annonce du but du texte.
   …
2. Deuxième partie : informations sur les compétences professionnelles de Luis Rovira.
   …
3. Troisième partie : éléments de biographie.
   …
4. Quatrième partie : conclusion et salutations.
   …

❺ Un de vos collègues doit séjourner pendant un mois dans une ville où vous avez de très bons amis. Vous leur écrivez une lettre pour leur donner des informations sur votre collègue, sa formation, sa carrière, ses qualités humaines et professionnelles. Vous demandez à vos amis de renseigner votre collègue sur les possibilités qu'offre leur ville.

Suivez le plan du texte ci-dessus.

◆ORAL◆

❻ 1. Vous avez organisé pour vos collègues une conférence (un spectacle, un débat, etc.). Vous présentez au public la personne qui vient donner la conférence.

Un grand voyageur, un artiste…. Racontez la vie professionnelle de cette personne. Mettez en relief ses qualités humaines.

2. Vous avez assisté à la conférence. La personne invitée a eu une vie passionnante. Parlez de cette personne à un(e) ami(e). Donnez des appréciations. Répondez aux questions de votre ami(e).

Maigret (2)

DEUX NOUVEAUX SUSPECTS

PARTIE A

- **CONSÉQUENCE DE L'ÉVASION D'HEURTIN**
Une lettre anonyme est publiée dans le journal *Le Sifflet.* Elle dénonce à la presse la fausse évasion. Qui a bien pu l'écrire ?
Un indice va guider Maigret : le papier à lettre provient du café La Coupole et, au bas de la lettre, il y a une tache de café crème. Maigret part enquêter à La Coupole.

- **LES SUSPECTS DE LA COUPOLE**
– William Crosby, le neveu et héritier de la riche victime américaine, client régulier de La Coupole.
– Radek, un homme de trente ans environ, client quotidien de La Coupole qui ne boit que des cafés crème car il n'a jamais beaucoup d'argent.

Un matin, à La Coupole, Maigret assiste à une scène inhabituelle. Radek, « l'homme au café crème » a, ce jour-là, commandé des produits de luxe.

LE SERVEUR : *(Il s'adresse à un agent de police.)* Ce monsieur a commandé du caviar, de la vodka, des cigarettes de luxe, et il refuse de payer !

L'HOMME AU CAFÉ CRÈME : Demain je pourrai !... Pas aujourd'hui !...

L'AGENT : Bien ! Vous vous expliquerez au commissariat ! Allez, levez-vous ! Et pas de scandale !

L'HOMME AU CAFÉ CRÈME : *(Avec un ton provocateur.)* À demain ! [...]

MAIGRET : Qui est-ce ?

LE SERVEUR : Il s'appelle Radek, ou Radèche... C'est un Tchèque ! Ici, on l'a surnommé l'oursin[1] ! Il est collé à sa chaise du soir au matin !... D'habitude, il ne boit que des cafés crème...

[1] Un oursin : animal marin couvert d'aiguilles pointues, souvent collé aux rochers et que les gens ont peur d'approcher.

Écoutez

1 Partie A. Choisissez la bonne réponse.

1. Une lettre anonyme conduit Maigret :
   a. au journal *Le Sifflet* ;
   b. à La Coupole ;
   c. chez William Crosby.
2. À La Coupole, Maigret :
   a. ne rencontre personne d'intéressant pour son enquête ;
   b. arrête lui-même Radek ;
   c. découvre deux nouveaux suspects.
3. Radek est arrêté parce que :
   a. il ne paie pas ses consommations ;
   b. il est coupable du meurtre ;
   c. il a écrit la lettre anonyme dans *Le Sifflet*.

2 Partie B. Maigret veut trouver s'il existe un lien entre Heurtin, Crosby et Radek. Il interroge Radek puis Crosby.

1. Relevez, dans chaque interrogatoire, la question qu'il pose.
2. Comment réagissent les deux suspects ?
3. Quels sont les deux choses que Maigret remarque chez Crosby ?

3 Qui pense cela : Maigret, Radek ou Crosby ?

1. Je ne vais pas te dire comment je vis.
2. C'est certainement lui l'auteur de la lettre anonyme.
3. Heurtin, je le connais, mais il ne doit pas le savoir.
4. Il faut absolument que je le fasse surveiller.
5. Mais qu'est-ce qu'il fait avec tout cet argent ?
6. Il a découvert quelque chose, je ne dois pas me montrer nerveux.

PARTIE B

Plus tard, le même jour, au commissariat.
Maigret se demande si ce n'est pas Radek qui a écrit la lettre anonyme et s'il n'est pas impliqué dans le meurtre. Il essaie de le faire parler.

MAIGRET : Comment vivez-vous ?

RADEK : *(Avec une certaine ironie.)* Il m'arrive d'effectuer des travaux de traduction...

MAIGRET : Et de collaborer au *Sifflet* ?

RADEK : Je ne comprends pas !...

MAIGRET : Vraiment ? ! Tu ne comprends pas ? Heurtin, ça vous dit quelque chose ?

RADEK : *(Avec un sourire insolent.)* Dois-je vous tutoyer aussi ?

MAIGRET : *(Exaspéré.)* Répondez !

RADEK : Heurtin... Heurtin... c'est bien le condamné à mort qui s'est évadé, n'est-ce pas ?

L'interrogatoire finit sans résultat et Radek passe la nuit en prison.

MAIGRET : *(À son assistant, Janvier.)* Demain, à sa sortie, je veux que tu me le files[2] !

Plus tard, ce même jour, chez William Crosby.
Maigret va chez Crosby pour l'interroger.
Il le découvre avec une grosse somme d'argent dans les mains. Maigret remarque que les billets sont neufs et attachés par une épingle. Crosby se justifie. Il dit qu'il veut acheter une voiture. Mais Maigret pense :
« Et si cet argent était pour Radek ? »
Les deux hommes se connaissent-ils ?

MAIGRET : *(À Crosby.)* Connaissez-vous un Tchèque du nom de Radek ?

CROSBY : Radek ?... Non... Je ne vois pas !... Qui est-ce ?

Maigret remarque que Crosby est devenu tout à coup très nerveux...

---

[2] Filer quelqu'un : surveiller tous ses mouvements.

Observez et répétez

▶ **Répondre en demandant confirmation**

4 **Écoutez et repérez la demande de confirmation. Répétez avec la bonne intonation.**

1. – Heurtin, ça vous dit quelque chose ?
– Heurtin... Heurtin... c'est bien le condamné à mort qui s'est évadé, n'est-ce pas ?

2. – 1789, ça vous dit quelque chose ?
– 1789... c'est l'année de la Révolution française, n'est-ce pas ?

3. – La station Bir Hakeim, ça te dit quelque chose ?
– Bir Hakeim..., c'est bien la station de métro près de la tour Eiffel, non ?

5 **Répondez aux questions. Demandez confirmation.**

1. *Maigret*, ça te dit quelque chose ?
2. 1492, ça te dit quelque chose ?
3. Alain Delon, ça te dit quelque chose ?
4. Le Louvre, ça te dit quelque chose ?

6 **Sur le même modèle, préparez un petit dialogue et jouez-le.**

1. Vous parlez à votre ami(e) du jour de votre première rencontre.
2. Vous parlez à un collègue de votre nouveau directeur.

Exprimez-vous

À VOUS ! **7** **Maigret demande à un client de La Coupole de lui faire un portrait de Radek.**

1. Relevez dans le texte toutes les informations sur le Tchèque : son caractère, ses réactions, ce qu'il fait...
2. Préparez le dialogue et jouez-le à deux.
– Radek, ça vous dit quelque chose ?...

À VOUS ! **8** **Maigret a interrogé Radek. Un policier doit rédiger un compte rendu de l'interrogatoire. Écrivez-le à sa place.**

Le commissaire Maigret a demandé à Radek comment il vivait. Il a répondu...

Cultures

1 Le bien-être

Malgré des problèmes sociaux (chômage, inégalités, exclusion…), la plupart des Français se disent « heureux » de vivre dans leur pays. Dans quelle proportion et pourquoi ?

Un récent sondage sur le thème du bonheur a mis en lumière un certain nombre de ces raisons. Voici une partie du questionnaire d'enquête.

	Oui	Non	Ne sait pas
Diriez-vous que vous êtes heureux d'être français ?	95 %	5 %	
Pensez-vous que la majorité des Français l'est également ?	82 %	14 %	4 %

Dites si chacune de ces raisons est importante ou pas pour vous.

	Importante	Pas importante
La beauté de la France : ses paysages, son climat, sa diversité	96 %	4 %
La culture française	94 %	6 %
L'art de vivre	88 %	12 %
La cuisine française	86 %	14 %
La littérature	85 %	15 %
Le niveau de la vie en France	84 %	16 %

Sondage Ifop et *L'Express*, 28/09/1995.

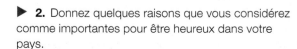

▶ **1.** Classez ces raisons dans les trois rubriques suivantes :

a. richesse géographique ;
b. culture ;
c. vie quotidienne.

▶ **2.** Donnez quelques raisons que vous considérez comme importantes pour être heureux dans votre pays.

2 L'État et la culture

L'État, les régions, les communes, veillent au fonctionnement de la vie culturelle locale : bibliothèques, écoles de musique, musées, centres culturels et associatifs, entretien des monuments... Les médiathèques (version moderne des bibliothèques, proposant aussi disques, cassettes-audio, cassettes-vidéo, etc.) connaissent un net succès : le nombre d'abonnés atteint six millions.

La politique culturelle de l'État a été structurée par André Malraux, premier responsable et créateur, en 1959, d'un ministère de l'Action culturelle.
Voici comment Malraux lui-même définissait la culture :

« [Or], la seule force qui permette à l'homme d'être aussi puissant que les puissances de la nuit, c'est un ensemble d'œuvres qui ont en commun un caractère à la fois stupéfiant et simple, d'être des œuvres qui ont échappé à la mort.
Lorsque nous parlons de culture, nous parlons très simplement de tout ce qui, sur terre, a appartenu à tout ce qui n'est plus, mais qui a survécu. »

Extrait du discours d'inauguration
de la Maison de la culture de Bourges, avril 1964.

Malraux a laissé une forte empreinte dans le domaine de la culture. On lui doit la création des Maisons de la culture que l'on trouve dans presque toutes les villes de France. Ce sont des lieux de création pour les artistes et de rencontre entre l'art (théâtre, littérature, peinture...) et un public populaire. Malraux commença l'inventaire des monuments nationaux et la restauration de ceux qui avaient été abîmés par le temps et la pollution. Il fit changer Paris de couleur en imposant le ravalement des façades des immeubles et des monuments. Il fut aussi l'admirateur et le défenseur d'artistes contemporains, comme Miró et Giacometti.

La fondation Maeght
C'est un des centres culturels les plus prestigieux consacré à la peinture et à la sculpture contemporaines. Malraux contribua à le créer en rendant ainsi hommage à Miró, Chagall, Braque, Giacometti.

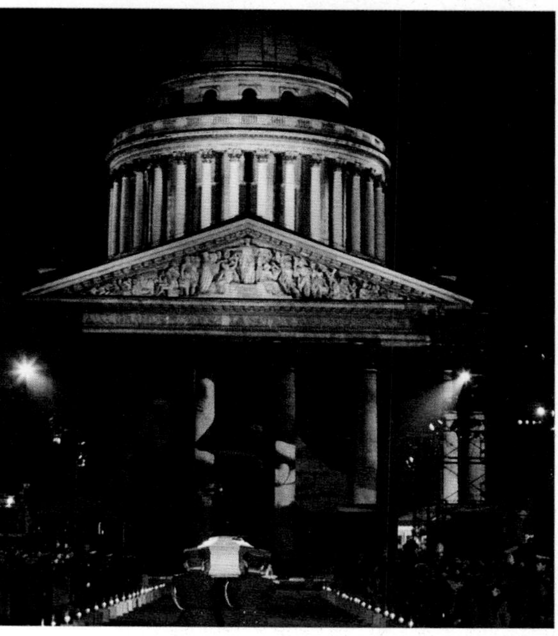

Le 23 novembre 1996, transfert des cendres d'A. Malraux au Panthéon.

André Malraux (1901-1976), écrivain, combattant de la guerre d'Espagne et de la Résistance, homme politique et ministre de De Gaulle (de 1959 à 1969), grand amateur d'art. Parmi ses romans, toujours liés à des événements historiques, dont il fut témoin et parfois acteur : *La Condition humaine*, *L'Espoir*, *Les Noyers d'Altenburg*. Parmi les œuvres qu'il consacra à l'art : *Les Voix du silence*, *la Métamorphose des dieux*. Les cendres de Malraux reposent au Panthéon, parmi les grands hommes de la Patrie, depuis 1996.

▶ **1.** Qui prend en charge le fonctionnement des activités culturelles, en France ?

▶ **2.** Selon Malraux, pourquoi une œuvre devient-elle une partie de la culture ? À quoi échappe-t-elle ?

▶ **3.** Qu'a fait Malraux pour la culture ?

▶ **4.** Est-ce qu'il existe dans votre pays un ministère de la Culture ?

▶ **5.** Par quels moyens favorise-t-on la création artistique dans votre pays ? Est-ce l'État qui intervient (ou les régions, les communes, les associations, des particuliers) ?

UNITÉ 15

Thème
- l'enquête policière

Savoir-faire
- s'initier à la lecture d'un texte long
- raconter une intrigue en utilisant les temps du passé : passé composé, imparfait, plus-que-parfait
- comprendre un récit écrit au passé simple

Vocabulaire
- des mots pour raconter une intrigue
- des mots pour se situer dans le temps

Grammaire
- le passé simple
- *tellement... que*
- l'emploi des temps du récit

Intrigues

1 *Une disparition mystérieuse*

Debout devant la fenêtre sale de son bureau, Albert Billot regardait la pluie tomber sur le square. Foutu mois de septembre, pensa-t-il, et pas la plus petite affaire. Lorsque le téléphone sonna, il sauta sur l'appareil en se disant que même une catastrophe serait préférable à l'ennui.

« C'est l'agence Mergitur ? demanda une voix féminine.
– Oui, madame.
– Monsieur Albert Billot ? continua la voix.
– Lui-même.
– Bonjour, monsieur Billot. Je suis la secrétaire de monsieur Du Murier, le directeur de la société Fernault. Monsieur Du Murier voudrait vous parler. Il s'agit d'une affaire très délicate. Pourriez-vous passer à nos bureaux de la rue de Rivoli cet après-midi ?
– Aujourd'hui ! Un instant. J'ai un emploi du temps très chargé.
Il laissa passer le temps nécessaire pour consulter son agenda... qu'il savait vide.
– Ça devrait aller, entre deux rendez-vous.
– Bien. Est-ce que 15 heures vous conviendrait ?
– Parfaitement. »

Il raccrocha. Il ne savait pas quoi penser de ce rendez-vous. Il se rappela que c'était une Fernault qui avait gagné le dernier Grand Prix de Monaco, mais, pour rien au monde, il n'aurait échangé sa vieille caisse contre une Fernault. On ne se refait pas.

À 15 heures précises, la secrétaire le fit entrer dans le bureau de Paul Du Murier. Ce dernier était inquiet pour son ingénieur en chef, Bertrand Hartman. On ne l'avait pas vu depuis quatre jours et personne ne savait où il était. Albert Billot demanda si Hartman avait de la famille.

« Il a encore sa mère, répondit Du Murier. Je lui ai téléphoné, mais pour elle, son fils est à Paris, à son travail, comme d'habitude. C'est une vieille dame, et je n'ai pas insisté pour ne pas l'inquiéter. »

Ses collègues n'avaient rien remarqué de particulier, à part une certaine lassitude, peut-être. Ces derniers temps, Bertrand se plaignait souvent d'avoir trop de travail et trop de responsabilités, mais rien de bien grave.

– Il n'est pas marié ? voulut savoir Albert Billot.

– Non.

– On lui connaît une liaison ?

– Personne ne sait rien de sa vie privée. Bertrand est très réservé. Mme Leterrier, avec qui il travaille depuis très longtemps, pense qu'il y a une femme dans sa vie, du moins c'est ce que lui dit son intuition féminine. Bertrand ne lui en a jamais parlé. Voilà, je crois que je vous ai tout dit. »

❶ Lisez le texte et répondez aux questions.

1. À quelle période de l'année se passe l'histoire ?
2. Qui téléphone à Billot ?
3. Avec qui Billot a-t-il rendez-vous ?
4. Qui est monsieur Du Murier ?
5. Pourquoi est-ce que monsieur Du Murier a fait appeler Albert Billot ?

❷ Mettez ces événements dans l'ordre.

1. Billot raccrocha intrigué.
2. Du Murier reçut Billot sans le faire attendre.
3. Billot répondit au téléphone.
4. Billot consulta son agenda.
5. Billot demanda des renseignements sur Hartman.

❸ Relisez la partie du texte qui raconte l'entretien entre Albert Billot et Paul Du Murier. À votre tour, racontez l'entretien en utilisant le discours rapporté indirect. Employez le passé composé, l'imparfait et le plus-que-parfait.

A. Billot a demandé si Hartman avait de la famille. P. Du Murier a répondu qu'il avait…

❹ Le premier paragraphe vous présente un temps inconnu : le passé simple. Réécrivez ce paragraphe en utilisant le passé composé et l'imparfait.

À VOUS ! **❺ M. Du Murier demande à sa secrétaire d'écrire une note à l'intention de Billot a décrivant Bertrand Hartman. À deux, écrivez cette note.**

Connaissez-vous Bertrand Hartman ?

Albert Billot décida de faire le tour des trois ou quatre bistrots voisins de l'immeuble Fernault. Qui sait, on pourrait peut-être lui donner des informations sur Hartman. On le connaissait bien à La Table Ronde. Il y prenait son petit déjeuner tous les matins. La serveuse l'aimait bien : un homme discret, charmant, 35, 40 ans, pas mal du tout, précisa-t-elle. La fleuriste du Bouton d'or, le magasin d'à côté, qui était en train de prendre un petit noir au comptoir, le connaissait aussi. C'était un de ses clients, depuis quelques mois. Intéressé, Billot s'assit à côté d'elle. La fleuriste était enchantée de répondre à ses questions. Elle dit que Hartman achetait souvent des fleurs, toujours les mêmes, des roses jaunes, et que, deux ou trois fois, il lui avait demandé de livrer un bouquet rue Saint-Paul, dans le Marais. Billot lui demanda si elle pourrait retrouver l'adresse. Elle voulait bien essayer, mais il fallait qu'il la suive dans le magasin et qu'il lui laisse le temps de chercher dans ses papiers. Pendant qu'elle cherchait, elle lui fit part de ses impressions. Elle était sûre que Hartman envoyait des fleurs à une femme dont il était amoureux et qui l'aimait. Elle avait donc le même sentiment que la collègue de Bertrand Hartman. Décidément, il faut faire confiance à l'intuition féminine, se dit Billot, et il décida d'aller jeter un coup d'œil rue Saint-Paul, au domicile de cette Barbara Auteuil, qui aimait les roses jaunes.

Billot sonna chez la concierge. Elle avait l'air de bien connaître Barbara Auteuil, qui habitait l'immeuble depuis trois ans. « Il faut vous dire que je ne passe pas mon temps à observer mes locataires, dit la concierge, j'ai trop à faire. » En fait, elle savait beaucoup de choses et elle avait envie de parler. Mme Auteuil recevait souvent la visite d'un homme. D'après sa description, c'était Hartman. Et ils sortaient tous les deux la main dans la main, comme des amoureux. Un couple charmant ! Il y avait presque une semaine que Barbara Auteuil était partie en vacances. Elle avait laissé une adresse où faire suivre son courrier.

Comme la concierge commençait à distribuer le courrier, Billot en profita pour lire l'adresse de Barbara dans les papiers éparpillés sur la table de la petite loge : elle était à Castelbrac, dans les Corbières.

6 Lisez le texte. Vrai ou faux ?

1. La Table Ronde est le nom d'un café.
2. La serveuse de La Table Ronde n'a jamais vu Bertrand Hartman.
3. La fleuriste connaît Bertrand depuis des années.
4. La fleuriste s'appelle Barbara Auteuil.
5. Barbara est chez elle.

À VOUS ! 7 Billot a rencontré plusieurs personnes : la serveuse, la fleuriste et la concierge. À deux, récrivez les dialogues à l'aide du discours rapporté direct.

BILLOT : Bonjour madame. Billot, détective privé. Je cherche Bertrand Hartman. Vous le connaissez ?
LA SERVEUSE : Bertrand Hartman... oui, c'est un homme...

3 *Une nouvelle vie*

Billot n'était pas mécontent de faire un petit voyage à Castelbrac, aux frais de Fernault. Il faisait un beau soleil de septembre quand il arriva au Cadeyer, la propriété des Auteuil. Au village, il avait appris que César Auteuil était décédé six mois auparavant et que, cette année, c'était sa nièce, Barbara, qui dirigeait les vendanges.

Il était presque midi et les vendangeurs étaient en train de manger au soleil, devant la maison. Il y avait tellement de monde que personne ne faisait attention à Billot. Les vendangeurs s'adressaient amicalement à une jeune femme, en l'appelant patronne. Un homme plus âgé que les autres invita les jeunes à faire attention à ce qu'ils disaient car « l'homme de la patronne » était là. Tout le monde rit. Billot reconnut alors Bertrand Hartman, assis à côté de la « patronne », qui mangeait avec appétit.

L'entretien avec Barbara et Bertrand fut très sympathique. Bertrand, un peu mal à l'aise quand Billot se présenta, avoua qu'il était parti sans rien dire parce qu'on aurait essayé de le retenir et qu'il ne savait pas s'il aurait pu résister. Du Murier voulait le garder auprès de lui à cause d'un prototype de formule 1. Et puis Fernault, c'était un peu sa famille, il y travaillait depuis 15 ans. Mais maintenant, il était plus sûr de lui. Barbara et lui avaient décidé de se marier, de s'installer dans la propriété et d'exploiter le vignoble...
Hartman téléphona lui-même à Du Murier pour lui expliquer sa décision. Le patron de Fernault demanda à parler à Billot qu'il remercia pour son efficacité. Du Murier était déçu, mais il aimait trop Hartman pour lui en vouloir.
Sur l'autoroute en direction de Paris, Billot pensait que, lui aussi, il aurait bien aimé s'installer dans une propriété des Corbières, mais qu'aucune femme ne le lui avait encore proposé.

Il y avait tellement de monde que personne ne faisait attention à Billot.

8 Lisez le texte et répondez aux questions.

1. Où est-ce que Billot est allé ?
2. Qui est avec Barbara ?
3. Pourquoi est-ce que Bertrand a quitté son travail ?
4. Pourquoi est-ce qu'il n'a rien dit quand il est parti ?

9 Inventez la deuxième partie de ces phrases en commençant par *que* ou *qu'*.

1. Bertrand Hartman avait tellement de travail...
2. Albert Billot s'ennuyait tellement...
3. La concierge avait tellement envie de parler...
4. Bertrand était tellement amoureux de Barbara...
5. Bertrand et Barbara étaient tellement heureux ensemble...

10 Repérez dans le texte les phrases qui donnent les raisons du départ de Bertrand.
Imaginez sa réponse à la question de Billot :
Mais pourquoi êtes-vous parti sans rien dire ?

11 Récrivez le deuxième paragraphe du texte au passé composé et à l'imparfait.
Attention : le conditionnel et le plus-que-parfait ne changent pas !

À VOUS ! 12 Vous connaissez une histoire qui pourrait intéresser les autres étudiants. À deux, écrivez cette histoire. Racontez les événements et décrivez les lieux et les personnages. Lisez votre histoire au groupe.

VOCABULAIRE

❶ Chassez l'intrus.

1. cambrioleur – voleur – délinquant – employé
2. s'écrouler – poursuivre – blesser – tuer
3. méchante – ravissante – gentille – attentionné
4. crime – assassinat – agence – vol – meurtre
5. affolement – panique – frayeur – calme

❷ Racontez un événement passé. Commencez par une date. Utilisez ensuite les expressions de temps de la colonne de droite du tableau.

La secrétaire de monsieur Du Murier a téléphoné à Albert Billot le 15 septembre. Le lendemain, Billot s'est mis au travail. Une semaine après…

Des mots pour se situer dans le temps

point de repère : maintenant		point de repère : un moment dans le passé	
aujourd'hui	la semaine prochaine	un jour	deux jours après
hier	il y deux jours	ce jour-là	la semaine suivante
avant-hier	la semaine dernière	le 14 mars	deux jours avant
demain	(passée)	en 1946	la semaine précédente
après-demain	avant	la veille	avant, après
dans une semaine	après	le lendemain	

GRAMMAIRE

CONJUGAISON : LE PASSÉ SIMPLE

verbes en -er	**autres verbes**	
penser	**mettre**	**pouvoir**
je pens**ai**	je m**is**	je p**us**
tu pens**as**	tu m**is**	tu p**us**
il/elle pens**a**	il/elle m**it**	il/elle p**ut**
nous pens**âmes**	nous m**îmes**	nous p**ûmes**
vous pens**âtes**	vous m**îtes**	vous p**ûtes**
ils/elles pens**èrent**	ils/elles m**irent**	ils/elles p**urent**

- Tous les verbes en -er se conjuguent comme **penser**.
- En règle générale, les verbes en **-ir, -ire, -dre** et **-tre** se conjuguent avec la voyelle **i**, les verbes en **-oir, -oire** et **-aître** se conjuguent avec la voyelle **u**.

Attention aux verbes irréguliers : **naître** (je naquis), **mourir** (je mourus), **courir** (je courus), **faire** (je fis), **voir** (je vis), **s'asseoir** (je m'assis).

être	**avoir**	**venir** (et **tenir**)
je fus	j'eus [y]	je vins
tu fus	tu eus	tu vins
il/elle fut	il/elle eut	il/elle vint
nous fûmes	nous eûmes	nous vînmes
vous fûtes	vous eûtes	vous vîntes
ils/elles furent	ils/elles eurent	ils/elles vinrent

Debout devant la fenêtre sale de son bureau, Albert Billot regardait la pluie tomber sur le square. Foutu mois de septembre, ***pensa****-t-il, et pas la plus petite affaire. Lorsque le téléphone* ***sonna****, il* ***sauta*** *sur l'appareil en se disant que même une catastrophe serait préférable à l'ennui.*

– C'est l'agence Mergitur ? ***demanda*** *une voix féminine.*

- Le passé simple exprime un fait qui est complètement achevé à un moment donné du passé et qui n'est plus en rapport avec le présent. Combiné avec l'imparfait et le plus-que-parfait, c'est le temps du récit écrit (romans, contes, récits historiques, faits divers). On peut toujours le remplacer par le passé composé.
- On le trouve surtout à la troisième personne du singulier (**il**, **elle**, **on**) et du pluriel (**ils**, **elles**).

Aujourd'hui, on n'emploie plus le passé simple dans la langue parlée.

1 Repérez les verbes au passé simple et trouvez leur infinitif.

1. Napoléon Ier naquît en Corse, en 1769.
2. Mes parents nous racontèrent leur enfance avec joie.
3. Un jour, elle décida de traverser la forêt pour rendre visite à sa grand-mère…
4. Le jour même de son élection, le président descendit dans la rue et annonça à la foule ses propositions. Ses paroles furent accueillies avec des cris de joie.
5. Le 20 avril dernier, le président de la République réunit ses ministres en conseil exceptionnel.

L'EMPLOI DES TEMPS DU RÉCIT

• Dans un récit, les actions sont situées dans le temps. On distingue les verbes de l'arrière-plan (qui décrivent la situation) des verbes du premier plan (qui expriment des actions importantes).

Debout, devant la fenêtre sale de son bureau, Albert Billot ***regardait*** *la pluie tomber.*
• On emploie l'imparfait pour donner des informations sur le cadre, l'atmosphère, la situation en cours, la description physique ou l'état d'esprit des personnages.

Lorsque le téléphone ***sonna****, il* ***sauta*** *sur l'appareil.*
• On emploie le passé composé ou le passé simple pour raconter les événements ponctuels qui se déroulent à l'intérieur du cadre général ; ce sont eux qui font avancer l'histoire qu'on raconte.

Il se rappela que c'était une Fernault qui ***avait gagné*** *le Grand Prix de Monaco.*
• On emploie le plus-que-parfait pour évoquer un événement qui s'est passé avant un autre événement au passé simple, au passé composé ou à l'imparfait.

2 Mettez les verbes de cet article aux temps corrects (passé composé, imparfait, plus-que-parfait) et justifiez vos choix.

Un café « comme chez soi ».

Il était une fois une comédienne, un écrivain et un décorateur. Ces trois copains (décider) soudain, pendant un week-end, de créer un petit lieu pour se rencontrer. Ils (visiter) un endroit qui leur (ressembler) et qu'ils (pouvoir) transformer facilement et tout (être décidé) en trois semaines. Ils (s'installer) dans une ancienne boutique qu'ils (aménager) en café. Ils (penser) tout d'abord le nommer « l'appartement » parce quand ils le (trouver), il (être divisé) en plusieurs parties ; il (comporter) trois pièces. Finalement ils le (appeler) « Comme chez soi ».

3 Racontez une aventure ou une histoire qui vous a marqué(e). Faites bien attention aux temps du passé que vous employez.

LA CONSÉQUENCE : TELLEMENT… QUE

Il y avait ***tellement*** *de monde* ***que*** *personne ne faisait attention à Billot.*
• **Tellement… que** exprime la relation de conséquence.

• On distingue plusieurs cas :
– **tellement de** + nom + **que** ;
Nous avions ***tellement*** *d'argent* ***que*** *nous sommes restés deux semaines de plus à l'hôtel.*
– verbe conjugué + **tellement** + **que** ;
Il ***a tellement*** *travaillé* ***qu'****il est tombé malade.*
– **tellement** + adjectif/adverbe + **que**.
Il conduit ***tellement*** *vite* ***qu'****il a souvent des amendes.*

4 Exprimez la conséquence.

Le café était plein. Nous n'avons pas pu entrer.
➜ *Le café était tellement plein que nous n'avons pas pu entrer.*

1. On a dit beaucoup de bien de lui. Il a un succès énorme.
2. Les patrons ont un travail fou. Il vaut mieux ne pas les déranger.
3. Ce café est agréable. On ne peut plus le quitter.
4. J'aime beaucoup ce café. Je n'ai pas résisté.
5. Il faisait froid et je suis entré dans le premier bar.
6. Il y avait du bruit et je suis parti tout de suite après avoir bu mon café.

5 Transformez les phrases comme dans l'exemple.

La voiture est arrivée très vite. On n'a rien pu faire.
➜ *La voiture est arrivée tellement vite qu'on n'a rien pu faire.*

1. Patrick s'entraine souvent. Il a fini par gagner.
2. J'ai beaucoup écrit hier. J'ai mal au poignet.
3. Il a fait beaucoup de voyages. Il n'arrive pas à rester plus de deux ans à la même place.
4. On pense que mon frère est ténor professionnel parce qu'il chante très bien.
5. Il y avait beaucoup de candidats au concours. Ils ont dû changer de salle.
6. Je mangerais un poulet entier parce que j'ai très faim.

EXPRESSION

◆ÉCRIT◆

Rapport d'un témoin en réponse à un appel lancé par la police

Je soussigné, LERICHE Patrick, né le 22 mars 1964 à Conflans (Yvelines), demeurant 14 rue Racine, Montrouge (Hauts-de-Seine), atteste sur l'honneur avoir été témoin de l'attaque de la Banque BPL, avenue de l'Opéra, le vendredi 27 juin à 14 heures 40.

Voici les faits : je sortais de la librairie anglaise « Bentrano » et je suis entré dans la BPL pour demander le dernier cours du dollar. Au moment où je remerciais l'employé du guichet, un homme d'environ 1,75 m-1,80 m, aux larges épaules, habillé en noir, le visage caché par un masque de carnaval représentant un cochon, a sorti une arme et a ordonné aux personnes présentes de lever les mains en l'air et de ne pas bouger. Ces personnes étaient l'employé du guichet qui m'avait renseigné, un autre employé qui se tenait à la caisse, un couple d'étrangers de type asiatique et moi-même. En regardant ce masque de sympathique petit cochon rose, j'ai d'abord pensé qu'il s'agissait d'une plaisanterie. Cependant, j'ai vite compris que l'homme en noir était très sérieux quand il m'a demandé de m'asseoir par terre et de mettre les mains sur la tête. Ensuite, il a aussi fait asseoir les deux étrangers et il a demandé au caissier de mettre tout l'argent liquide de la caisse dans un sac de voyage comme en ont les touristes. Quand son sac de voyage a été rempli de billets, il est ressorti par la porte, sans se presser, et il s'est perdu dans la foule, au milieu des touristes.

Je ne peux pratiquement rien dire sur la personne : son masque déformait sa voix, on ne voyait rien de son visage ou de ses cheveux, des gants cachaient ses mains. Je ne me souviens que d'une seule chose : il portait de très belles chaussures noires italiennes, certainement très chères, ce qui m'a surpris parce que son pantalon et sa veste n'étaient pas de bonne qualité.

Fait à Paris, le 28 juin.

Patrick Leriche

POUR VOUS AIDER À ÉCRIRE...
Quand vous écrivez un récit, pour choisir le temps à employer, pensez au tournage d'un film.
– Gros plan sur ce qui se passe, sur ce qu'une personne ressent : utilisez le **passé composé**.
L'homme a sorti une arme.
– Plan général sur le décor ou sur les gens : utilisez l'**imparfait**.
On ne voyait rien de son visage.

❶ Qui a fait cette déclaration et pour qui ?

❷ Repérez comment :

1. le témoin se présente ;
2. le témoin décrit le voleur ;
3. le témoin raconte les événements auxquels il a assisté.

❸ Complétez le plan ci-dessous.
Reportez-vous aux éléments soulignés dans le texte.

1. Identification du déclarant.
...
2. Objet de la déclaration.
...
3. Compte rendu des faits.
...
4. Description du voleur.
...
5. Date et signature.
...

❹ Vous avez été témoin d'un vol ou d'un accident de la circulation. La police vous demande de faire le compte rendu de ce que vous avez vu.
Suivez le plan ci-dessus.

◆ORAL◆

❺ Vous venez de vivre un événement extraordinaire (ou de le lire dans les journaux, ou de le voir à la télé). Faites-en le compte rendu à un ami. Il est très intéressé et vous demande des précisions. Vous répondez à ses questions. Vous faites des commentaires.

Maigret (3)

LES PIÈGES DE MAIGRET

À ce moment-là, Crosby arrive dans la salle de La Coupole. L'Américain aperçoit Maigret et s'approche l'air inquiet.

CROSBY : Commissaire, vous avez du nouveau ? *(Il fait allusion à l'évasion de Heurtin, le « meurtrier » de sa tante.)*

MAIGRET : Et vous ?

CROSBY : Pardon ?

MAIGRET : Cette nouvelle voiture ?...

CROSBY : Finalement, j'ai renoncé ! Je vais devoir, hélas, écourter mon séjour en France. [...]

MAIGRET : Je vous offre quelque chose ?

• UN PIÈGE POUR CROSBY

Maigret dépose sur le comptoir le billet tout neuf, percé de deux trous d'épingle, que le serveur lui a donné. Crosby, troublé, trouve un prétexte et s'en va.

PARTIE A 

Le jour suivant, Maigret poursuit son enquête à La Coupole. Il demande des nouvelles de Radek au serveur.

MAIGRET : Où est-il ?

LE SERVEUR : En bas...

MAIGRET : Vous l'avez servi ?

LE SERVEUR : Il a payé ce qu'il devait !... Il a même laissé un pourboire !...

Le serveur sort de sa poche un billet tout neuf, percé de deux trous d'épingle, et le montre au commissaire.

Écoutez

1 Partie A. Répondez aux questions.

1. Aujourd'hui, Radek a-t-il payé ses consommations de la veille ?

2. Comment était le billet qu'il a donné au serveur ?

3. Est-ce que Crosby s'est vraiment acheté une voiture avec son argent ?

4. Que pense Maigret de cet argent ?

5. Quel est le piège que Maigret tend à Crosby pour vérifier son hypothèse ?

2 Partie B. Complétez ces phrases de résumé.

1. Maigret veut savoir d'où vient ... de Radek.

2. Radek répond qu'... et dit qu'... Heurtin, Crosby, les victimes.

3. Il précise qu'il a un très bon alibi puisque, le soir du crime, il était...

4. Il conseille à Maigret de ... son enquête.

5. Le piège de Maigret est de ... à Radek que ...

PARTIE B

Quelques instants plus tard, Radek s'approche du commissaire...

MAIGRET : Comment avez-vous eu cet argent ?

RADEK : Un ami me le devait ! *(Il avale son verre de vodka.)* Dans l'affaire Heurtin, je sais que vous brûlez de m'inculper[1] ! Mais comment ? Pourquoi ? Je n'ai rien à voir avec Heurtin !... Rien à voir avec Crosby !... Rien à voir avec Mme Henderson, pas plus qu'avec sa malheureuse femme de chambre !... D'ailleurs, le soir du crime, j'étais en cellule de dégrisement[2] ! Comment rêver d'un meilleur alibi[3] ?

MAIGRET : Où voulez-vous en venir ?

RADEK : Laissez tomber, commissaire ! Vous n'y comprendrez jamais rien !... Vous avez tort de risquer votre tête sur cette affaire ! Vous aviez un coupable idéal, un vrai abruti ! Vous ne lui trouverez peut-être pas de remplaçant crédible...

[1] Inculper : considérer quelqu'un comme coupable.
[2] Une cellule de dégrisement : pièce d'une prison où l'on enferme les personnes qui ont bu trop d'alcool pour qu'elles se « dégrisent ».
[3] Un alibi : preuve que l'on était ailleurs au moment du crime.

- **UN PIÈGE POUR RADEK**

Pendant cette discussion, Maigret tend un piège à Radek : il lui fait croire que Heurtin a été retrouvé et exécuté. Radek semble soulagé et éclate de rire...

Observez et répétez

▶ Donner un conseil de façon familière

❸ Qu'est-ce qui va ensemble ?

1. Laissez tomber votre enquête, commissaire
2. Laisse tomber ce garçon, Jeanne,
3. Laissez tomber cette lettre, mademoiselle,

a. vous ne pourrez jamais l'écrire correctement !
b. vous n'y comprendrez jamais rien !
c. tu ne seras jamais heureuse avec lui !

Écoutez les phrases puis répétez-les avec la bonne intonation.

❹ Sur le modèle de l'exercice précédent, donnez des conseils à un ami qui se trouve dans les situations suivantes :

1. Il a 31 ans et il est encore à l'université.
2. Il a déjà raté son permis de conduire quatre fois.
3. Il veut aller au cinéma mais la séance vient de commencer.

Exprimez-vous

À VOUS ! **❺ Vous suivez à la télévision *Maigret et la tête d'un homme*, qui est diffusé en épisodes. Vous résumez cet épisode pour un ami qui n'a pas pu le voir. Pour vérifier sa compréhension, votre ami vous pose des questions et vous répondez.**

– Donc, tu étais resté au moment où Crosby disait qu'il ne connaissait pas Radek, n'est-ce pas ? Alors, le jour suivant, le commissaire Maigret...
– Mais comment Radek a-t-il payé ?

À VOUS ! **❻ Imaginez un autre développement de l'histoire : Maigret surprend Crosby en train de passer à Radek une grosse somme d'argent. À trois, inventez le dialogue de cette rencontre (5 répliques au moins).**

MAIGRET : Vous aviez des dettes, monsieur Crosby ?
CROSBY : Non, non, j'ai vu hier que ce jeune homme n'avait pas assez d'argent... et alors...
RADEK : ...

UNITÉ 16

Thème
- la rencontre amoureuse

Savoir-faire
- s'initier à la lecture d'un texte long
- raconter une histoire au passé
- comprendre un récit au passé simple

Vocabulaire
- des mots pour décrire une jeune femme
- une chanson

Grammaire
- Révision : le discours rapporté direct, le discours rapporté indirect

Souvenirs

1 Odile

À quinze ans, mes vacances à Étretat ne se cantonnaient plus, comme à sept ou huit ans, dans le jardin de la villa. Je sentais le besoin de rechercher les autres. Je m'essayais avec les filles. Avec Beryl, notamment, une petite Américaine à la mèche blonde sur l'œil, qui manifestait de l'intérêt à mon égard.

L'un des hauts lieux, à Étretat, c'était la pâtisserie Lecœur. Un jour que j'avais emmené Beryl manger un chou, entra une jeune fille inconnue. À sa seule apparition, la couleur du jour, la qualité de l'air parurent se transformer. Grande, élancée, cette jeune fille irradiait la santé, la vie et la joie. Elle était accompagnée de deux petits garçons qui, riant aux éclats des histoires qu'elle leur contait à mi-voix, réclamaient : « Odile, j'ai droit à deux gâteaux aujourd'hui. Odile, moi aussi j'en veux deux. Odile, je veux en rapporter un à maman. » Et Odile souriait, caressait les garçons, les embrassait, choisissait un éclair pour le plus grand, une tarte pour le plus petit, hésitait pour elle-même, riait, plaisantait, essuyait les taches de crème sur une blouse, jetait un regard gourmand sur les babas, finissait par engloutir une religieuse avec un appétit féroce. Un mélange d'exubérance et de douceur. De tendresse et de gravité. Jamais je n'avais rien vu de pareil : une fée.

Dès lors, je n'eus plus qu'une idée fixe : la revoir. Pendant plusieurs jours, je m'installai dans la pâtisserie. Je n'en bougeais plus. J'y passais mes journées à attendre. Je mangeais des gâteaux avec lenteur, avec plus de lenteur encore, à toutes petites bouchées, pour les faire durer, chacun, le plus longtemps possible. Un palmier. Un éclair. Un friand. Un autre éclair. Une tarte. Un chou. Encore un palmier. J'avais mal au cœur. Mais pour rien au monde, je n'aurais quitté la pâtisserie. Hélas ! Elle ne revint pas. Une fois, de loin, je l'aperçus dans la rue. Puis plus rien. Elle était repartie. Je ne savais ni qui elle était ni où elle vivait. Tout ce que je savais d'elle, c'était le nom : Odile.

D'après *La Statue intérieure*, de François Jacob, éd. Odile Jacob.

1 Lisez le texte et répondez aux questions.

1. Où se trouve le jeune François ?
2. Avec qui est-il ?
3. Pourquoi Odile est-elle entrée dans la pâtisserie ?
4. Pourquoi François retourne-t-il à la pâtisserie ?

2 François raconte sa première rencontre avec Odile et son désir de la revoir.

Dites :

1. ce que vous aimez dans la description d'Odile ;
2. ce que l'on sait de ses actions ;
3. ce qu'on peut deviner de son caractère ;
4. ce que fait François pour revoir Odile.

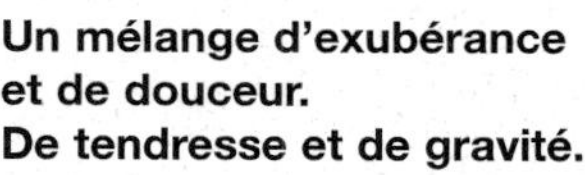
Un mélange d'exubérance
et de douceur.
De tendresse et de gravité.

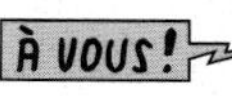
À VOUS !

3 À deux, racontez votre première rencontre avec une personne qui vous a beaucoup impressionné(e).

Dites :

– où et quand cela s'est produit ;
– comment cette personne était ;
– ce que vous avez ressenti.

François Jacob,
prix Nobel de médecine en 1965,
raconte sa vie dans un ouvrage
qui s'appelle *La Statue intérieure*.

La revue

Pendant tout l'hiver, je gardai en moi, au chaud, au secret, cette image radieuse de jeune fille. Avec l'arrivée imminente de l'été, ce n'étaient plus seulement les vacances qui approchaient. C'était surtout la perspective de bientôt revoir Odile. Sans le moindre argument, sans la moindre raison, j'avais la certitude de la retrouver. Et, en effet, à peine arrivé en vacances depuis quelques jours, j'aperçus la longue et mince silhouette que j'espérais. Plus belle encore que dans mon souvenir, plus souriante, plus lumineuse. Cette fois, je m'arrangeai pour apprendre au plus vite son nom, pour savoir quelle était sa famille, où elle habitait. J'allais rôder près de sa maison. J'attendais le passage d'Odile. Mais quand je la rencontrais, je ne savais ni que faire ni que dire. Une fois qu'elle arrivait chargée de paquets, j'offris mes services. Elle refusa tout net. Pour faire sa connaissance, pour la rencontrer selon les règles, il fallut attendre la revue.

La revue, c'était la fête de la saison. Une série de tableaux écrits et joués par des gens en vacances qui, sur des airs à la mode ou des opérettes d'Offenbach, se moquaient d'eux-mêmes avec un mélange de gentillesse et de férocité. Quinze jours avant la représentation, les répétitions commencèrent. Je n'avais jamais joué dans la revue. Mais, ayant appris la participation d'Odile, je m'inscrivis aussitôt. Comme collègues, il devenait facile de faire connaissance. Soyons juste. Mon rôle resta modeste.

Odile, au contraire, devint l'une des vedettes de cette revue. En longue robe rouge, elle chantait et dansait un duo avec un grand type brun. À la voir glisser dans les bras de ce garçon, je sentais monter en moi une furieuse jalousie. Pourtant, mon objectif était atteint. Depuis les répétitions, j'avais le droit de ramener Odile le soir. J'avais le droit de passer la chercher, de me promener et de nager avec elle. J'avais le droit de lui faire apprendre son rôle, de me glisser près d'elle dans l'obscurité de la salle pendant les répétitions.

D'après *La Statue intérieure*,
de François Jacob, éd. Odile Jacob.

Plus belle encore que dans mon souvenir, plus souriante, plus lumineuse.

❹ Lisez le texte. Vrai ou faux ?

1. François est allé à Étretat pendant l'hiver.
2. Il a revu Odile pendant l'hiver.
3. Il a découvert chez qui Odile habite à Étretat pendant les vacances.
4. Il s'est inscrit pour jouer dans la revue parce qu'il a l'habitude d'y jouer.
5. Il est jaloux parce que le garçon brun ramène Odile chez elle après les répétitions.
6. Odile est une des vedettes de la revue.

❺ Dites :

1. quels sont les sentiments de François pendant l'hiver et au début de l'été ;
2. ce qu'il fait pour revoir Odile ;
3. ce qui se passe pendant les répétitions de la revue ;
4. ce qu'il dit d'Odile.

❻ Récrivez le deuxième paragraphe au passé, sans utiliser le passé simple. Quels temps allez-vous employer ? Quels sont les temps qui ne changent pas ?

Le rendez-vous

Odile devait partir d'Étretat trois jours après la revue. Pour son dernier jour, elle accepta une promenade seule avec moi. À peine éveillé, ce matin-là, je me précipitai ouvrir les volets pour voir s'il ferait beau. Oui, il ferait beau. Oui, ce serait une chaude journée, avec ciel bleu, soleil et chants d'oiseaux. Une heure avant le rendez-vous fixé, je tournais déjà autour de la maison d'Odile. Quand elle parut, étincelante, dans sa robe bleue et ses espadrilles, pas un instant je ne doutai que j'allais sortir avec la plus belle des jeunes filles du monde. Nous avions décidé d'aller goûter dans une ferme, en partant par la falaise et le bord de mer pour revenir par l'intérieur. En haut, soufflait une brise tiède et fraîche à la fois, une brise venue de l'océan. Étonnant panorama avec, ce jour-là, le bleu intense de la mer, le bleu très pâle d'un ciel sans nuage, et sur ce fond, Odile, avec la douceur de son visage, la tendresse de son sourire. Merveilleuse promenade au bout du monde, dans l'air du large, avec l'odeur de l'océan. Nous avions tant de choses à nous dire. Sur nos études, sur nos lectures. Le théâtre. Les gens d'Étretat. Paris et les amis communs. Je ne savais ce que j'admirais le plus en elle, de sa manière de conter, de se moquer des gens, sans toutefois manquer de tendresse. Ou de son aisance, de cette maîtrise de gestes que donne une complète souplesse et qui permet, sans hésitation, d'exécuter, avec une parfaite précision, les mouvements choisis. À plusieurs reprises, pendant la montée, j'offris, pour l'aider, une main à Odile. Chaque fois, elle la refusa. Était-ce réserve ? Crainte ? Mépris ?

Nous revînmes à Étretat. Elle partit le lendemain.

D'après *La Statue intérieure*,
de François Jacob, éd. Odile Jacob.

Merveilleuse promenade au bout du monde, dans l'air du large, avec l'odeur de l'océan.

❼ Lisez le texte et répondez aux questions.

1. Quand Odile devait-elle partir d'Étretat ?
2. Pourquoi le narrateur voulait-il savoir s'il ferait beau ?
3. Est-ce qu'il est arrivé en retard à son rendez-vous ?
4. De quoi ont-ils parlé ?
5. Odile a-t-elle accepté son aide ?
6. Quelles sont les couleurs du paysage ?

❽ Observez les trois loupes. Qu'est-ce qui différencie ces phrases de celles que vous avez l'habitude d'utiliser ?

❾ À deux, faites le portrait d'Odile. Comparez votre texte à celui des autres étudiants.

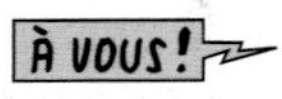

❿ Racontez une promenade avec un(e) ami(e) que vous aimez bien.

Décrivez :
– le temps qu'il faisait ;
– le lieu ;
– ce que vous avez fait.

VOCABULAIRE

Il suffirait de presque rien
Peut-être dix années de moins,
Pour que je te dise « je t'aime »
Que je te tienne par la main,
Pour t'emmener à Saint-Germain
T'offrir un autre café-crème.

Mais pourquoi faire du cinéma
Fillette, allons, regarde-moi
Et vois les rides qui nous séparent.
À quoi bon jouer la comédie
Du vieil amant qui rajeunit
Toi-même ferais semblant d'y croire.

Vraiment, de quoi aurions-nous
l'air ?
J'entends déjà les commentaires :
Elle est jolie !
Comment peut-il encore lui plaire
Elle au printemps, lui en hiver... ?
Il suffirait de presque rien
Pourtant personne, tu le sais bien,
Ne repasse par sa jeunesse.
Ne sois pas stupide et comprends,
Si j'avais comme toi vingt ans,
Je te couvrirais de promesses.

Allons, bon, voilà ton sourire
Qui tombe à l'eau et qui chavire.
Je ne veux pas que tu sois triste.
Imagine ta vie demain,
Tout à côté d'un clown en train
De faire son dernier tour de piste.

Vraiment, de quoi aurions-nous
l'air ?
J'entends déjà les commentaires :
Elle est jolie !
Comment peut-il encore lui plaire
Elle au printemps, lui en hiver ?
C'est un autre que moi demain
Qui t'emmènera à Saint-Germain
Prendre le premier café-crème.
Il suffisait de presque rien,
Peut-être dix années de moins,
Pour que je te dise « je t'aime ».

Serge Reggiani.
Paroles : Jean-Max Rivière
Musique : Gérard Bourgeois

1 **Écoutez la chanson et essayez de la comprendre.**

À VOUS ! **2** **Comment imaginez-vous la jeune femme à qui s'adresse le chanteur ? Décrivez-la.**

GRAMMAIRE

LE DISCOURS RAPPORTÉ (3) DIRECT ET INDIRECT

Les enfants ont dit : « Odile, nous avons droit à deux gâteaux aujourd'hui. »

• La personne qui parle rapporte les paroles de quelqu'un sans rien changer à ce qui est dit.
C'est le discours rapporté direct.

Les enfants ont dit à Odile qu'ils avaient droit à deux gâteaux ce jour-là.

• La personne qui parle rapporte quelques jours plus tard les paroles de quelqu'un. Tous les points de repères (**hier, demain, la semaine prochaine...**) qui se situent par rapport au jour de la conversation avec la personne doivent changer.
C'est le discours rapporté indirect. Il dépend d'un verbe introducteur : **dire, demander, affirmer, répéter, ajouter...**

1 **Mettez la phrase au passé.**

Tu me dis qu'il arrivera lundi.
➜ *Tu me disais qu'il arriverait lundi.*

1. Il affirme qu'il n'a rien compris au film et qu'il retournera le voir en version originale.
2. On raconte qu'elle ne faisait pas grand-chose dans la vie mais qu'elle vient de trouver un travail intéressant.
3. Vous savez que « papoter » veut dire « bavarder » en langue familière et que le radical « pap » exprimerait un mouvement des lèvres.
4. Je suis sûr qu'elle va apprécier le livre que je lui ai choisi.
5. Je sais qu'elle m'a donné le roman qu'elle a écrit pour que je lui dise ce que j'en pense.
6. On me demande si, à leur place, j'aurais utilisé une langue familière mais je ne sais pas répondre.

LE DISCOURS RAPPORTÉ (4) DIRECT ET INDIRECT

• Qu'est-ce qui change quand on passe du discours rapporté direct au discours rapporté indirect ?

– les temps des verbes du message rapporté ;

discours rapporté direct	discours rapporté indirect
présent	➜ imparfait
passé composé	➜ plus-que-parfait
futur	➜ conditionnel
futur antérieur	➜ conditionnel passé

L'imparfait, le plus-que-parfait, le conditionnel et le subjonctif ne changent pas.

– les indications de lieu et de temps ;

discours rapporté direct	discours rapporté indirect
Hier...	➜ *La veille...*
Demain...	➜ *Le lendemain...*
Il y a un an...	➜ *Un an auparavant...*
Ce matin...	➜ *Ce matin-là...*
Aujourd'hui...	➜ *Ce jour-là...*
La semaine prochaine...	➜ *La semaine suivante/d'après...*
La semaine dernière...	➜ *La semaine précédente/d'avant...*
Ici...	➜ *Là...*

*Il y a 15 jours, il m'avait dit : « Je pars **demain** par le train de midi et je serai chez toi **le soir**. »*

*Il y a 15 jours, il m'avait dit qu'il partait **le lendemain** par le train de midi et qu'il serait chez moi **le soir**.*

– les pronoms personnels et les adjectifs possessifs.

*François a demandé à Odile : « **Je** peux **vous** raccompagner chez **vous** ? »*

➜ *François a demandé à Odile s'**il** pouvait **la** raccompagner chez **elle**.*

*Elle m'a demandé : « **Tu** pourras surveiller **mon** magasin pendant **mon** absence ? »*

➜ *Elle m'a demandé si **je** pourrais surveiller **son** magasin pendant **son** absence.*

2 Rapportez ces messages. Attention aux transformations.

17 juin. Marc à Yves : « Ça y est, mon fils est né hier. Il s'appelle Max. »

➜ *Août. Yves rencontre un ami qui lui demande des nouvelles de Marc : « Ce jour-là, le 17 juin, Marc m'a dit que son fils était né la veille et qu'il s'appelait Max. »*

1. 15 juillet. Claire raconte à Dominique : « Nous venons de fêter le 14 Juillet. Il y avait un monde fou. On est rentrés tard et ce matin j'ai fait la grasse matinée jusqu'à onze heures. »
20 juillet. Dominique parle de Claire : « L'autre jour, le lendemain du 14 juillet, Claire...

2. 10 août. Serge explique à Corinne : « Je n'ai pas pu venir chez Julie avant-hier. J'ai fini mon enregistrement à minuit. Fais-lui toutes mes excuses si tu la vois. »
12 août. Corinne rencontre Julie : « Avant-hier, Serge m'a expliqué...

3. Octobre. Éric raconte ses malheurs à Joseph : « Mon voyage pour le Japon a été annulé il y a trois jours. Du coup, mon patron refuse de me donner l'augmentation que je réclame depuis trois mois. »
Quelques jours plus tard, Joseph raconte les malheurs d'Éric à Yves : « ...

4. Décembre. Attention, la neige tombera aujourd'hui toute la journée et nous recommandons aux automobilistes d'être prudents s'ils voyagent en montagne. Le temps s'améliorera à partir de la semaine prochaine sur tout le pays.
Quelques heures plus tard, vous rapportez cette information à Claire qui prend sa voiture.

5. 23 décembre. Cécile raconte à Béatrice : « En ce moment, ça ne va pas du tout. Je n'ai encore rien acheté pour Noël. C'est dans deux jours. Ce matin, je suis allée dans les magasins, mais je n'ai pas trouvé ce que je voulais. J'y retournerai demain. »
27 décembre. Béatrice parle de Cécile à Sylvie : « ...

6. Luc dit à Pierre : « Je prépare une fête pour l'anniversaire de Jeanne, la semaine prochaine. Surtout, ne lui en parle pas. J'ai invité tous les copains chez nous. On boira le champagne. Dis-le à Sophie si tu la vois. »
Trois jours plus tard, Pierre croise Sophie : « J'ai rencontré Luc qui m'a dit de te dire que...

3 Écrivez un message ou une information sur un papier, et faites-la dire de votre part par un camarade à toute la classe.

Karine a écrit que...

EXPRESSION

◆ÉCRIT◆

Chères lectrices, chers lecteurs, racontez-nous une rencontre qui a changé votre vie. Nous publierons les meilleurs récits. Cette semaine, nous avons choisi le récit de Wolf Mutter, de Vienne.

La rencontre de ma vie a eu lieu exactement le premier mai 1978, à midi et demi, devant la gare de Saint-Germain-en-Laye, à côté du château.

Un de mes amis français m'avait invité à passer la journée dans la maison de campagne de ses parents. Je devais prendre le car à la gare de Saint-Germain et descendre à Mézy, un petit village au bord de la Seine. Malheureusement, nous ne savions pas que le premier Mai était le seul jour de l'année où les cars ne roulent pas.

Sur la place du château, je n'étais pas seul à attendre ce car qui ne voulait pas venir. Une jeune femme d'une vingtaine d'années allait et venait sur le trottoir, regardant sa montre toutes les deux minutes. Elle était blonde, portait un charmant ensemble rouge, et un grand parapluie rouge avec une petite bande jaune et verte. J'étais aussi nerveux qu'elle et je commençais à me faire du souci pour le brin de muguet que je voulais offrir à la mère de mon camarade. Avec le vent, le papier s'était déchiré, et les fleurs commençaient à donner des signes de fatigue. Décidément ce premier mai semblait être mon jour de malchance : il a commencé à pleuvoir et je n'avais qu'une veste d'été sur une chemise légère...

C'est alors que la jeune femme s'est approchée de moi. Elle m'a regardé avec un gentil sourire moqueur, et m'a proposé dans un français au fort accent britannique de partager son parapluie. Je l'ai remerciée dans mon meilleur français, fortement marqué par mon origine autrichienne. Quand nous avons compris que notre car ne passerait pas, nous sommes allés déjeuner dans un petit restaurant... et depuis nous ne nous sommes pratiquement pas quittés.

Nous sommes mariés, nous avons deux enfants, notre langue quotidienne est restée le français... et dans l'entrée de notre appartement, on remarque un grand parapluie rouge, avec une petite bande jaune et verte, notre souvenir fétiche...

1 Pourquoi est-ce que l'auteur a écrit ce récit ?

2 Repérez les informations :

1. sur le jour et le lieu de la rencontre ;
2. sur la jeune fille ;
3. sur le temps qu'il faisait.

3 Complétez le plan ci-dessous.

Reportez vous aux éléments soulignés dans le texte.

1. Date et lieu de la rencontre.
   ...
2. Avant la rencontre : pourquoi ils se trouvent là.
   ...
3. Description de la personne et du temps qu'il faisait.
   ...
4. La rencontre : les faits.
   ...
5. Conclusion.
   ...

4 Vous voulez être publié dans le journal ci-dessus. Vous envoyez le récit de la rencontre de votre vie.

Suivez le plan ci-contre.

◆ORAL◆

5 Vous rentrez de vacances et vous avez l'air très heureux. Un de vos amis vous interroge pour savoir si vous avez rencontré l'homme/la femme de votre vie.

Vous lui parlez de la personne que vous avez rencontrée, du lieu de la rencontre. Votre ami se moque un peu de vous. Vous continuez votre récit. Votre ami comprend que c'est sérieux, fait des commentaires. Vous lui exposez vos projets.

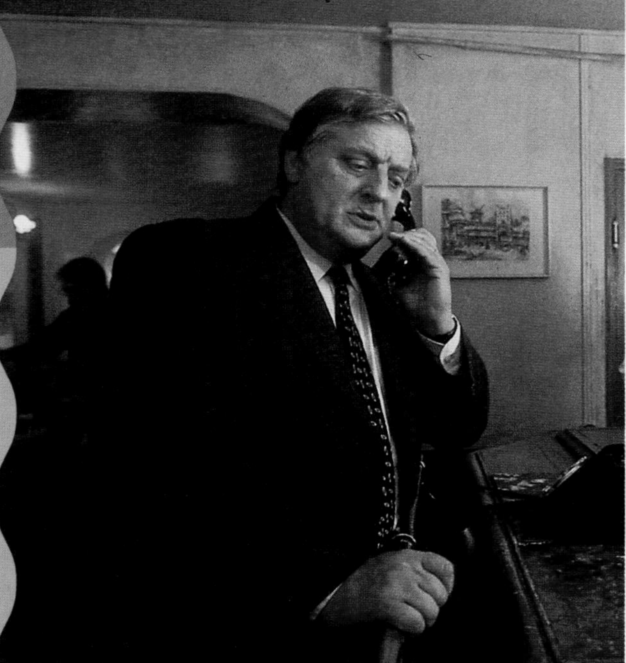

Maigret (4)

DÉNOUEMENT

PARTIE A 

• **Un nouveau suspect**
Maigret a découvert qu'un certain Valachine, Tchèque comme Radek, collectionneur de poignards, est mort d'un cancer dans l'hôpital pour lequel Radek a travaillé. Les coïncidences ne sont-elles pas suspectes ?
Maigret soupçonne de plus en plus Radek.

De La Coupole, Maigret téléphone au bureau de poste.

MAIGRET : Oui, madame, commissaire Maigret !... Je voudrais savoir si vous avez un abonné en poste restante nommé Radek !... Peut-être est-il venu chercher une lettre ce matin... Oui c'est ça, une grosse enveloppe !... Aux initiales R. R. ? Bien, je vous remercie !

Radek, qui a suivi Maigret, a entendu la conversation...

RADEK : Voilà donc que vous savez que j'ai reçu de l'argent ce matin en poste restante ! De l'argent qui se trouvait la veille dans la poche de Crosby !... Mais pourquoi ?

MAIGRET : Savez-vous qu'il y a un nouveau cadavre ?

RADEK : Bonne affaire pour les fossoyeurs[1] !... Ce brave Crosby a donc eu peur de vous, commissaire ?

MAIGRET : Crosby ?... Qui vous parle de Crosby ?... Il s'agit de Valachine, Michel Valachine, votre ami !...

Radek semble étonné puis rassuré. Mais le cadavre est-il vraiment celui de Valachine ?

[1] Un fossoyeur : personne qui enterre les morts.

Écoutez

1 Partie A. Répondez aux questions

1. Quel autre suspect a découvert Maigret ?
2. Que vérifie Maigret en téléphonant à la poste ?
3. Pour Maigret, la grosse enveloppe est la preuve que Crosby a payé Radek : pour quoi faire ?
4. Pourquoi Radek pense-t-il que Crosby s'est tué ?

2 Partie B. Qu'est-ce qui va ensemble ?

1. Crosby a demandé à Radek
2. Radek a demandé à Valachine
3. Valachine a demandé à Radek
4. Radek a demandé à Heurtin

a. de tuer Mme Henderson sans laisser de trace.
b. de lui vendre ses chaussures de travail.
c. de tuer sa tante.
d. de trouver « un pigeon » pour le couvrir.

3 Répondez aux questions.

1. Qui est l'assassin ?
2. Qui est le responsable à l'origine du crime ?
3. Qui est l'organisateur du crime ?
4. Qui est le « pigeon » et dernier témoin ?

PARTIE B

Maigret oblige Radek à l'accompagner à la villa du meurtre. [...]

MAIGRET : Entre !

Par terre, dans le salon, le corps sans vie de Crosby, un revolver à la main.

MAIGRET : Crosby s'est fait justice ! Tu avais raison, Radek ! Il a eu peur d'être accusé de complicité du meurtre de sa tante ! Bien sûr, il n'a pas tué, du moins pas directement : Tu lui as proposé tes services ! [...] Crosby a accepté : Il a adressé le plan de la villa à un inconnu aux initiales de R. R ; c'est-à-dire à toi, Radek ! [...] Il ne te restait plus qu'à te fabriquer un alibi et à engager un tueur : Michel Valachine, ce fou, que tu as rencontré à l'hôpital. Tu as su qu'il était condamné par la maladie ! Lui ne le savait pas mais il voulait s'assurer une impunité[2] parfaite... Alors tu lui as fourni un « pigeon[3] » qui serait guillotiné à sa place ! Et c'est là que Heurtin entre en jeu...

Avant le crime, Radek avait en effet proposé à Heurtin une forte somme d'argent en échange de ses chaussures de travail. Heurtin, attiré par l'argent avait accepté, sans réfléchir. Ses chaussures, retrouvées dans la villa du crime l'avaient désigné comme le « suspect idéal »...

RADEK : *(Ironique.)* Le problème c'est que tous les gens dont vous parlez sont morts et que vous n'avez toujours aucune preuve !

Maigret fait trois pas vers la porte et Radek se retrouve face à son « pigeon », bien vivant...

MAIGRET : Entre, Heurtin. Vous pouvez venir, monsieur le juge ! FIN

[2] Une impunité : condition qui empêche quelqu'un d'être puni.
[3] Un pigeon : oiseau ; ici (sens figuré), homme naïf, facile à tromper.

Observez et répétez

▶ Rectifier une erreur sur un ton polémique

4 Écoutez et chassez l'intrus.

1. Crosby ? Qui vous parle de Crosby ?... Il s'agit de Valachine, Michel Valachine, votre ami !
2. L'ordinateur ? Qui te parle d'ordinateur ?... Il s'agit de l'imprimante, de ton imprimante...
3. La rue Jean-Jaurès ? Il s'agit, je crois, d'une petite rue sur votre droite.
4. L'accusé ? Qui vous parle de l'accusé ?... Il s'agit d'un suspect, d'un nouveau suspect !

5 Vous êtes dans les situations décrites entre parenthèses. Vous répondez et rectifiez les erreurs sur un ton polémique.

1. – Tu as perdu ta clé ?
(La serrure de votre appartement est cassée.)
2. – Le responsable du personnel vient nous voir ?
(Au bureau, on a annoncé la visite du patron.)
3. – Alors, vous partez en vacances ?
(Vous partez une semaine pour des raisons de travail.)
4. – Votre collègue est malade ?
(Votre collègue est souvent « malade » le lundi.)

Exprimez-vous

À VOUS ! **6 Dans une conférence de presse, Maigret explique les grandes étapes de son enquête aux journalistes.**

Suivez le schéma suivant :
1. La chronologie des événements : le meurtre, l'arrestation puis la fuite de Heurtin.
2. La présentation des trois autres suspects et de leurs mobiles.
3. Le piège final dans lequel est tombé Radek.

À VOUS ! **7 Est-ce que ce roman policier du commissaire Maigret vous a plu ? Y a-t-il eu des événements de cette histoire qui vous ont étonné(e) ?**
Exprimez vos sentiments à ce sujet dans une conversation en petits groupes.

– *Moi, je suis content(e) que...*
– *Moi, j'aurais préféré que...*

ESCROQUERIES

DOC 1

Chapitre 2

La nuit commençait à tomber sur Chartres et le soleil n'éclairait plus que le haut des tours de la cathédrale. Dans le petit restaurant de la place, Julien et Jean-Louis regardaient le ciel en silence. Le rire de la patronne les sortit de leur rêverie.
– Alors, messieurs les agros, c'est pas encore demain qu'il va pleuvoir ! dit Arlette quand elle posa les deux express sur la table.
– C'est sûr. Le temps n'a encore jamais été aussi sec dans la Beauce. Et comme il est interdit d'arroser, les paysans rouspètent !
– Oui, tout le monde en a marre, dit la patronne.
– Mais nous, ça nous arrange plutôt pour nos expériences ajouta Julien.
– Bon, c'est peut-être samedi, mais il faut qu'on retourne au labo. Vous pouvez nous préparer l'addition, s'il vous plaît ?

Julien et Jean-Louis avaient encore une longue nuit de travail devant eux au laboratoire. Tout marchait bien jusqu'à présent. Mais le lendemain, c'est en grandeur nature qu'ils voulaient continuer leurs expériences, loin des regards indiscrets, dans un jardin qu'ils avaient loué à un retraité. Ils montèrent dans leur vieille voiture. Julien était au volant. Jean-Louis lui expliquait comment il faudrait transporter les caisses avant le lever du soleil. Ils ne remarquèrent pas la grosse commerciale bleue qui démarra en même temps qu'eux et qui les doubla au moment où ils s'arrêtaient devant le centre de recherche agronomique.

Le dimanche matin, le soleil qui se levait fit briller pendant quelques instants un rectangle d'une quinzaine de mètres de longueur sur à peine trois mètres de largeur. On pensait d'abord à un épais tapis, mais en fait, il s'agissait de plantes de quelques centimètres de hauteur, avec des feuilles épaisses, d'une couleur qui hésitait entre le vert et le marron.
– Julien, tu pourras passer ce soir pour voir si tout se passe bien ? demanda Jean-Louis en prenant place dans la voiture. Il faut que j'envoie mon rapport au plus tard demain matin. Et je n'aurai pas trop de ma soirée.
– D'accord. J'irai à bicyclette.

Jean-Louis et Julien étaient de bonne humeur. Julien racontait des histoires, et Jean-Louis riait tellement qu'il en pleurait. En se garant sur le parking du centre, ils ne firent pas attention à la grosse voiture bleue qui était stationnée de l'autre côté de la rue.

– Jacques, tirez les rideaux, s'il vous plaît. Je ne peux plus supporter ce soleil. Puis faites entrer les deux hommes que nous avons envoyés à Chartres. La porte s'ouvrit et les deux hommes entrèrent dans le bureau de Max Thaler, le grand patron de la SFIZA, la Société de forage et d'irrigation dans les zones arides.
– Messieurs, je serai bref, commença Max Thaler. Nous savons désormais que ce petit laboratoire de Chartres a réussi à créer des plantes pouvant pousser dans des milieux pratiquement désertiques. Inutile de vous dire que la SFIZA ne peut tolérer une telle concurrence. Me suis-je bien fait comprendre ?
– On peut employer la manière forte ?
– Nous vivons dans un monde civilisé et il n'est pas question d'employer des méthodes violentes. Faites travailler votre intelligence, réfléchissez.
– On ne voit pas de solution pour empêcher ce laboratoire de travailler si on ne peut même pas y mettre le feu ou intimider les chercheurs qui y travaillent.
– Enfin, je ne sais pas... Est-ce qu'on ne pourrait pas dire que des gens qui cultivent dans le plus grand secret des plantes que personne ne connaît ici, c'est très suspect... est-ce qu'on ne pourrait pas dire qu'il s'agit de plantes dangereuses ?
– Dangereuses ? Mais ces plantes, on pourrait en manger !
– Bonnes ou pas bonnes, je crois que ça n'intéresse personne. Il suffit que la police soit convaincue que nous avons affaire à des individus dangereux et surtout il faut qu'on en parle dans la presse ! Quand on se rendra compte que c'est une erreur – si on s'en rend compte – il sera trop tard. Et nous aurons déjà racheté le laboratoire... J'ai été clair, j'espère !
– Très clair.

En remontant dans leur commerciale bleu nuit, les deux hommes soupirèrent. C'étaient toujours eux qui devaient faire le sale travail.

À la manière de...

DOC 2

Le Courrier de l'Ouest, 20 mai

CHARTRES

Arrestation

Le commissaire Collet a annoncé hier soir l'arrestation de deux trafiquants de drogue. Sous le couvert de recherches agronomiques, Jean-Louis Lebas et Julien Picot cultivaient en secret des plantes dangereuses dans le jardin de leur laboratoire. On a retrouvé cinq kilos de produits suspects cachés dans leur voiture. Le Centre de recherches agronomiques qui leur servait de couverture a été fermé. La police doit son succès à l'aide de deux hommes qui avaient observé par hasard les déplacements de Picot et Lebas.

DOC 3

Le Courrier de l'Ouest, 16 juillet

CHARTRES

Le centre de recherche ouvre ses portes

Le Centre de recherches agronomiques reprend son activité. Fermé depuis l'arrestation des deux ingénieurs agronomes Julien Picot et Jean-Louis Lebas, le centre a été racheté par la SFIZA. Dans une interview, son directeur Max Thaler a annoncé que le laboratoire se consacrerait désormais à la recherche sur la culture de plantes résistant en milieu semi-désertique, complétant ainsi les activités de la SFIZA qui est très engagée dans les zones de l'Afrique et de l'Asie.

Repérages

STRATÉGIES DE LECTURE

▶ **1.** Lisez rapidement l'ensemble des textes. Ne vous arrêtez pas, même si vous ne comprenez pas quelques mots. Quelle est la nature de ces textes ?

▶ **2.** Dans quel ordre ces trois textes ont-ils été écrits ?

▶ **3.** Retrouvez, dans le roman, les éléments qui viennent directement des journaux.
- *le début des textes ;*
- *le plan ;*
- *les mots clés...*

▶ **4.** De quelle escroquerie s'agit-il :

a. dans le roman ;

b. dans les journaux ?

▶ **5.** Relisez les textes, puis, à deux, imaginez la fin du roman.

TOP CHRONO !

Quel est le premier de votre groupe qui trouvera les réponses à cette question ?

◆ Que dit-on des plantes dans les trois textes ?

STRATÉGIES D'ÉCOUTE 

▶ **6.** Écoutez le texte enregistré jusqu'au bout, même s'il y a des mots que vous ne comprenez pas. Dites combien de personnes parlent et dans quelle situation elles se trouvent.

▶ **7.** Écoutez le texte enregistré une deuxième fois. Concentrez-vous sur les réponses de la patronne du restaurant :

a. Pourquoi pense-t-elle que les deux agronomes sont innocents ?

b. Pourquoi a-t-elle des soupçons sur d'autres personnes ?

Réécoutez une troisième fois le texte, pour vérifier que les réponses que vous avez données sont justes.

▶ **8.** Comparez la fin de l'histoire que vous aviez imaginée dans l'exercice n° 4 avec ce que vous venez de découvrir dans le document oral.

◆ Combien de fois entendez-vous le mot *homme* ?

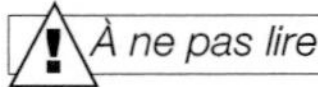

TRANSCRIPTION DU DOCUMENT ORAL 

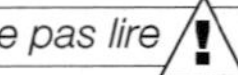

Flash info – 18 h 23

Le journaliste – Surprise dans l'affaire du Centre de recherches agronomiques de Chartres. Max Thaler, le patron de la toute-puissante SFIZA, dormira ce soir en prison. Julien Picot et Jean-Louis Lebas pourront bientôt reprendre leurs travaux. Nous avons Maurice Leprat, en direct de Chartres.

M. L. – Bonjour, ici Maurice Leprat. Je suis au milieu des habitués du petit restaurant de la place, en face de la cathédrale, à Chartres. Tout le monde ici est content de retrouver Julien et Jean-Louis, et c'est la fête dans le petit restaurant. Ici, personne ne voulait croire à la culpabilité des deux hommes. La patronne du restaurant a mené elle-même sa petite enquête. Madame, racontez-nous ce que vous avez fait après l'arrestation de vos deux clients préférés.

La patronne – Eh bien, je n'arrivais pas à croire que Julien et Jean-Louis aient pu faire des choses pareilles ! Ce sont des chercheurs, des idéalistes, des hommes profondément bons ; ils ne pensaient qu'à une chose : leurs plantes, pour les paysans tunisiens et africains. C'est par hasard que j'ai vu dans le journal la photo des deux hommes qui avaient été au commissariat de police pour raconter ces histoires de cultures suspectes. Eh bien, ces deux hommes avaient dîné plusieurs fois dans mon restaurant. Ils observaient Julien et Jean-Louis. Dès que mes deux agronomes quittaient le restaurant, les deux hommes partaient eux aussi. Et j'ai pu voir qu'ils suivaient la vieille voiture de mes deux clients dans leur commerciale bleu nuit.

M. L. – Mais cela ne prouvait rien.

La patronne – C'est vrai, mais quand j'ai appris que la SFIZA avait racheté le centre de recherches et que ces deux hommes travaillaient eux-mêmes pour la SFIZA, j'ai commencé à comprendre que cette histoire n'était pas très claire. Le commissaire Collet prend souvent un apéritif au bar avant de rentrer chez lui et je le connais bien. Je lui ai dit ce que je viens de vous raconter. C'était il y a cinq semaines, et aujourd'hui, tout est fini.

Grammaire

1 Récrivez ce texte au passé.

Nous sortons de la maison ; soudain j'entends un cri qui vient de la route : « Arrêtez la voiture ! » Nous allons voir tout de suite ce qui se passe. Une voiture traverse la route, il n'y a pas de conducteur. Où est-il ? Que s'est-il passé ? Nous essayons d'arrêter sa voiture, sans succès. Beaucoup de curieux commencent à venir. Quelqu'un nous crie d'aller téléphoner à la police. Mais il est trop tard ; on entend un grand bruit : la voiture s'est écrasée contre un mur. Personne n'est blessé heureusement.

2 Transformez les phrases suivantes en utilisant pour chacune une expression de cause différente : *parce que, puisque, à cause de* ou un gérondif ou un participe passé.

Nous ne sortirons pas. Il pleut.

➜ Nous ne sortirons pas à cause de la pluie.

1. Clément a perdu son match de tennis. Il est de mauvaise humeur.

2. Paul n'avait pas assez d'argent, il a décidé de ne pas partir en vacances.

3. Il marchait dans le désert. Il n'a pas fait connaissance avec beaucoup de monde.

4. Tu m'avais donné l'adresse ; je ne me suis pas perdu.

5. J'ai été vexé ; j'ai claqué la porte.

3 Transformez les phrases suivantes en utilisant l'expression de conséquence avec *tellement... que.*

Il a insisté. J'ai accepté l'invitation.

➜ Il a tellement insisté que j'ai accepté l'invitation.

1. J'ai entendu cette histoire très souvent. Je la connais par cœur.

2. Jeune, il avait peu de libertés. Il rêvait toujours d'aventures.

3. Elle parlait beaucoup de langues. Elle a pu devenir interprète.

4. Elle a vendu beaucoup de peintures. Elle a financé son action au Sahara.

5. Elle aime le désert. Elle essaie d'exprimer sa couleur.

4 Lisez ce début de récit et dites à quel temps il faut mettre les verbes entre parenthèses (imparfait ou passé simple).

Un jour, le directeur (arriver) avec un homme que personne ne (connaître). Il (porter) une moustache. Il (avoir) les yeux qui (sembler) sourire tout le temps. Il me (saluer) puis il (s'approcher) de Jeanne et ils (parler) longtemps ensemble. Je me (demander) bien ce qu'ils (pouvoir) se raconter.

Vocabulaire

5 Complétez les phrases suivantes avec les mots qui conviennent.

1. Quand vous avez perdu vos papiers, vous allez au c... de police pour faire une d... .

2. Vous irez ensuite au consulat pour avoir des papiers p... .

3. Pour que l'on puisse vous j... rapidement dans la journée, sans passer par la secrétaire, vous laisserez votre numéro de téléphone d... .

6 Donnez le nom terminé en *-ion* qui correspond aux infinitifs suivants.

Introduire ➜ introduction.

1. Conclure

2. Déduire.

3. Évader.

4. Condamner.

5. Libérer.

Compréhension et expression orales

7 Écoutez ce dialogue qui a lieu dans un commissariat de police. Complétez la fiche ci-dessous.

1. Nom de la victime.

2. Jour et heure du vol.

3. Lieu du vol.

4. Somme volée.

5. Comment le vol s'est-il passé ? (1 phrase).

6. Description du suspect :

a. cheveux ;

b. yeux ;

c. taille ;

d. autres détails.

8 Écoutez ces messages enregistrés sur répondeur. Répétez-les à votre ami(e).

1. La secrétaire de M. Planès t'a appelé. Elle a dit que M. Planès... qu'... . Elle a demandé...

2. Gloria et Gilles ont téléphoné qu'... mais... . Ils ont demandé...

3. Une jeune fille a appelé pour l'annonce et elle a dit que si on..., on...

4. Véronique nous a appelés pour nous demander pourquoi... . Elle nous demande...

Test 4

9 À l'aide de ces notes, faites cinq phrases oralement pour raconter un voyage en Italie. Utilisez des expressions de temps pour situer les événements : *d'abord, ensuite, pendant...*, *le soir, le lendemain*, etc.

- lundi 28 juin : arrivée à Rome, hôtel merveilleux, piscine, cuisine excellente ;
- 29 juin : visite de la ville antique, guide amusant, soirée à l'opéra ;
- 30 juin : visite du Vatican, basilique Saint-Pierre, grandiose ;
- 1er et 2 juillet : excursion sur la côte, baignade, barbecue ;
- 3 juillet : achat de souvenirs, retour en France.

Compréhension et production écrites

Je me promenais dans Paris par un matin de soleil, l'âme en fête, le pied joyeux, regardant les vitrines des boutiques. Tout à coup, j'aperçus dans un magasin d'antiquités un meuble italien du XVIIe siècle. Il était très beau, et me semblait très rare.

Quelle impression étrange ! Plus je regardais l'objet, plus je le trouvais beau, plus j'avais envie de le posséder. Ce désir était doux d'abord, comme timide, mais il devint très violent, irrésistible.

J'achetai ce meuble et le fis porter chez moi tout de suite. Je le plaçai dans ma chambre, et l'admirai...

Un soir, je m'aperçus, en ouvrant le meuble précieux, qu'il devait y avoir une cachette, un endroit qui contenait quelque chose de secret. Mon cœur se mit à battre et je passai la nuit à chercher ce secret sans pouvoir réussir à le découvrir.

Je réussis enfin le lendemain, en glissant une lame de couteau entre deux planches en bois. Un petit tiroir s'ouvrit et je découvris à l'intérieur une magnifique chevelure de femme. Les cheveux étaient blonds et très fins.

Je demeurai stupéfait, troublé...

Je les pris doucement, très délicatement. Une émotion étrange me saisit. Quand, pourquoi ces cheveux avaient-ils été placés dans ce meuble ? Quelle aventure, quel drame cachait ce souvenir ?

D'après *Boule de suif*, de Guy de Maupassant.

10 Lisez ce texte et répondez aux questions.

1. Ce document est :
a. un article de journal ;
b. un texte littéraire ;
c. un rapport d'enquête.

2. Au début du texte, l'auteur est :
a. inquiet ;
b. heureux ;
c. triste.

3. Justifiez votre réponse en citant une phrase du texte.

4. Le sentiment éprouvé par l'auteur vis-à-vis de l'objet est :
a. de l'indifférence ;
b. de la curiosité ;
c. de la passion.

5. Justifiez votre réponse en citant une phrase du texte.

6. *Mon cœur se mit à battre.* L'auteur écrit cette phrase parce que :
a. il avait peur ;
b. il était curieux ;
c. il était amoureux.

7. Qu'a-t-il découvert ?

8. Quelle a été sa réaction ?
a. Il a eu peur.
b. Il a été surpris.
c. Il a été déçu.

9. En voyant l'objet, il a pensé à une histoire :
a. dramatique ;
b. amusante ;
c. banale.

11 Choisissez un des sujets proposée, puis rédigez un récit de 100 à 120 mots.

sujet 1

Imaginez la suite de ce récit à la manière de Guy de Maupassant. Vous pouvez choisir de répondre ou non aux questions posées à la fin du texte.

sujet 2

Imaginez la suite de ce texte.

Quand le premier événement incompréhensible s'est produit, Gérard avait trente-neuf ans. Il était marié depuis douze ans et ses jumeaux, Martin et Valentin venaient d'avoir 9 ans. Toute son existence, il avait habité le même quartier. La journée avait commencé comme les autres...

❒ Unité 1 Culture en liberté

❸ p. 13

1. – Bonjour, comment ça va ?
2. – Bon, vous avez dîné ?
– Oui... oui... Non, ça va, vous dérangez pas.
3. – Allez asseyez-vous... allez !
– Non, ça va... merci bien.
4. – Ça fait plaisir de vous voir après tout ce temps ! Ça va ?

❒ Unité 2 Vocabulaire

❶ p. 17

1. – Vous ne travaillez pas à la coopérative ?
– Si, pourquoi ?
– Je vous offre quelque chose ?
– C'est très gentil...
2. – Je crois que nous nous connaissons.
– Non... Je ne vois pas...
– Vous ne travaillez pas à la télé ?
– Pas du tout !
3. – Eh bien, je vous remercie beaucoup pour ce compte rendu.
– Je vous en prie. Bon... Au revoir, et bonne soirée !
– Vous n'êtes pas pressée ? On peut boire quelque chose ?
– Je suis désolée, mais je n'ai pas le temps ce soir.

❒ Test 1

❼ p. 44

Annonce 1

Chers auditeurs bonjour. Nous allons vous dire maintenant ce que vous pouvez voir comme bons spectacles à Paris. Commençons par le cinéma. Pas beaucoup de films nouveaux, cette semaine, mais allez voir le dernier film de Luc Besson, *Le Cinquième Élément*, au Gaumont, 130 avenue du Général-Leclerc.

Annonce 2

Continuons avec la musique. Un concert aura lieu demain à 20 heures au Théâtre du monde avec l'orchestre symphonique d'Île-de-France. Au programme : des œuvres de Chopin et Liszt.

Annonce 3

Toujours de la musique avec le chanteur Gilbert Bécaud qui chantera à l'Olympia la dernière semaine du mois de mai. Prenez vos places dès maintenant : il y aura du monde !

Annonce 4

Enfin, pour ceux qui restent à la maison, vous pouvez regarder la télévision. TV5 propose une émission sur un livre qui vient d'être publié pour les gens qui aiment faire la fête. On peut y trouver des conseils comme : inviter ses voisins ou ne pas oublier de vieux amis.

❽ p. 44

– Allô ! Bonjour. Est-ce que Béatrice est là, s'il vous plaît ?
– Non, elle n'est pas arrivée. Je peux lui laisser un message ?
– Oui, s'il vous plaît. Est-ce que vous pouvez lui dire que ses amis les Dumont, D.U.M.O.N.T., l'invitent vendredi prochain, le 5 octobre, à un dîner entre amis ?
– C'est à quelle heure ?
– Vers 20 heures trente.
– Le vendredi 5 à 20 heures trente pour dîner, c'est bien ça ?
– Oui. Elle peut me rappeler lundi soir après 8 heures. Merci beaucoup. Au revoir.

❒ Test 2

❼ p. 83

Entretien 1

– Aimez-vous voyager ? Avec qui ? Quelle époque préférez-vous ?
– J'adore voyager. Je fais un voyage tous les ans avec ma famille. Nous restons toujours en France. Nous ne savons jamais où nous dormons. Nous avons une tente car, comme ça, on s'arrête où on veut, en pleine nature de préférence.

Entretien 2

Mon plus beau souvenir de voyage, c'est quand nous sommes allés en Corse.
C'est un pays où on sent quelque chose de particulier, les paysages sont toujours pittoresques et les gens très accueillants, très chaleureux.

Entretien 3

– Quelle est la chose qui vous est la plus désagréable quand vous voyagez ?
– Quand je vois un très beau paysage et que je n'ai plus de pellicule dans mon appareil photo, je me mets en colère. Mais quand ma voiture tombe en panne ou qu'un enfant est malade dans la voiture... ce sont des choses qui sont très désagréables aussi mais qui me dérangent moins !

Entretien 4

Est-ce que vous emportez un guide touristique quand vous partez en vacances ?
– Uniquement pour avoir des adresses de bons restaurants parce que je suis gourmand. Je ne fais pas tellement de visites, de lecture, je préfère regarder, connaître les gens.

❽ p. 84

– Agence « Vue d'ailleurs », bonjour. Je vous écoute.
– Bonjour madame. Je voudrais savoir si vous pourriez me réserver une chambre dans un bon hôtel à Dijon.
– Oui, quelle catégorie voulez-vous ? Deux étoiles, trois étoiles, quatre étoiles ?
– Trois étoiles.
– Nous avons l'hôtel de Bourgogne, dans le centre de la ville. C'est pour quelle date ?
– Début juin, les 5 et 6 exactement.
– Bon, pour cette date-là, c'est possible. Vous voulez faire la réservation ? Pour combien de personnes ?
– Deux personnes au nom de Courrent Philippe.
– Vous pouvez épeler s'il vous plaît ?
– C.O.U.R.R.E.N.T.
– Bon alors, ça vous fait deux nuits, deux personnes, taxes comprises 187 euros.
– D'accord.
– Je vous envoie la réservation. Votre adresse ?
– 72, avenue Montaigne, 75 008 Paris.
– Vous allez recevoir votre réservation par courrier. Bon séjour monsieur.
– Merci. Au revoir, madame.

❒ Test 3

❼ p. 124

Le magazine *Pariscope* vous souhaite la bienvenue sur le service de réservation *Allô ciné* du 14e arrondissement. Attention, à l'occasion de la sortie très attendue en France du film de Luc Besson *Le cinquième élément*, nous vous conseillons d'acheter vos places dès maintenant afin de voir le film dans les meilleures conditions. Pour utiliser ce service, appuyez sur la touche étoile, située en bas à gauche de votre téléphone. Pour les autres films, appelez-nous au 01 40 30 20 10 et tapez le code du film choisi. Vous trouverez ce code dans le magazine *Pariscope*.

❒ Test 4

❼ p. 163

– Bonjour, je voudrais déposer une plainte.
– Quel est votre nom ?
– Papin Chantal.
– C'est à quel sujet ?
– Un vol.
– Un vol de papiers, d'argent ?
– D'un vol dans mon restaurant.
– Qu'est-ce qui s'est passé ?
– Un homme très élégant s'est installé à une table. Il a commandé les meilleurs plats et les meilleurs vins et il est parti sans payer. Il y en avait pour 213 euros exactement.
– Quel âge vous lui donnez à peu près ?
– Une quarantaine d'années.
– Vous avez noté d'autres détails ?
– Oui, des cheveux gris, des yeux clairs, une petite moustache. Il mesurait environ 1 m 80.
– Comment s'appelle votre café ?
– La Coupole.
– C'était quel jour et à quelle heure ?
– On était le 18 octobre, hier, c'est bien ça ?
– Non, le 19.
– Alors le 19, au dîner. Il a dû partir vers 23 heures À vrai dire, je ne sais pas exactement, on ne s'est aperçus de rien.

❽ p. 163

1. – Bonjour. Je suis la secrétaire de M. Planès. Il veut vous parler. Il s'agit d'un rendez-vous important. Est-ce que vous pourrez passer le voir demain ?
2. Salut. C'est Gloria et Gilles. Nous viendrons dimanche mais nous n'avons pas le plan pour la route. Envoyez-le nous par fax.
3. Bonjour, je m'appelle Régine Lefranc et je vous appelle pour l'annonce pour garder des enfants le soir. Si vous avez besoin de moi, vous pouvez me téléphoner au 02 45 38 22 01. Merci.
4. Alors, pourquoi est-ce que vous ne m'avez pas répondu ? Dépêchez-vous vite de me donner votre réponse ! C'est Véronique !

I. FORMES RÉGULIÈRES

❑ LES TERMINAISONS

indicatif présent			indicatif imparfait		indicatif futur	
je	**-e**	ou **-s**	je	**-ais**	je	**-ai**
tu	**-es**	ou **-s**	tu	**-ais**	tu	**-as**
il/elle	**-e**	ou **-t**	il/elle	**-ait**	il/elle	**-a**
nous	**-ons**		nous	**-ions**	nous	**-ons**
vous	**-ez**		vous	**-iez**	vous	**-ez**
ils/elles	**-ent**		ils/elles	**-aient**	ils/elles	**-ont**

subjonctif présent		conditionnel présent		impératif présent	
que je	**-e**	je	**-ais**		
que tu	**-es**	tu	**-ais**	**-e**	ou **-s**
qu'il/elle	**-e**	il/elle	**-ait**		
que nous	**-ions**	nous	**-ions**	**-ons**	
que vous	**-iez**	vous	**-iez**	**-ez**	
qu'ils/elles	**-ent**	ils/elles	**-aient**		

L'imparfait de l'indicatif et le présent du conditionnel ont les mêmes terminaisons pour tous les verbes.

❑ LA FORMATION DES TEMPS À L'AIDE DU RADICAL DES VERBES

	Avec le radical de	*On forme*	*On forme aussi*
	la 1re personne du pluriel de l'indicatif présent	**l'imparfait de l'indicatif**	**le participe présent**
parler	nous **parl**ons	je parl**ais**	parl**ant**
finir	nous **finiss**ons	je finiss**ais**	finiss**ant**
craindre	nous **craign**ons	je craign**ais**	craign**ant**
	la 3e personne du pluriel de l'indicatif présent	**le subjonctif présent**	
chanter	ils **chant**ent	que je chant**e**	
venir	ils **vienn**ent	que je vienn**e**	
connaître	ils **connaiss**ent	que je connaiss**e**	
	l'infinitif	**le futur de l'indicatif**	**le présent du conditionnel**
	jouer	je jouer**ai**	je jouer**ais**
	joindre	je joindr**ai**	je joindr**ais**
	partir	je partir**ai**	je partir**ais**
	du présent de l'indicatif	**l'impératif**	
chanter	tu **chant**es	chant**e**	
	nous **chant**ons	chant**ons**	
	vous **chant**ez	chant**ez**	
partir	tu **par**s	par**s**	
	nous **part**ons	part**ons**	
	vous **part**ez	part**ez**	

❑ LA FORMATION DES TEMPS COMPOSÉS

1. Le passé composé (indicatif)

On utilise le **présent** de l'auxiliaire *être* ou *avoir* suivi du **participe passé**.

arriver ➜ je **suis** arriv**é(e)** elles **sont** arriv**ées**
rougir ➜ j'**ai** roug**i** elles **ont** roug**i**
attendre ➜ j'**ai** attend**u** elles **ont** attend**u**

2. Le plus-que-parfait (indicatif)

On utilise l'**imparfait** de l'auxiliaire *être* ou *avoir* suivi du **participe passé**.

rêver ➜ j'**avais** rêv**é** elles **avaient** rêv**é**
prendre ➜ j'**avais** pr**is** elles **avaient** pr**is**
partir ➜ j'**étais** part**i** elles **étaient** part**ies**

3. Le conditionnel passé

On utilise le **conditionnel présent** de l'auxiliaire *être* ou *avoir* suivi du **participe passé**.

gagner ➜ j'**aurais** gagn**é** elles **auraient** gagn**é**
repartir ➜ je **serais** repart**i**(e) elles **seraient** repart**ies**

4. Le passé proche

On utilise le **présent** du verbe *venir* suivi de la préposition *de* et de l'**infinitif**.

manger	➜	je **viens de** manger
finir	➜	nous **venons de** finir

5. Le futur proche

On utilise le **présent** du verbe *aller* suivi de l'**infinitif**.

commencer	➜	je **vais** commencer
partir	➜	nous **allons** partir

6. Le présent d'insistance

On utilise le **présent** de l'auxiliaire *être* suivi de *en train de* et de l'**infinitif**.

travailler	➜	je **suis en train de** travailler

❑ LA FORMATION DU PASSIF

On utilise l'auxiliaire *être* au temps du verbe à la forme active suivi du **participe passé**.

indicatif présent	(on me photographie)	je **suis** photographi**é(e)**
indicatif imparfait	(on me photographiait)	j'**étais** photographi**é(e)**
indicatif futur	(on me photographiera)	je **serai** photographi**é(e)**
indicatif passé composé	(on m'a photographié)	j'**ai été** photographi**é(e)**
indicatif plus-que-parfait	(on m'avait photographié)	j'**avais été** photographi**é(e)**
conditionnel présent	(on me photographierait)	je **serais** photographi**é(e)**
conditionnel passé	(on m'aurait photographié)	j'**aurais été** photographi**é(e)**
subjonctif présent	(qu'on me photographie)	que je **sois** photographi**é(e)**
passé proche	(on vient de me photographier)	je **viens d'être** photographi**é(e)**
futur proche	(on va me photographier)	je **vais être** photographi**é(e)**

❑ LE CHOIX DE L'AUXILIAIRE AU PASSÉ COMPOSÉ : *AVOIR* OU *ÊTRE*

La plus grande partie des verbes français forment le passé composé avec l'auxiliaire *avoir*.
Certains verbes forment le passé composé avec l'auxiliaire *être*. Ce sont :

• tous les verbes pronominaux.
*Je me **suis** lev**é(e)** tôt.*

• certains verbes qui ne peuvent pas avoir de compléments d'objet direct. Il s'agit :
– de verbes indiquant un changement de situation, d'état : *mourir, naître, devenir*.
*Je **suis** n**é(e)** à Paris ;*
– de verbes indiquant un changement de lieu dans une certaine direction : *aller, arriver, entrer, partir, venir, sortir, tomber, monter, descendre, retourner*, etc.
*Je **suis** parti**(e)** hier ;*
– du verbe *rester*.
*Nous **sommes** rest**és** une semaine.*

Certains verbes ont les deux constructions.
*J'**ai** vu mon ami.*
(*voir* + complément d'objet direct)
*Mon ami et moi, nous **nous sommes** vu**s** à la gare.*
(*se voir* = verbe pronominal)
*Il **est** mont**é** dans sa chambre.*
(*monter* : changement de lieu, sans objet direct)
*Il **a** mont**é** ses bagages dans sa chambre.*
(*monter* + complément d'objet direct)

❑ L'ACCORD DU PARTICIPE PASSÉ

1. Les temps composés avec *avoir*

Le participe s'accorde avec le complément d'objet direct quand celui-ci est placé avant le verbe.
*La comédie que j'ai regard**ée** hier à la télé était très drôle.*

*Ces disques sont excellents. Je les ai écout**és** plusieurs fois.*

Lorsque le complément d'objet direct suit le verbe, il n'y a pas d'accord.
*Nous avons achet**é** deux glaces.*

Tableaux de conjugaison

2. Les temps composés avec *être*

Le participe s'accorde en général avec le sujet.

*Elles sont arriv**ées** par le train.*

*Nous sommes all**és** ensemble à Paris.*

*Nous nous sommes perd**us**.*

Avec les verbes pronominaux, on fait l'accord avec le complément d'objet qui précède le verbe quand il est différent du pronom réfléchi.

*Elle s'est lav**é** les cheveux. Elle se les est séch**és** avec le sèche-cheveux.*

*J'aime beaucoup la voiture que mon père s'est achet**ée**.*

❑ TABLEAUX DE CONJUGAISON DES VERBES RÉGULIERS

Verbes en -er, type parler

indicatif présent	imparfait	passé composé	plus-que-parfait	passé simple	futur
je parle	je parlais	j'ai parlé	j'avais parlé	je parlai	je parlerai
tu parles	tu parlais	tu as parlé	tu avais parlé	tu parlas	tu parleras
il/elle parle	il/elle parlait	il/elle a parlé	il/elle avait parlé	il/elle parla	il/elle parlera
nous parlons	nous parlions	nous avons parlé	nous avions parlé	nous parlâmes	nous parlerons
vous parlez	vous parliez	vous avez parlé	vous aviez parlé	vous parlâtes	vous parlerez
ils/elles parlent	ils/elles parlaient	ils/elles ont parlé	ils/elles avaient parlé	ils/elles parlèrent	ils/elles parleront
impératif présent	**conditionnel présent**	**conditionnel passé**	**subjonctif présent**	**infinitif présent**	**participe présent**
	je parlerais	j'aurais parlé	que je parle	parler	parlant
parle	tu parlerais	tu aurais parlé	que tu parles		
	il/elle parlerait	il/elle aurait parlé	qu'il/elle parle		
parlons	nous parlerions	nous aurions parlé	que nous parlions		
parlez	vous parleriez	vous auriez parlé	que vous parliez		
	ils/elles parleraient	ils/elles auraient parlé	qu'ils/elles parlent		

Les verbes en **-cer** et en **-ger** s'écrivent avec **ç** ou **ge** devant des terminaisons commençant par **o** ou **a**.
*En man**ge**ant, nous commen**ç**ons, il commen**ç**ait.*

Les verbes en **-yer** changent le **y** en **i** devant un **e muet**.
*Nettoyer ➜ je netto**i**e, je netto**i**erai.*

Les verbes en **-eler** et **-eter** doublent la consonne **l** et **t** quand la terminaison est un **e muet** au présent et au futur.
*Appeler ➜ j'appe**ll**e, j'appe**ll**erai, nous appe**ll**erons.*
➜ mais *nous appelons, j'appelais.*

Verbes en -ir, type finir/finissant (de même : étourdir, fournir, obéir, ralentir, réagir, réfléchir, réussir, réunir, rougir)

indicatif présent	imparfait	passé composé	plus-que-parfait	passé simple	futur
je finis	je finissais	j'ai fini	j'avais fini	je finis	je finirai
tu finis	tu finissais	tu as fini	tu avais fini	tu finis	tu finiras
il/elle finit	il/elle finissait	il/elle a fini	il/elle avait fini	il/elle finit	il/elle finira
nous finissons	nous finissions	nous avons fini	nous avions fini	nous finîmes	nous finirons
vous finissez	vous finissiez	vous avez fini	vous aviez fini	vous finîtes	vous finirez
ils/elles finissent	ils/elles finissaient	ils/elles ont fini	ils/elles avaient fini	ils/elles finirent	ils/elles finiront
impératif présent	**conditionnel présent**	**conditionnel passé**	**subjonctif présent**	**infinitif présent**	**participe présent**
	je finirais	j'aurais fini	que je finisse	finir	finissant
finis	tu finirais	tu aurais fini	que tu finisses		
	il/elle finirait	il/elle aurait fini	qu'il/elle finisse		
finissons	nous finirions	nous aurions fini	que nous finissions		
finissez	vous finiriez	vous auriez fini	que vous finissiez		
	ils/elles finiraient	ils/elles auraient fini	qu'ils/elles finissent		

Verbe pronominaux, type : se tromper

indicatif présent	imparfait	passé composé	plus-que-parfait	passé simple	futur
je me trompe	je me trompais	je me suis trompé(e)	je m'étais trompé(e)	je me trompai	je me tromperai
tu te trompes	tu te trompais	tu t'es trompé(e)	tu t'étais trompé(e)	tu te trompas	tu te tromperas
il/elle se trompe	il/elle se trompait	il/elle s'est trompé(e)	il/elle s'était trompé(e)	il/elle se trompa	il/elle se trompera
nous nous trompons	nous nous trompions	nous nous sommes trompé(e)s	nous nous étions trompé(e)s	nous nous trompâmes	nous nous tromperons
vous vous trompez	vous vous trompiez	vous vous êtes trompé(e)s	vous vous étiez trompé(e)s	vous vous trompâtes	vous vous tromperez
ils/elles se trompent	ils/elles se trompaient	ils/elles se sont trompé(e)s	ils/elles s'étaient trompé(e)s	ils/elles se trompèrent	ils/elles se tromperont
impératif présent	**conditionnel présent**	**conditionnel passé**	**subjonctif présent**	**infinitif présent**	**participe présent**
	je me tromperais	je me serais trompé(e)	que je me trompe	se tromper	se trompant
trompe-toi	tu te tromperais	tu te serais trompé(e)	que tu te trompes		
	il/elle se tromperait	il/elle se serait trompé(e)	qu'il/elle se trompe		
trompons-nous	nous nous tromperions	nous nous serions trompé(e)s	que nous nous trompions		
trompez-vous	vous vous tromperiez	vous vous seriez trompé(e)s	que vous vous trompiez		
	ils/elles se tromperaient	ils/elles se seraient trompé(e)s	qu'ils/elles se trompent		

❑ Tableaux de conjugaison des verbes auxiliaires et semi-auxiliaires : avoir, être, aller, venir

Avoir

indicatif présent	imparfait	passé composé	plus-que-parfait	passé simple	futur
j'ai	j'avais	j'ai eu	j'avais eu	j'eus	j'aurai
tu as	tu avais	tu as eu	tu avais eu	tu eus	tu auras
il/elle a	il/elle avait	il/elle a eu	il/elle avait eu	il/elle eut	il/elle aura
nous avons	nous avions	nous avons eu	nous avions eu	nous eûmes	nous aurons
vous avez	vous aviez	vous avez eu	vous aviez eu	vous eûtes	vous aurez
ils/elles ont	ils/elles avaient	ils/elles ont eu	ils/elles avaient eu	ils/elles eurent	ils/elles auront
impératif présent	**conditionnel présent**	**conditionnel passé**	**subjonctif présent**	**infinitif présent**	**participe présent**
	j'aurais	j'aurais eu	que j'aie	avoir	ayant
aie	tu aurais	tu aurais eu	que tu aies		
	il/elle aurait	il/elle aurait eu	qu'il/elle ait		
ayons	nous aurions	nous aurions eu	que nous ayons		
ayez	vous auriez	vous auriez eu	que vous ayez		
	ils/elles auraient	ils/elles auraient eu	qu'ils/elles aient		

Être

indicatif présent	imparfait	passé composé	plus-que-parfait	passé simple	futur
je suis	j'étais	j'ai été	j'avais été	je fus	je serai
tu es	tu étais	tu as été	tu avais été	tu fus	tu seras
il/elle est	il/elle était	il/elle a été	il/elle avait été	il/elle fut	il/elle sera
nous sommes	nous étions	nous avons été	nous avions été	nous fûmes	nous serons
vous êtes	vous étiez	vous avez été	vous aviez été	vous fûtes	vous serez
ils/elles sont	ils/elles étaient	ils/elles ont été	ils/elles avaient été	ils/elles furent	ils/elles seront
impératif présent	**conditionnel présent**	**conditionnel passé**	**subjonctif présent**	**infinitif présent**	**participe présent**
	je serais	j'aurais été	que je sois	être	étant
sois	tu serais	tu aurais été	que tu sois		
	il/elle serait	il/elle aurait été	qu'il/elle soit		
soyons	nous serions	nous aurions été	que nous soyons		
soyez	vous seriez	vous auriez été	que vous soyez		
	ils/elles seraient	ils/elles auraient été	qu'ils/elles soient		

Aller

indicatif présent	imparfait	passé composé	plus-que-parfait	passé simple	futur
je vais	j'allais	je suis allé(e)	j'étais allé	j'allai	j'irai
tu vas	tu allais	tu es allé(e)	tu étais allé	tu allas	tu iras
il/elle va	il/elle allait	il/elle est allé(e)	il/elle était allé	il/elle alla	il/elle ira
nous allons	nous allions	nous sommes(e)s	nous étions allé(e)s	nous allâmes	nous irons
vous allez	vous alliez	vous êtes allé(e)s	vous étiez allé(e)s	vous allâtes	vous irez
ils/elles vont	ils/elles allaient	ils/elles sont allé(e)s	ils/elles étaient allé(e)s	ils/elles allèrent	ils/elles iront
impératif présent	**conditionnel présent**	**conditionnel passé**	**subjonctif présent**	**infinitif présent**	**participe présent**
	j'irais	je serais allé	que j'aille	aller	allant
va	tu irais	tu serais allé(e)	que tu ailles		
	il/elle irait	il/elle serait allé(e)	qu'il/elle aille		
allons	nous irions	nous serions allé(e)s	que nous allions		
allez	vous iriez	vous seriez allé(e)s	que vous alliez		
	ils/elles iraient	ils/elles seraient allé(e)s	qu'ils/elles aillent		

Venir

indicatif présent	imparfait	passé composé	plus-que-parfait	passé simple	futur
je viens tu viens il/elle vient nous venons vous venez ils/elles viennent	je venais tu venais il/elle venait nous venions vous veniez ils/elles venaient	je suis venu(e) tu es venu(e) il/elle est venu(e) nous sommes venu(e)s vous êtes venu(e)s ils/elles sont venu(e)s	j'étais venu(e) tu étais venu(e) il/elle était venu(e) nous étions venu(e)s vous étiez venu(e)s ils/elles étaient venu(e)s	je vins tu vins Il/elle vint nous vînmes vous vîntes ils/elles vinrent	je viendrai tu viendras il/elle viendra nous viendrons vous viendrez ils/elles viendront
impératif présent	**conditionnel présent**	**conditionnel passé**	**subjonctif présent**	**infinitif présent**	**participe présent**
viens venons venez	je viendrais tu viendrais il/elle viendrait nous viendrions vous viendriez ils/elles viendraient	je serais venu(e) tu serais venu(e) il/elle serait venu(e) nous serions venu(e)s vous seriez venu(e)s ils/elles seraient venu(e)s	que je vienne que tu viennes qu'il/elle vienne que nous venions que vous veniez qu'ils/elles viennent	venir	venant

II. VERBES IRRÉGULIERS ET EXCEPTIONS

Le conditionnel n'est pas donné parce qu'il se construit toujours comme le futur. De même, le participe présent se construit sur la 1re personne du pluriel du présent de l'indicatif.

Infinitif	Indicatif présent		Imparfait	Passé composé	Futur	Subjonctif présent
abattre	j'abats nous abattons	il abat ils abattent	j'abattais nous abattions	j'ai abattu nous avons abattu	j'abattrai nous abattrons	que j'abatte que nous abattions
acquérir	j'acquiers nous acquérons	il acquiert ils acquièrent	j'acquérais nous acquérions	j'ai acquis nous avons acquis	j'acquerrai nous acquerrons	que j'acquière que nous acquérions
acheter	j'achète nous achetons	il achète vous achetez	j'achetais nous achetions	j'ai acheté nous avons acheté	j'achèterai nous achèterons	que j'achète que nous achetions
apercevoir	j'aperçois nous apercevons	il aperçoit ils aperçoivent	j'apercevais nous apercevions	j'ai aperçu nous avons aperçu	j'apercevrai nous apercevrons	que j'aperçoive que nous apercevions
appeler	j'appelle nous appelons	il appelle ils appellent	j'appelais nous appelions	j'ai appelé nous avons appelé	j'appellerai nous appellerons	que j'appelle que nous appelions
s'asseoir	je m'assieds nous nous asseyons	il s'assied ils s'asseyent	je m'asseyais nous nous asseyions	je me suis assis nous nous sommes assis	je m'assierai nous nous assierons	que je m'asseye que nous nous asseyions
atteindre :	*voir craindre*					
attendre :	*voir rendre*					
boire	je bois nous buvons	il boit ils boivent	je buvais nous buvions	j'ai bu nous avons bu	je boirai nous boirons	que je boive que nous buvions
combattre :	*voir abattre*					
conduire	je conduis nous conduisons	il conduit ils conduisent	je conduisais nous conduisions	j'ai conduit nous avons conduit	je conduirai nous conduirons	que je conduise que nous conduisions
connaître	je connais nous connaissons	il connaît ils connaissent	je connaissais nous connaissions	j'ai connu nous avons connu	je connaîtrai nous connaîtrons	que je connaisse que nous connaissions
courir	je cours nous courons	il court ils courent	je courais nous courions	j'ai couru nous avons couru	je courrai nous courrons	que je coure que nous courions
craindre	je crains nous craignons	il craint ils craignent	je craignais nous craignions	j'ai craint nous avons craint	je craindrai nous craindrons	que je craigne que nous craignions
croire	je crois nous croyons	il croit ils croient	je croyais nous croyions	j'ai cru nous avons cru	je croirai nous croirons	que je croie que nous croyions
découvrir :	*voir ouvrir*					
déduire :	*voir conduire*					
dépendre :	*voir rendre*					
devoir	je dois nous devons	il doit ils doivent	je devais nous devions	j'ai dû nous avons dû	je devrai nous devrons	que je doive que nous devions
dire	je dis ns. disons, vs. dites	il dit ils disent	je disais nous disions	j'ai dit nous avons dit	je dirai nous dirons	que je dise que nous disions
dormir	je dors nous dormons	il dort ils dorment	je dormais nous dormions	j'ai dormi nous avons dormi	je dormirai nous dormirons	que je dorme que nous dormions
écrire	j'écris nous écrivons	il écrit ils écrivent	j'écrivais nous écrivions	j'ai écrit nous avons écrit	j'écrirai nous écrirons	que j'écrive que nous écrivions
entendre :	*voir rendre*					
entreprendre :	*voir rendre*					
envoyer	j'envoie nous envoyons	il envoie ils envoient	j'envoyais nous envoyions	j'ai envoyé nous avons envoyé	j'enverrai nous enverrons	que j'envoie que nous envoyions

Infinitif	Indicatif présent		Imparfait	Passé composé	Futur	Subjonctif présent
éteindre :	*voir craindre*					
faire	je fais ns. faisons, vs. faites	il fait ils font	je faisais nous faisions	j'ai fait nous avons fait	je ferai nous ferons	que je fasse que nous fassions
falloir		il faut	il fallait	il a fallu	il faudra	qu'il faille
fuir	je fuis nous fuyons	il fuit ils fuient	je fuyais nous fuyions	j'ai fini nous avons fini	je fuirai nous fuirons	que je fuie que nous fuyions
jeter	je jette nous jetons	il jette ils jettent	je jetais nous jetions	j'ai jeté nous avons jeté	je jetterai nous jetterons	que je jette que nous jetions
joindre :	*voir craindre*					
lire	je lis nous lisons	il lit ils lisent	je lisais nous lisions	j'ai lu nous avons lu	je lirai nous lirons	que je lise que nous lisions
mettre	je mets nous mettons	il met ils mettent	je mettais nous mettions	j'ai mis nous avons mis	je mettrai nous mettrons	que je mette que nous mettions
mourir	je meurs nous mourons	il meurt ils meurent	je mourais nous mourions	je suis mort nous sommes morts	je mourrai nous mourrons	que je meure que nous mourions
naître	je nais nous naissons	il naît ils naissent	je naissais nous naissions	je suis né nous sommes nés	je naîtrai nous naîtrons	que je naisse que nous naissions
ouvrir	j'ouvre nous ouvrons	il ouvre ils ouvrent	j'ouvrais nous ouvrions	j'ai ouvert nous avons ouvert	j'ouvrirai nous ouvrirons	que j'ouvre que nous ouvrions
paraître	je parais nous paraissons	il paraît ils paraissent	je paraissais nous paraissions	j'ai paru nous avons paru	je paraîtrai nous paraîtrons	que je paraisse que nous paraissions
partir	je pars nous partons	il part ils partent	je partais nous partions	je suis parti nous sommes partis	je partirai nous partirons	que je parte que nous partions
plaindre :	*voir craindre*					
plaire	je plais nous plaisons	il plaît ils plaisent	je plaisais nous plaisions	j'ai plu nous avons plu	je plairai nous plairons	que je plaise que nous plaisions
pleuvoir		il pleut	il pleuvait	il a plu	il pleuvra	qu'il pleuve
pouvoir	je peux nous pouvons	il peut ils peuvent	je pouvais nous pouvions	j'ai pu nous avons pu	je pourrai nous pourrons	que je puisse que nous puissions
prendre	je prends nous prenons	il prend ils prennent	je prenais nous prenions	j'ai pris nous avons pris	je prendrai nous prendrons	que je prenne que nous prenions
recevoir :	*voir apercevoir*					
reconnaître :	*voir connaître*					
redécouvrir :	*voir ouvrir*					
rendre	je rends nous rendons	il rend ils rendent	je rendais nous rendions	j'ai rendu nous avons rendu	je rendrai nous rendrons	que je rende que nous rendions
répondre :	*voir rendre*					
résoudre	je résous nous résolvons	il résout ils résolvent	je résolvais nous résolvions	j'ai résolu nous avons résolu	je résoudrai nous résoudrons	que je résolve que nous résolvions
retenir :	*voir tenir*					
revenir :	*voir venir*					
revoir :	*voir voir*					
rire	je ris nous rions	il rit ils rient	je riais nous riions	j'ai ri nous avons ri	je rirai nous rirons	que je rie que nous riions
savoir (sachant)	je sais nous savons	il sait ils savent	je savais nous savions	j'ai su nous avons su	je saurai nous saurons	que je sache que nous sachions
sentir	je sens nous sentons	il sent ils sentent	je sentais nous sentions	j'ai senti nous avons senti	je sentirai nous sentirons	que je sente que nous sentions
servir	je sers nous servons	il sert ils servent	je servais nous servions	j'ai servi nous avons servi	je servirai nous servirons	que je serve que nous servions
suffire	je suffis nous suffisons	il suffit ils suffisent	je suffisais nous suffisions	j'ai suffi nous avons suffi	je suffirai nous suffirons	que je suffise que nous suffisions
suivre	je suis nous suivons	il suit ils suivent	je suivais nous suivions	j'ai suivi nous avons suivi	je suivrai nous suivrons	que je suive que nous suivions
tenir	je tiens nous tenons	il tient ils tiennent	je tenais nous tenions	j'ai tenu nous avons tenu	je tiendrai nous tiendrons	que je tienne que nous tenions
traduire :	*voir conduire*					
valoir	je vaux nous valons	il vaut ils valent	je valais nous valions	j'ai valu nous avons valu	je vaudrai nous vaudrons	que je vaille que nous valions
vivre	je vis nous vivons	il vit ils vivent	je vivais nous vivions	j'ai vécu nous avons vécu	je vivrai nous vivrons	que je vive que nous vivions
voir	je vois nous voyons	il voit ils voient	Je voyais nous voyions	j'ai vu nous avons vu	je verrai nous verrons	que je voie que nous voyions
vouloir	je veux nous voulons	il veut ils veulent	je voulais nous voulions	j'ai voulu nous avons voulu	je voudrai nous voudrons	que je veuille que nous voulions

LEXIQUE

Le numéro qui figure à gauche du mot renvoie à l'unité où le mot apparaît pour la première fois.

adj. : adjectif
adv. : adverbe
f. : féminin
indéf. : indéfini
imp. : impersonnel
intr. : intransitif
inv. : invariable
loc. : locution
m. : masculin
n. : nom
p. : pluriel
pr. : pronominal
prép. : préposition
pron. : pronom
tr. : transitif
v. : verbe

A

10	**abattre, v.tr.**	gehen lassen (sich)	to demoralize	abatir, vencer	abater	καταβάλλω
11	**absent, adj.**	abwesend	absent	ausente	ausente	απών
3	**abord (d'), loc.**	zuerst	first of all	primero	primeiramente	καταρχήν
9	**abuser, v.tr.**	mißbrauchen	to abuse, overdo	abusar	abusar	καταχρώμαι
10	**acceptable, adj.**	annehmbar	acceptable	aceptable	aceitável	αποδεκτός
2	**accepter, v.tr.**	akzeptieren	to accept	aceptar	aceitar	δέχομαι
6	**accès, n.m.**	Zugang	access	acceso	acesso	είσοδος
7	**accompagnateur, n.m.**	Begleiter	guide	acompañante	acompanhante	συνοδός
8	**acquérir,v.tr.**	erstehen	to acquire	adquirir	adquirir	αποκτώ
14	**actif, adj**	aktiv	active	activo	activo	ενεργητικός
14	**action, n.f.**	Aktion	action	acción	acção	δράση
3	**actualité, n.f.**	Nachrichten	news, current events	actualidad	actualidade	επικαιρότητα
12	**actuel, adj.**	aktuell	current	actual	actual	επίκαιρος
8	**actuellement, adv.**	im Moment	at present	actualmente	actualmente	τώρα
13	**adaptation, n.f.**	Anpassung	adaptation	adaptación	adaptação	προσαρμογή
6	**adapté, adj.**	angepaßt	suited	adaptado	adaptado	κατάλληλος
13	**adapter (s'... à), v.pr.**	anpassen (sich)	to adapt o.s.	adaptarse	adaptar (se)	προσαρμόζομαι
12	**administration, n.f.**	Verwaltung	Civil Service	administración	administração	διοίκηση
7	**admirable, adj.**	bewundernswert	admirable	admirable	admirável	θαυμαστός
10	**adorable, adj.**	bezaubernd	delightful	adorable	adorável	θαυμάσιος
1	**adresser (s' à...), v.pr.**	wenden (sich)	to contact, enquire	dirigirse	dirigir (se ... a)	απευθύνομαι
6	**affaires, n.f.p.**	Sachen	belongings	negocios	coisas	πράγμα
15	**affolement, n.m.**	Aufregung	turmoil	enloquecimiento	enlouquecimento	πανικός
15	**agence, n.f.**	Agentur	agency	agencia	agência	πρακτορείο
15	**agenda, n.m.**	Terminkalender	diary	agenda	agenda	ατζέντα
2	**agir (s'... de), v.pr.imp.**	handeln (sich...um)	to be about (sthg)	trata (se ... de)	tratar (se ... de))	πρόκειται
8	**agréable, adj.**	angenehm	pleasant	agradable	agradável	ευχάριστος
12	**agriculture, n.f.**	Landwirtschaft	agriculture	agricultura	agricultura	γεωργία
14	**ailleurs, adv.**	anderswo	elsewhere	en otra parte	em outra parte	αλλού
16	**air, n.m.**	Luft	air	aire	ar	μοιάζω
12	**air (avoir l' ... de), loc.**	aussehen	to seem	parecer	parecer	σκοπός
16	**air (de musique), n.m.**	Melodie	melody	músical	música	αέρας
16	**aisance, n.f.**	Leichtigkeit	ease	soltura	desembaraço	άνεση
6	**allumer, v.tr.**	anmachen	to switch on	encender	ligar	ανάβω
14	**alsacien, adj.**	elsässisch	Alsatian	alsaciano	alsaciano	αλσατικός
9	**ambiance, n.f.**	Atmosphäre	atmosphere	ambiente	ambiente	ατμόσφαιρα
11	**amer, adj.**	herb	bitter	amargo	amargo	πικρός
15	**amicalement, adv.**	freundlich	in a friendly manner	amistosamente	cordialmente	φιλικά
8	**amitié, n.f.**	Freundschaft	friendship	amistad	amizade	φιλία
8	**amour, n.m.**	Liebe	love	amor	amor	έρωτας
9	**amusant, adj.**	unterhaltsam	amusing	divertido	divertido	διακεδαστικός
11	**anonyme, adj.**	anonym	anonymous	anónimo	anónimo	ανώνυμος
2	**août, n.m.**	August	August	agosto	Agosto	Αύγουστος
12	**apercevoir (s'... de), v.pr.**	bemerken	to notice	darse cuenta	notar	αντιλαμβάνομαι

2	**apéritif, n.m.**	Aperitif	aperitif	aperitivo	aperitivo	απεριτίφ
15	**appareil, n.m.**	Apparat	receiver	aparato	aparelho	συσκευή
16	**apparition, n.f.**	Erscheinung	appearance	aparición	aparição	εμφάνιση
15	**appétit, n.m.**	Appetit	appetite	apetito	apetite	όρεξη
6	**apprécier, v.tr.**	mögen	to like	apreciar	apreciar	εκτιμώ
7	**approcher, v.tr.**	nähern (sich)	to come, approach	acercarse	aproximar (se)	πλησιάζω
7	**arbre, n.m.**	Baum	tree	árbol	árvore	δέντρο
6	**argent de poche, n.m.**	Taschengeld	pocket money	dinero para gastos menudos	dinheiro para pequenas despesas	χαρτζιλίκι
15	**argent liquide, n.m.**	Bargeld	cash	dinero suelto	dinheiro em espécie	ρευστά
10	**argument, n.m.**	Argument	argument	argumento	argumento	επιχείρημα
10	**arranger (s'), v.pr.**	arrangieren (sich)	to work itself out	arreglarse	arranjar (se)	
13	**arrière (à l'... de), loc.**	hinten	at the back	detrás	atrás	πίσω
10	**arriver à, v.intr.**	beginnen zu	to manage (to do)	llegar a	conseguir	καταφέρνω
14	**arrogant, adj.**	arrogant	arrogant	arrogante	arrogante	υπεροπτικός
15	**assassinat, n.m**	Mord	murder, assassination	asesinato	assassinato	φόνος
2	**asseoir (s'), v.pr.**	setzen (sich)	to sit down	sentarse	sentar (se)	κάθομαι
11	**assez, adv.**	genug	quite	bastante	bastante	αρκετά
1	**assister à, v.intr.**	beiwohnen	to attend	asistir	assistir a	παρευρίσκομαι
3	**association, n.f.**	Verein	association	asociación	associação	σύνδεσμος
12	**attaché (être ... à), adj.**	hängen an	attached (to be... to)	ligado (estar ... a)	ligado (ser ... a)	προσηλωμένος
16	**atteindre, v.tr.**	erreichen	to reach	alcanzar	atingir	φτάνω
10	**attendre, v.tr.**	warten	to wait	esperar	esperar	περιμένω
2	**attention, n.f.**	Achtung	attention	atención	atenção	προσοχή
4	**attention (à l'... de), loc.**	zu Händen von	for the attention of	a la atención de	aos cuidados de	υπόψη
15	**attentionné, adj.**	aufmerksam	considerate	atento	atencioso	ευγενικός
15	**attester sur l'honneur, v.intr.**	bestätigen	to swear on one's honour	testificar bajo palabra de honor	atestar sob palavra de honra	ορκίζομαι στην τιμή μου
2	**attirer, v.tr.**	anziehen	to attract	atraer	chamar	τραβάω
13	**attraper, v.tr.**	fangen	to catch	atrapar	agarrar	αρπάζω
13	**aucun, adj./pr.ind.**	kein	none	ninguno	nenhum	κανείς
3	**auditeur, n.m.**	Hörer	listener	oyente	ouvinte	ακροατής
2	**aujourd'hui, adv.**	heute	today	hoy	hoje	σήμερα
13	**auparavant, adv.**	früher	before	antes	antes	πριν
15	**auprès, adv.**	bei	with	cerca	junto a	κοντά
16	**aussitôt, adv.**	sogleich	as soon as	en seguida	logo	αμέσως
14	**authenticité, n.f.**	Wahre	authenticity	autenticidad	autenticidade	αυθεντικότητα
14	**authentique, adj.**	wahr	authentic	auténtico	autêntico	αυθεντικός
6	**auto-stop, n.m.**	per Anhalter	hitch-hiking	autostop	boleia	ωτοστόπ
10	**(auto)bus, n.m.**	Stadtbus	bus	autobús	autocarro	λεωφορείο
11	**automobiliste, n.m./f.**	Autofahrer	motorist	automovilista	automobilista	αυτοκινητιστής
12	**autonome, adj.**	autonom	autonomous	autónomo	autónomo	αυτόνομος
12	**autonomie, n.f.**	Autonomie	autonomy	autonomía	autonomia	αυτονομία
6	**autoritaire, adj.**	autoritär	authoritarian, bossy	autoritario	autoritário	αυταρχικός
15	**autoroute, n.f.**	Autobahn	motorway	autopista	auto-estrada	αυτοκινητόδρομος
9	**autour de, loc.**	um	around	alrededor de	em volta de	γύρω από
7	**avance (à l), loc.**	im voraus	in advance	por adelantado	com antecedência	νωρίτερα
13	**avancer, v.intr.**	vorwärtsbewegen	to advance, travel	avanzar	avançar	προχωρώ
8	**avantage, n.m.**	Vorteil	advantage	ventaja	vantagem	πλεονέκτημα
15	**avis, n.m.**	Meinung	opinion	opinión	aviso	ειδοποίηση
3	**avril, n.m.**	April	April	abril	Abril	Απρίλιος

B

16	**baba, n.m.**	franz. Kuchen	baba	clase de pastel (borracho)	babá (espécie de pastel)	μπαμπά(γλυκό)
7	**bagages, n.m.p.**	Gepäck	luggage	equipaje	bagagem	αποσκευές
7	**banal, adj.**	banal	banal	vulgar	banal	κοινότυπος
9	**bande-dessinée, n.f.**	Comics	comic strip	historieta	banda desenhada	κόμιξ
10	**banderole, n.f.**	Spruchband	banderole	banderola	bandeirola	πανώ
5	**banque, n.f.**	Bank	bank	banco	banco	τράπεζα
12	**basque, adj.**	baskisch	Basque	vasco	vasconço	βασκικός
7	**bateau habitable, n.m.**	Hausboot	barge, houseboat	barco habitable	barco habitável	πλοίο-κατοικία
2	**besoin de (avoir), loc.**	brauchen	to need	necesitar	precisar de	έχω ανάγκη
14	**bête, adj.**	Tier	simple, stupid	tonto	tolo	χαζός
14	**bilingue, adj.**	zweisprachig	bilingual	bilingüe	bilingue	δίγλωσσος
13	**biplace, adj.**	Zweisitzer	two-seater	biplaza	de dois lugares	διθέσιο
15	**bistrot, n.m.**	Bistrot	pub	tasca	botequim	καφενείο

3	**bloqué, adj.**	blokiert	stuck, blocked	atrapado	bloqueado	μπλοκαρισμένος
16	**blouse, n.f.**	Weste	blouse, smock	blusa	blusa	μπλούζα
6	**blouson, n.m.**	Blouson	jacket	cazadora	blusão	μπουφάν
13	**bois, n.m.**	Holz	wood	leña	lenha	ξύλο
8	**boîte, n.f.**	Schachtel	firm (lit.: box)	empresa	empresa	επιχείρηση
12	**boîte à gant, n.f.**	Handschuhfach	glove compartment	guantera	porta-luvas	θήκη γαντιών
7	**bonheur, n.m.**	Glück	joy	felicidad	felicidade	ευτυχία
3	**bord, n.m.**	Ufer	(river) bank	ribera	margem	όχθη
16	**bouchée, n.f.**	Happen	mouthful	bocado	bocado	μπουκιά
4	**bouffe, n.f.**	Essen	meal, food	comida	comida	φαγητό
4	**bougie, n.f.**	Kerze	candle	vela	vela	κερί
3	**boulanger, n.m.**	Bäcker	baker	panadero	padeiro	φούρναρης
3	**boulangerie, n.f.**	Bäckerei	bakery	panadería	padaria	φούρνος
12	**boulevard, n.m.**	Boulevard	boulevard	paseo	bulevar	λεωφόρος
15	**bouquet, n.m.**	Strauß	bouquet, bunch	ramo	ramalhete	ανθοδέσμη
16	**bout (au... de), loc.**	am Ende	to the ends of	al cabo de	no fim de	μετά από
10	**bout (être à), loc.**	am Ende sein	to have had enough	no poder más	esgotado, exausto (estar)	εξαντλούμαι
16	**bras, n.m.**	Arm	arm	brazo	braço	αγκαλιά
2	**brasserie, n.f.**	Kneipe, Gasthaus	pub, brasserie	cervecería	cervejaria	μπυραρία
12	**breton, adj.**	bretonisch	Breton	bretón	bretão	βρετονικός
14	**brillant, adj.**	brilliant	brilliant	brillante	brilhante	λαμπερός
16	**brise, n.f.**	leichter Wind	breeze	brisa	brisa	αύρα
13	**brochure, n.f.**	Broschüre	brochure	folleto	folheto	φυλλάδιο
4	**buffet, n.m.**	Buffet	buffet meal	comida	buffet	μπουφές
9	**but, n.m.**	Ziel	aim	objetivo	objectivo	σκοπός

C

13	**cabane, n.f.**	Hütte	cabin	cabaña	cabana	καλύβα
11	**cabinet, n.m.**	Kanzlei, Praxis	office, agency	gabinete	gabinete	γραφείο
6	**cacher, v.tr.**	verstecken	to hide	esconder	esconder	κρύβω
9	**cadre, n.m.**	Umgebung	surroundings	encuadre	quadro	πλαίσιο
15	**caisse, n.f.**	Kasse	cashier's desk	caja	caixa	ταμείο
6	**calmement, adv.**	ruhig	calmly	con tranquilidad, tranquilamente	calmamente	ήρεμα
10	**calmer (se), v.pr.**	beruhigen (sich)	to calm down	tranquilizarse	acalmar (se)	ηρεμώ
7	**camaraderie, n.f.**	Freundschaft	good-companionship	camaradería	camaradagem	συντροφικότητα
15	**cambrioleur, n.m.**	Dieb	burglar	ladrón	arrombador	διαρρήκτης
9	**caméra, n.f.**	Kamera	camera	cámara	câmara	κάμερα
9	**caméraman, n.m.**	Kameramann	cameraman	cámara	câmara	κάμεραμαν
14	**camp(ement), n.m.**	Lager	encampment	campamento	acampamento	καταυλισμός
13	**camper, v.intr.**	lagern	to camp	acampar	acampar	κατασκηνώνω
7	**canal, n.m.**	Kanal	canal	canal	canal	κανάλι
16	**cantonner (se), v.pr.**	zurückziehen (sich)	to be confined	encerrarse	limitar (se)	περιορίζομαι
14	**capable, adj.**	fähig	capable	capaz	capaz	ικανός
5	**capital, n.m.**	Kapital	capital	capital	capital	πρωτεύουσα
7	**capitale, n.f.**	Hauptstadt	capital (city)	capital	capital	
7	**caractère, n.m.**	Charakter	character	personalidad	personalidade	χαρακτήρας
16	**caresser, v.tr.**	streicheln	to caress	acariciar	acariciar	χαϊδεύω
15	**carnaval, n.m.**	Karneval	carnaval	carnaval	carnaval	καρναβάλι
1	**carnet, n.m.**	Heft	notebook	libreta	caderneta	σημειωματάριο
8	**carrière, n.f.**	Karriere	career	carrera	carreira	σταδιοδρομία
12	**casser, v.tr.**	aufbrechen	to break	romper	quebrar	σπάω
12	**catalan, adj.**	katalanisch	Catalan	catalán	catalão	καταλανικός
13	**céder, v.intr.**	nachgeben	to give way	ceder	ceder	υποχωρώ
4	**célébration, n.f.**	Feier	celebration	celebración	celebração	εορτασμός
5	**célèbre, adj.**	berühmt	famous	famoso	célebre	φημισμένος
12	**centralisme, n.m.**	Zentralismus	centralism	centralismo	centralismo	συγκεντρωτισμός
8	**centre, n.m.**	Zentrum	centre	centro	centro	κέντρο
11	**cependant, adv.**	jedoch	however	sin embargo	entretanto, todavia	ωστόσο
14	**cercle, n.m.**	Kreis	circle	círculo	círculo	κύκλος
1	**certain, adj.**	einige	certain (people)	alguno	algum	σίγουρο
6	**chacun, pr. indéf.**	jeder	each	cada	cada	καθένας
7	**chambre d'hôtes, n.f.**	Gästezimmer	guest room	casa de huéspedes	turismo de habitação	δωμάτιο φιλοξενουμένων
14	**chameau, n.m.**	Kamel	camel	camello	camelo	καμήλα
8	**changement, n.m.**	Änderung	change	cambio	mudança	αλλαγή
5	**changer, v.tr.**	wechseln	to change	cambiar	mudar	αλλάζω

1	**chant, n.m.**	Singen	singing	canto	canto	τραγούδι
3	**chaque, adj.indéf.**	jeder	each, every	cada	cada	κάθε
15	**chargé, adj.**	voll	busy	encargado	cheio	φορτωμένος
16	**chargé, adj.**	beladen	loaded	cargado	carregado	φορτωμένος
7	**charme, n.m.**	Charme	charm	encanto	encanto	γοητεία
15	**chauffage, n.m.**	Heizung	heating	calefacción	aquecimento	θέρμανση
7	**chaussure, n.f.**	Schuh	shoe	zapato	sapato	παπούτσι
16	**chercher, v.tr.**	suchen	to fetch	buscar	buscar	ψάχνω
4	**chéri, n.m.**	Liebling	dear, darling	querido	querido	αγαπημένος
13	**cheval, n.m.**	Pferd	horse	caballo	cavalo	άλογο
5	**chien, n.m.**	Hund	dog	perro	cão	σκύλος
1	**chœur, n.m.**	Chor	choir	coro	coro	χορωδία
8	**chômeur, n.m.**	Arbeitsloser	unemployed person	parado	desempregado	άνεργος
1	**chorale, n.f.**	Chor	choral society, choir	coral	coral	χορωδία
5	**chose, n.f.**	Sache	thing	cosa	coisa	πράγμα
16	**chou, n.m.**	Windbeutel	puff	clase de pastel	espécie de pastel	σου (γλυκό)
14	**chrétien, adj.**	Christen	christian	cristiano	cristão	χριστιανός
11	**chuter, v.intr.**	fallen	to fall	caer	cair	
14	**ciel, n.m.**	Himmel	sky	cielo	céu	ουρανός
7	**circuit, n.m.**	Rundgang	tour	circuito	circuito	διαδρομή
1	**classique, adj.**	klassich	classical	clásico	clássico	κλασικός
10	**clientèle, n.f.**	Kundschaft	clientèle	clientela	clientela	πελατεία
15	**cochon, n.m.**	Schwein	pig	cerdo	porco	γουρούνι
11	**code, n.m.**	Codenummer	code	código	código	κώδικας
2	**cœur, n.m.**	Herz	heart	corazón	coração	καρδιά
14	**coiffer (se), v.pr.**	kämmen (sich)	to do one's hair	peinarse	pentear (se)	χτενίζομαι
7	**combattre, v.tr.**	kämpfen	to combat	combatir	combater	πολεμώ
9	**comédie, n.f.**	Komödie	comedy	comedia	comédia	κωμωδία
9	**comédien, n.m.**	Schauspieler	actor	actor	actor	ηθοποιός
9	**comique, adj.**	komisch	humorous	cómico	cómico	κωμικός
9	**commande, n.f.**	Bestellung	order	encargo	encomenda	παραγγελία
9	**commencer, v. tr.**	beginnen	to start	comenzar	começar	αρχίζω
10	**commerçant, n.m.**	Kaufmann, Händler	shopkeeper	comerciante	comerciante	
10	**commerce, n.m.**	Handel, Geschäft	commerce	comercio	comércio	εμπόριο
8	**commercial, adj.**	kaufmännisch	commercial	comercial	comercial	εμπορική
12	**commissariat, n.m.**	Polizeiwache	police station	comisaría	comissariado	αστυνομικό τμήμα
5	**commun (en), loc.**	öffentlich	in common	en común	em comum	δημόσια
12	**commune, n.f.**	Gemeinde	town, village	municipio	comuna	κοινότητα
6	**compagnie (en ... de), loc.**	in Begleitung von	accompanied by	acompañado por	acompanhado (por)	μαζί με
14	**compétent, adj.**	kompetent	competent	competente	competente	επιδέξιος
8	**compétition, n.f.**	Wettbewerb	competition	competición	competição	ανταγωνισμός
11	**complètement, adv.**	total	completely	completamente	completamente	τελείως
6	**compliqué, adj.**	kompliziert	complicated	complicado	complicado	περίπλοκος
10	**compliquer, v.tr.**	komplizieren	to complicate	complicar	complicar	μπερδεύω
11	**composer, v.tr.**	wählen	to enter	componer	marcar	σχηματίζω
6	**compréhensif, adj.**	verständnisvoll	understanding	comprensivo	compreensivo	με κατανόηση
3	**comptable, n.m.**	Buchhalter	accountant	contable	contador	λογιστής
6	**compter (= avoir de l'importance), v.intr.**	zählen	to count	contar, importar	contar	λαμβάνω υπόψη
4	**compter sur, v.intr.**	zählen auf	to count on	contar con	contar com	υπολογίζω σε
15	**comptoir, n.m.**	Theke	counter	mostrador	balcão	πάγκος
15	**concierge, n.m./f.**	Hausmeisterin	concierge, caretaker	portero	porteiro	θυρωρός
4	**confectionner, v.tr.**	vorbereiten	to prepare	preparar	preparar	φτιάχνω
10	**confidence, n.f.**	Vertrauen	little secret	confidencia	confidência	εξομολόγηση
10	**confident, n.m.**	Vertraute	confidant	confidente	confidente	έμπιστος
10	**confier (se), v.pr.**	vertrauen (sich)	to confide in	confiarse	confiar (se)	εμπιστεύομαι σε
11	**confirmation, n.f.**	Bestätigung	confirmation	comfirmación	confirmação	άνεση
7	**confort, n.m.**	Komfort	comfort	comodidad	conforto	επιβεβαίωση
11	**confus, adj.**	verworren	confused; ashamed	confuso	confuso	συγκεχυμένος
14	**connaissance, n.f.**	Kenntnis	acquaintance	conocimiento	conhecido	γνώση
16	**connaissance (faire), loc.**	Bekanntschaft (schließen)	acquaintance (to make)	conocer	conhecer	γνωρίζω
6	**conseil, n.m.**	Rat	advice	consejo	conselho	συμβουλή
10	**considérer, v.tr.**	erwägen	to consider	considerar	considerar	θεωρώ
8	**consommer, v.tr.**	verbrauchen	to consume	consumir	consumir	καταναλώνω
12	**constater, v.tr.**	feststellen	to note	constatar	constatar	διαπιστώνω
13	**construction, n.f.**	Bau, Konstruktion	construction	construcción	construção	κατασκευή
12	**consulat, n.m.**	Konsulat	consulate	consulado	consulado	προξενείο

1	**contemporain, adj.**	zeitgenössisch	contemporary	contemporáneo	contemporâneo	σύγχρονος
16	**conter, v.tr.**	zählen	to tell (story)	contar	contar	διηγούμαι
14	**contradictoire, adj.**	widersprüchlich	contradictory	contradictorio	contraditório	αντιφατικός
16	**contraire (au), loc.**	im Gegenteil	on the contrary	al contrario	ao contrário	αντίθετα
8	**contre, adv.**	gegen	against	contra	contra	κατά
15	**convenir, v.intr.**	passen	to suit	convenir, acordar	convir	βολεύει
4	**convier, v.tr.**	einladen	to invite	invitar	convidar	προσκαλώ
12	**copie, n.f.**	Kopie	copy	copia	cópia	αντίγραφο
11	**copropriétaire, n.m.**	Miteigentümer	co-owner	copropietario	co-proprietário	συνιδιοκτήτης
12	**correspondre à, v.intr.**	entsprechen	to correspond to	corresponder a	corresponder a	αντιστοιχώ
2	**côté (à … de), loc.**	neben	next to	al lado de	ao lado de	πλάι σε
8	**côté (d'un…, de l'autre…) loc.**	einerseits… andererseits…	on the one hand…, on the other hand…	por un lado…, por otro…	por um lado…, por outro…	από τη μια μεριά…, από την άλλη…
13	**couchage, n.m.**	Schlafstätte	sleeping arrangements, bedding	ropa de cama	dormida	σλίπινγκ μπαγκ
12	**courant de (être au), loc.**	auf dem Laufenden sein	to know about sthg	estar al corriente de	par (estar ao … de)	ξέρω
13	**cours (au… de), loc.**	während	during	a lo largo de	no decorrer de	στη διάρκεια
15	**cours de la monnaie, n.m.**	Devisenkurs	exchange rate	cambio	cotação da moeda	τιμή νομίσματος
10	**craindre, v.tr.**	fürchten	to fear	temer	temer	φοβάμαι
16	**crainte, n.f.**	fürchten	fear	temor	receio	φόβος
10	**craquer, v.intr.**	zusammenbrechen	to crack up	estallar	estourar	καταρρέω
12	**création, n.f.**	Schöpfung	creation	creación	criação	δημιουργία
15	**crime, n.m.**	Verbrechen	crime	crimen	crime	έγκλημα
6	**crise, n.f.**	Krise	quarrel, crisis	crisis	crise	κρίση
1	**critiquer, v.tr.**	kritisieren	to criticize	criticar	criticar	επικρίνω
12	**cuir, n.m.**	Leder	leather	cuero	couro	δέρμα
14	**curieusement, adv.**	eigenartigerweise	curiously	curiosamente	curiosamente	περιέργως
6	**curiosité, n.f.**	Neugier	inquisitiveness	curiosidad	curiosidade	περιέργεια

D

10	**danger, n.m.**	Gefahr	danger	peligro	perigo	κίνδυνος
10	**débarasser (se … de), v.pr.**	entledigen (sich)	to get rid of sthg	deshacerse de	desfazer (se … de)	απαλάσσομαι
3	**débat, n.m.**	Debatte	debate	debate	debate	συζήτηση
11	**débordé (être), adj.**	überlastet sein	to be snowed under with work	agobiado	atarefadíssimo (estar)	πνιγμένος στη δουλειά
15	**debout, adv.**	stehend	standing	en pie	em pé	όρθιος
3	**début, n.m.**	Beginn	beginning	principio	começo	αρχή
1	**débuter, v.tr.**	beginnen	to begin	comenzar	começar	αρχίζω
15	**décéder, v.intr.**	sterben	to die	morir	falecer	Δεκέμβριος
3	**décembre, n.m.**	Dezember	December	diciembre	Dezembro	πεθαίνω
13	**décharger, v.tr.**	abladen	to unload	descargar	descarregar	ξεφορτώνω
15	**décidément, adv.**	wircklich	undoubtedly	decididamente	decididamente	μα την αλήθεια!
6	**décider (se … à), v.pr.**	entschließen (sich…zu)	to make up one's mind	decidirse a	decidir (se … a)	αποφασίζω
5	**décider, v.tr.**	Entscheidung	to decide	decidir	decidir	αποφασίζω
12	**décision, n.f.**	entscheiden	decision	decisión	decisão	απόφαση
3	**déclaration, n.f.**	Erklärung	declaration	declaración	declaração	θέση
9	**déclarer, v.tr.**	erklären	to declare, state	declarar	declarar	δηλώνω
9	**décor, n.m.**	Dekor, Ausstattung	setting, decor	decorado	cenário	ντεκόρ
13	**découragement, n.m.**	Entmutigung	discouragement	desánimo	desânimo	αποθάρρυνση
10	**déçu, adj.**	enttäuscht	disappointed	decepcionado	decepcionado	απογοητευμένος
12	**dedans, adv.**	darin	inside	dentro	dentro	μέσα
11	**déduire, v.tr.**	folgern	to deduce	deducir	deduzir	συμπεραίνω
10	**défenseur, n.m.**	Verfechter	defender	defensor	defensor	υπερασπιστής
12	**dégat, n.m.**	Schaden	damage	daño	estrago	ζημιά
9	**déguiser (se), v.pr.**	verkleiden (sich)	to disguise oneself	disfrazarse	disfarçar (se)	μεταμορφώνομαι
10	**délicat, adj.**	delikat	delicate	delicado	delicado	ευαίσθητος
15	**délinquant, n.m.**	Delinquent	delinquant	delincuente	delinquente	κακοποιός
8	**demandeur d'emploi, n.m.**	Arbeitsuchender	job-seeker	solicitantes de empleo	requerente de emprego	αυτός που ψάχνει για δουλειά
5	**déménagement, n.m.**	Umzug	move (house)	mudanza	mudança	μετακόμιση
5	**déménager, v.tr.**	umziehen	to move house	mudarse	mudar (se)	μετακομίζω
12	**département, n.m.**	Departement	department, county	provincia	departamento	νομός
11	**dépendre de, v. intr.**	abhängen von	to depend on	depender de	depender de	εξαρτώμαι από
10	**déplacement, n.m.**	Reisen	trip, travelling	desplazamiento, viaje	deslocação, viagem	μετακίνηση
7	**dépliant, n.m.**	Broschüre	leaflet	folleto	prospecto	μπροσούρα
10	**dépression, n.f.**	Depression	depression	depresión	depressão	κατάθλιψη

15	**description, n.f.**	Beschreibung	description	descripción	descrição	περιγραφή
14	**désert, n.m.**	Wüste	desert	desierto	deserto	έρημος
1	**dessus, adv.**	oben	upstairs	arriba	cima	πάνω
9	**détail, n.m.**	Detail	detail	detalle	detalhe	λεπτομέρεια
9	**devant, prép.**	vor	in front of	ante	diante de	μπροστά
3	**dialogue, n.m.**	Dialog	dialogue	diálogo	diálogo	διάλογος
8	**différence, n.f.**	Unterschied	difference	diferencia	diferença	διαφορά
1	**différent, adj.**	verschieden	different	diferente	diferente	διαφορετικός
15	**diriger, v.tr.**	leiten	to supervise, manage	dirigir	dirigir	διευθύνω
11	**discret, adj.**	diskret	discreet	discreto	discreto	διακριτικός
6	**dispute, n.f.**	Streit	row, quarrel	disputa	disputa	διένεξη
13	**dissuasif, adj.**	abhaltend	dissuasive	disuasivo	dissuasivo	αποτρεπτικός
12	**diviser, v.tr.**	teilen	to divide	dividir	dividir	διαιρώ
9	**docteur, n.m.**	Doktor	doctor	doctor	doutor	γιατρός
9	**documentaire, n.m.**	Dokumentarfilm	documentary	documental	documentário	ντοκιμαντέρ
15	**domicile, n.m.**	Wohnung	home	domicilio	domicílio	κατοικία
12	**dominer, v.tr.**	beherrschen	to dominate	dominar	dominar	κυριαρχώ
2	**dommage, n.m.**	schade	pity, shame	pena	que pena	κρίμα
11	**donnée, n.f.**	Angabe	data	dato	dado	δεδομένο
13	**dos, n.m.**	Rücken	back	espalda	costas	πλάτη
16	**douceur, n.f.**	Sanftheit	sweetness	dulzura	doçura	γλυκύτητα
14	**doué, adj.**	begabt	gifted	dotado	dotado	χαρισματικός
16	**douter, v.intr.**	zweifeln	to doubt	dudar	duvidar	αμφιβάλλω
5	**doux, adj.**	sanft	pleasant, gentle	dulce	agradável	γλυκός
4	**douzaine, n.f.**	dutzend	dozen	docena	dúzia	δωδεκαριά
10	**dramatique, adj.**	dramatisch	dramatic	dramático	dramático	δραματικός
9	**drame, n.m.**	Drama	drama	drama	drama	δράμα
16	**droit (avoir ... à), loc.**	Recht (haben)	to be entitled	derecho (tener)	direito (ter)	δικαιούμαι
6	**droit de (avoir le), loc.**	recht haben etwas zu tun	to be allowed	tener derecho a	ter direito de	
10	**drôle, adj.**	lustig	funny	divertido	engraçado	αστείος
14	**dur, adj.**	hart	hard(-hearted)	duro	duro	σκληρός

E

7	**échange, n.m.**	Austausch	exchange	cambio	intercâmbio	ανταλλαγή
5	**échanger, v.tr.**	austauschen	to exchange	cambiar	trocar	ανταλλάσσω
11	**échantillon, n.m.**	Probe, Muster	sample	muestra	amostra	δείγμα
11	**échecs, n.m.p.**	Schach	chess	ajedrez	xadrez	σκάκι
16	**éclair, n.m.**	Eclair	éclair	clase de pastel (rayo)	espécie de pastel	εκλέρ(γλυκό)
9	**éclairage, n.m.**	Beleuchtung	lighting	iluminación	iluminação	φωτισμός
16	**éclats (rire aux), loc.**	Gelächter	to roar with laughter	reír a carcajadas	gargalhadas (rir às)	ξεσπώ σε γέλια
9	**écran, n.m.**	Bildschirm	screen	pantalla	ecrã	οθόνη
15	**écrouler (s'), v.pr.**	zusammenbrechen	to collapse	derrumbarse	abater	καταρρέω
13	**effectivement, adv.**	wirklich	effectively	efectivamente	efectivamente	πραγματικά
15	**efficacité, n.f.**	Wirksamkeit	efficiency	eficacia	eficácia	αποτελεσματικότητα
7	**effort, n.m.**	Mühe	effort	esfuerzo	esforço	προσπάθεια
16	**égard (à mon), loc.**	für mich	regarding me	para mí	a meu respeito, por mim	απέναντί μου
16	**élancé, adj.**	schlank	slender	esbelta	esbelto	λυγερός
11	**élection, n.f.**	Wahl	election	elección	eleição	εκλογές
5	**élevé, adj.**	hoch	high	alto	caro	υψηλός
14	**élever, v.tr.**	erziehen	to bring up	educar	educar	μεγαλώνω
2	**embêter, v.tr.**	ärgern	to pester	molestar	incomodar	ενοχλώ
6	**embrasser, v.tr.**	küssen	to kiss	besar	beijar	αγκαλιάζω
3	**émission, n.f.**	Sendung	programme	emisión	programa	εκπομπή
16	**emmener, v.tr.**	mitnehmen	to take, lead	llevar	levar	συνοδεύω
9	**émouvant, adj.**	bewegend	moving	emotivo	emocionante	
14	**empêcher, v.tr.**	hindern	to prevent	impedir	impedir	εμποδίζω
12	**emploi, n.m.**	Verwendung	use	empleo	uso	χρήση
6	**encore, adv.**	noch	still	todavía	ainda	ακόμη
6	**énervé, adj.**	genervt	irritable	irritado	nervoso	εκνευρισμένος
10	**énerver, v.tr.**	aufregen (sich)	to irritate	exasperar	enervar	εκνευρίζω
14	**enfance, n.f.**	Kindheit	childhood	infancia	infância	παιδική ηλικία
14	**engagé, adj.**	engagiert	(politically) committed	comprometido	engajado	στρατευμένος
2	**engager, v.tr.**	beginnen	to start	comenzar	começar	ξεκινάω
16	**engloutir, v.tr.**	verschlucken	to gulp down	engullir	engolir	καταβροχθίζω
7	**enlever, v.tr.**	ausziehen	to take off	quitarse	tirar	βγάζω
15	**ennui, n.m.**	Langeweile	boredom	aburrimiento	tédio	πλήξη

	Français	Deutsch	English	Español	Português	Ελληνικά
6	**ennuyer, v.tr.**	langweilen	to bother	molestar	aborrecer	ενοχλώ
5	**ennuyer (s'), v.pr.**	langweilen (sich)	to get bored	aburrirse	aborrecer (se)	βαριέμαι
3	**enregistrement, n.m.**	Aufnahme	recording	grabación	gravação	ηχογράφηση
1	**enregistrer, v.tr.**	aufnehmen	to record	grabar	gravar	ηχογραφώ
12	**enseignement, n.m.**	Unterricht	education	enseñanza	ensino	διδασκαλία
12	**enseigner, v.tr.**	unterrichten	to teach	enseñar	ensinar	διδάσκω
3	**ensemble, adv.**	zusammen	together	juntos	juntos	μαζί
9	**ensemble, n.m.**	Ganze	whole	conjunto	conjunto	σύνολο
16	**ensemble (habit), n.m.**	Zweiteiler	outfit	conjunto	conjunto	σύνολο
8	**entendre (s'... bien/mal avec qqn), v.pr.**	verstehen (sich gut /schlecht)	to get on well/badly with s.o.	llevarse (bien/mal)	entender (se ... bem/mal com alguém)	(δεν)συνεννοούμαι
14	**entêté, adj.**	versteift	stubborn	terco	cabeçudo	πεισματάρης
1	**entier, adj.**	ganz	whole	entero	inteiro	ολόκληρος
13	**entouré, adj.**	umgeben	surrounded	rodeado	rodeado	περιτριγυρισμένος
9	**entraînement, n.m.**	Training	training	entrenamiento	treinamento	εκπαίδευση
10	**entraîner (s'), v.pr.**	trainieren	to practise	entrenarse	exercitar(se)	εκπαιδεύομαι
12	**entre, prép.**	zwischen	between	entre	entre	ανάμεσα
13	**entreprendre, v.tr.**	unternehmen	to undertake	emprender	empreender	επιχειρώ
15	**entretien, n.m.**	Unterhalt	conversation	entrevista	conversa	συζήτηση
7	**environ, adv.**	ungefähr	approximately	aproximadamente	aproximadamente	περίπου
15	**éparpillé, adj.**	verstreut	scattered	diseminado	espalhado	διασκορπισμένος
13	**épuisant, adj.**	ermüdend	exhausting	agotador	extenuante	εξαντλητικός
12	**équilibre, n.m.**	Gleichgewicht	balance	equilibrio	equilíbrio	ισορροπία
7	**équipement, n.m.**	Ausstattung	equipment	equipo	equipamento	σύνεργα
10	**erreur, n.f.**	Fehler	mistake	error	erro	λάθος
7	**espace, n.m.**	Raum	space	espacio	espaço	χώρος
16	**espadrille, n.f.**	leichte Schuhe	rope-soled sandal	alpargata	alpargata	πάνινα παπούτσια
2	**espérer, v.tr.**	hoffen	to hope	esperar	esperar	ελπίζω
16	**essayer (s'... avec), v.pr.**	probieren	to take one's first steps	entrenar	exercitar (se)	δοκιμάζω
8	**essence, n.f.**	Benzin	petrol	gasolina	gasolina	βενζίνη
4	**essentiel, n.m.**	Wichtigste	the most important thing	esencial	essencial	σημασία (έχει)
16	**essuyer, v.tr.**	abwischen	to wipe	limpiar	limpar	σκουπίζω
7	**étape, n.f.**	Etappe	stage, stopping place	etapa	etapa	σταθμός
9	**éteindre (s'), v.pr.**	ausgehen	to go dark	apagar	apagar (se)	εκτείνομαι
16	**étincelant, adj.**	funkelnd	sparkling	radiante	resplandecente	λαμπερός
14	**étincelle, n.f.**	Funken	spark	chispa	faísca	σπίθα
14	**étoile, n.f.**	Stern	star	estrella	estrela	αστέρι
16	**étonnant, adj.**	erstaunlich	surprising	extraño	surpreendente	εκπληκτικό
6	**étonner (s'... de), v.pr.**	wundern (sich)	to be surprised	extrañar	admirar (se)	εκπλήσσομαι
14	**étourdir, v.tr.**	betäuben	to make dizzy	aturdir	aturdir	ζαλίζω
8	**études supérieures, n.f.p.**	Studium	higher education	estudios superiores	estudos superiores	ανώτατες σπουδές
16	**éveillé, adj.**	wach	awake	despierto	acordado	ξύπνιος
11	**évident, adj.**	offensichtlich	obvious	evidente	evidente	φανερός
11	**éviter, v.tr.**	vermeiden	to avoid	evitar	evitar	αποφεύγω
12	**exactement, adv.**	genau	exactly	exactamente	exactamente	ακριβώς
6	**examiner, v.tr.**	prüfen	to examine	examinar	examinar	εξετάζω
12	**exécuter, v.tr.**	ausführen	to carry out	ejecutar	executar	εκτελώ
14	**expérimenté, adj.**	erprobt	experienced	experimentado	experimentado	έμπειρος
6	**expliquer, v.tr.**	erklären	to explain	explicar	explicar	εξηγώ
15	**exploiter, v.tr.**	betreiben	to work, exploit	explotar	explorar	εκμεταλεύομαι
16	**exubérance, n.f.**	Überschwenglichkeit	exuberance	exuberancia	exuberância	πληθωρικότητα

F

	Français	Deutsch	English	Español	Português	Ελληνικά
13	**fabriquer, v.tr.**	herstellen	to manufacture	fabricar	fabricar	κατασκευάζω
12	**face (en... de), loc.**	gegenüber	opposite	en frente de	em frente de	απέναντι
2	**fâcher (se), v.pr.**	böse werden	to get angry	enfadarse	chatear (se)	θυμώνω
3	**façon, n.f.**	Art, Weise	way, manner	forma	modo	τρόπος
11	**faible, adj.**	schwach	weak, small	débil	fraco	αδύναμος
15	**faire part (de), v.int.**	mitteilen	to let s.o. know	informar	informar	ανακοινώνω
16	**falaise, n.f.**	Klippe	cliff	acantilado	encosta alcantilada	απόκρημνη ακτή
1	**falloir, v.imp.**	müssen	to be necessary	haber que	ter que	πρέπει
7	**fatigue, n.f.**	Müdigkeit	tiredness	fatiga, cansancio	cansaço	κούραση
10	**faute, n.f.**	Fehler	fault	culpa	culpa	λάθος
11	**faux, adj.**	falsch	false	falso	falso	ψεύτικος
10	**faux-frère, n.m.**	'falscher Bruder', schlechter Freund	false friend	traidor	traidor	ψεύτικος φίλος

7	**favoriser, v.tr.**	begünstigen	to favour, encourage	favorecer	favorecer	ενθαρρύνω
16	**fée, n.f.**	Fee	fairy	hada	fada	νεράιδα
14	**feignant, adj.**	vortäuschend	lazy	vago	mandrião	τεμπέλης
16	**ferme, n.f.**	Bauerhof	farm	granja	quinta	αγρόκτημα
11	**fermeture, n.f.**	Schließung	closure	cierre	fechamento	κλείσιμο
16	**férocité, n.f.**	Wildheit	ferocity	ferocidad	ferocidade	αγριότητα
16	**fétiche, n.m.**	Glücksbringer	fetish	fetiche	fetiche	φυλαχτό
13	**feu, n.m.**	Feuer	fire	fuego	fogo	φωτιά
1	**feuille, n.f.**	Blatt	sheet, leaf	hoja	folha	φύλλο
9	**février, n.m.**	Februar	February	febrero	Fevereiro	Φεβρουάριος
11	**fiable, adj.**	zuverlässig	reliable	fiable	fiável	αξιόπιστος
3	**fidèle, adj.**	treu	loyal	fiel	fiel	πιστός
13	**filiale, n.f.**	Filiale	subsidiary	filial	filial	υποκατάστημα
9	**filmer, v.tr.**	filmen	to film	rodar	filmar	γυρίζω ταινία
14	**financer, v.tr.**	finanzieren	to finance	financiar	financiar	χρηματοδοτώ
16	**finir par, v.intr.**	enden	to end up (doing)	acabar por	acabar por	καταλήγω να
16	**fixe, adj.**	fest	fixed, obsessive	fijo	fixo	σταθερός
12	**flamand, adj.**	flämisch	Flemish	flamenco	flamengo	φλαμανδικός
15	**fleur, n.f.**	Blume	flower	flor	flor	λουλούδι
15	**fleuriste, n.m.**	Blumenverkäuferin	florist	florista	florista	ανθοπώλης
13	**fleuve, n.m.**	Fluß	river	rio	rio	ποτάμι
2	**fois, n.f.**	Mal	time, occasion	vez	vez	φορά
12	**force (de ...), loc.**	mit Gewalt	forcibly	fuerza	força	δύναμη
5	**forêt, n.f.**	Wald	forest	bosque	floresta	δάσος
12	**forme, n.f.**	Forme	form	forma	forma	μορφή
11	**fournir, v.tr.**	liefern	to provide	proveer	fornecer	παρέχω
11	**foyer, n.m.**	Haushalt	household	hogar	lar	σπίτι
16	**frais, adj.**	frisch	cool	fresco	fresco	δροσερός
15	**frais (aux ... de), loc.**	Kosten (zu...von)	(at s.o.'s) expense	gastos de	custa (à ... de)	με έξοδα
14	**franc, adj.**	ehrlich	straightforward	franco	franco	ειλικρινής
1	**français, adj**	französisch	French	francés	francês	γαλλικός
1	**francophone, adj.**	französisch sprechend	French-language	francófono	francófono	γαλλόφωνος
16	**friand, adj.**	Pastetchen	small almond cake	clase de pastel (goloso)	guloso, espécie de pastel	πίτα
14	**fuir, v.tr.**	fliehen	to run away from	huir	fugir	αποφεύγω
16	**furieux, adj.**	wütend	furious	furioso	furioso	μανιασμένος

G

5	**gagner, v.tr.**	gewinnen	to gain	gañar	ganhar	κερδίζω
14	**gamine, n.f.**	Mädchen	girl	chica	garota	κοπελίτσα
8	**garantie, n.f.**	Garantie	guarantee	garantía	garantia	εγγύηση
16	**garçon, n.m.**	Junge	boy	muchacho	rapaz	αγόρι
4	**garder, v.tr.**	aufpassen	to look after	cuidar	cuidar de	κρατάω
12	**garder, v.tr.**	behalten	to keep	guardar	guardar, conservar	φυλάω
12	**garer, v.tr.**	parken	to park	aparcar	estacionar	παρκάρω
4	**gastronomique, adj.**	Gourmet-	gourmet	gastronómico	gastronómico	γαστρονομικός
16	**gâteau, n.m.**	Kuchen	cake	pastel	bolo	γλυκό
12	**généraliser (se), v.pr.**	verallgemeinern	to come into general use	generalizarse	generalizar (se)	γενικεύω
9	**généreux, adj.**	großzügig	generous	generoso	generoso	γενναιόδωρος
10	**génial, adj.**	genial	fantastic	genial	genial	μεγαλοφυής
10	**gentillesse, n.f.**	Nettigkeit	kindness	amabilidad	gentileza	ευγένεια
3	**geste, n.m.**	Geste	movement	gesto	gesto	κίνηση
7	**gîte, n.m.**	Unterkunft	lodge	albergue	albergue	καταφύγιο
13	**glace, n.f.**	Eis	ice	hielo	gelo	πάγος
13	**glacier, n.m.**	Gletscher	glacier	glaciar	geleira	παγετώνας
16	**glisser, v.intr.**	rutschen	to slide	deslizar	deslizar	γλιστράω
16	**gourmand, adj.**	Genießer	greedy	goloso	guloso	λαίμαργος
7	**goûter, v.tr.**	probieren	to taste	probar	provar	δοκιμάζω
3	**grâce à, loc.**	dank	thanks to	gracias a	graças a	χάρη σε
11	**graffiti, n.m.**	Wandschmiererei	graffiti	pintada	grafito	ζωγραφική σε τοίχο
8	**grand-mère, n.f.**	Großmutter	grandmother	abuela	avó	γιαγιά
3	**gratuit, adj.**	kostenlos	free of charge	gratuito	grátis	δωρεάν
16	**gravité, n.f.**	Ernst	gravity	gravedad	gravidade	βαρύτητα
14	**grossir, v.intr.**	dick werden	to grow fat	engordar	engordar	παχαίνω
10	**guitare,n.f.**	Guitarre	guitar	guitarra	guitarra	κιθάρα

H

14	**habile, adj.**	geschickt	skilful	hábil	hábil	επιδέξιος
12	**harmonisation, n.f.**	Angleichung	harmonization	armonización	harmonização	εναρμόνηση
3	**hasard (par), loc.adv.**	zufällig	by chance	por casualidad	por acaso	κατά τύχη
3	**hebdomadaire, adj.**	wöchentlich	weekly	semanal	semanal	εβδομαδιαίος
7	**hébergement, n.m.**	Unterkunft	accommodation	alojamiento	alojamento	στέγαση
9	**hélicoptère, n.m.**	Hubschrauber	helicopter	helicóptero	helicóptero	ελικόπτερο
10	**hésitation, n.f.**	Zögern	hesitation	duda	dúvida	δισταγμός
2	**hésiter, v.intr.**	zögern	to hesitate	dudar	hesite	διστάζω
6	**hiérarchie, n.f.**	Hierarchie	hierarchy	jerarquía	hierarquia	ιεραρχία
9	**histoire, n.f.**	Geschichte	story	historia	história	ιστορία
9	**horaire, n.m.**	(feste) Zeiten	timetable	horario	horário	ωράριο
5	**horreur de (avoir), loc.**	verabscheuen	to detest	odiar	ter horror a	σιχαίνομαι
14	**humain, adj.**	menschlich	human	humano	humano	ανθρώπινος
13	**hydravion, n.m.**	Wasserflugzeug	seaplane	hidroavión	hidravião	υδροπλάνο

I

5	**idéal, adj.**	ideal	ideal	ideal	ideal	ιδανικός
14	**ignorant, adj.**	unwissend	ignorant	ignorante	ignorante	αδαής
6	**ignorer, v.tr.**	ignorieren	to ignore	ignorar	ignorar	αγνοώ
1	**image, n.f.**	Bild	picture	imagen	imagem	εικόνα
9	**imaginaire, adj.**	eingebildet	imaginary	imaginativo	imaginário	φανταστικός
14	**imbu de soi-même (être), loc.**	eingenommen von sich	full of oneself	muy creído de sí mismo	cheio de si	επαρμένος
1	**imiter, v.tr.**	imitieren	to imitate	imitar	imitar	μιμούμαι
12	**immatriculation, n.f.**	Einschreibung, Anmeldung	registration	matrícula	matrícula	πινακίδες
13	**immense, adj.**	enorm	immense	inmensa	imenso	απέραντος
2	**immeuble, n.m.**	Gebäude	building	edificio	edifício	κτίριο
16	**imminent, adj.**	bevorstehend	imminent	inminente	iminente	επικείμενος
8	**importance, n.f.**	Wichtigkeit	importance	importancia	importância	σπουδαιότητα
7	**impression (avoir l'... de), loc.**	Eindruck (haben)	to have the impression	tener la impresión de	impressão (ter a)	έχω την εντύπωση
7	**impressionnant, adj.**	beeindruckend	impressive	impresionante	impressionante	εντυπωσιακός
10	**inadmissible, adj.**	unzulässig	intolerable	inadmisible	inadmissível	απαράδεκτος
14	**incapable, adj.**	unfähig	incapable	incapaz	incapaz	ανίκανος
14	**incompétent, adj.**	inkompetent	incompetent	incompetente	incompetente	αναρμόδιος
10	**incompris, adj.**	unverstanden	misunderstood	incomprendido	incompreendido	παρεξηγημένος
13	**inconscience, n.f.**	Bewußtlosigkeit	recklessness	inconsciencia	inconsciência	ασυνειδησία
11	**inconvénient, n.m.**	Nachteil	disadvantage	inconveniente	inconveniente	μειονέκτημα
14	**increvable, adj.**	unzerstörbar	tireless	inagotable	incansável	ακούραστος
11	**indication, n.f.**	Hinweis	indication	indicación	indicação	ένδειξη
4	**indispensable, adj.**	unerläßlich	essential	imprescindible	indispensáveis	απαραίτητος
12	**industrie, n.f.**	Industrie	industry	industria	indústria	βιομηχανία
14	**inexpérimenté, adj.**	unerfahren	unexperienced	inexperimentado, inexperto	inexperiente	άπειρος
3	**information, n.f.**	Information	news (item)	información	informação	πληροφορία
14	**initier (s'), v.pr.**	erlernen	to initiate o.s.	iniciarse	iniciar (se)	μυούμαι
10	**injuste, adj.**	ungerecht	unfair	injusto	injusto	άδικος
16	**inscrire (s'), v.pr.**	einschreiben	to enrol	inscribirse	inscrever (se)	εγγράφομαι
6	**insistance, n.f.**	Beharren	insistence	insistencia	insistência	επιμονή
9	**insister, v.tr.**	bestehen	to emphasize	insistir	insistir	επιμένω
14	**insolent, adj.**	frech	insolent	insolente	insolente	αυθάδης
14	**inspiré, adj.**	inspiriert	inspired	inspirado	inspirado	εμπνευσμένος
10	**insupportable, adj.**	unerträglich	unbearable	insoportable	insuportável	ανυπόφορος
11	**intention (avoir l'... de), loc.**	beabsichtigen	to intend	intención	intenção (ter a ... de)	έχω την πρόθεση
8	**intérêt, n.m.**	Interesse	interest	interés	interesse	ενδιαφέρον
16	**intérieur, adj.**	innere	interior	interior	interior	εσωτερικό
3	**interne, n.m.**	Internatsschüler	boarder	interno	interno	εσωτερικός
11	**interphone, n.m.**	Gegensprechanlage	entry phone	teléfono automático	interfone	εσωτερικό τηλέφωνο
1	**interprète, n.m.**	Interpret	musician	intérprete	intérprete	ερμηνευτής
14	**interprète, n.m.**	Dolmetscher	interpreter	intérprete	intérprete	διερμηνέας
11	**interpréter, v.tr.**	interpretieren	to interprete	interpretar	interpretar	ερμηνεύω
6	**interrogatoire, n.f.**	Verhör	cross-examination	interrogatorio	interrogatório	ανάκριση
8	**inutile, adj.**	nutzlos	useless	inútil	inútil	άχρηστος
2	**inventer, v.tr.**	erfinden	to invent	inventar	inventar	εφευρίσκω
4	**invitation, n.f.**	Einladung	invitation	invitación	convite	πρόσκληση

3	**invité, n.m.**	Gast	guest	invitado	convidado	καλεσμένος
16	**irradier, v.tr.**	ausstrahlen	to radiate	irradiar	irradiar	ακτινοβολώ
6	**isoler (s'), v.pr.**	isolieren	to cut oneself off	aislarse	isolar (se)	απομονώνομαι
7	**itinéraire, n.m.**	Route	itinerary, route	itinerario	itinerário	διαδρομή

J

16	**jalousie, n.f.**	Eifersucht	jealousy	celos	ciúme	ζηλοτυπία
6	**jamais, adv.**	nie	never	nunca, jamás	nunca	ποτέ
4	**janvier, n.m.**	Januar	January	enero	Janeiro	Ιανουάριος
13	**jeter, v.tr.**	werfen	to throw	tirar	atirar	ρίχνω
16	**jeter (un regard), v.tr.**	werfen (Blick)	to glance	echar (una ojeada)	dar (uma olhada)	ρίχνω ένα βλέμμα
16	**joie, n.f.**	Freude	joy	felicidad	alegria	χαρά
11	**joindre, v.tr.**	erreichen	to contact	localizar	contactar	επικοινωνώ
10	**joueur, n.m.**	Spieler	player	guitarrista	guitarrista	παίκτης
4	**joyeux, adj.**	fröhlich	merry, joyful	feliz	feliz	χαρούμενος
1	**juillet, n.m.**	Juli	July	julio	Julho	Ιούλιος
1	**juin, n.m.**	Juni	June	junio	Junho	Ιούνιος
12	**jumelles, n.f.p.**	Fernglas	binoculars	prismáticos	binóculo	κιάλια
10	**jusqu'à présent, adv.**	bis heute	until now	hasta ahora	até agora	ως τώρα
6	**jusque, prép.**	bis	until	hasta	até	μέχρι
16	**juste, adv.**	gerade	fair	justo	justo	δίκαιος
13	**juste avant, loc.**	genau vorher	just before	justo antes	logo antes	ακριβώς πριν
8	**justement, adv.**	gerade	in fact	justamente, precisamente	justamente, precisamente	ακριβώς
10	**justifier, v.tr.**	rechtfertigen	to justify	justificar	justificar	δικαιολογώ

K-L

7	**kilomètre, n.m.**	Kilometer	kilometre	kilómetro	quilómetro	χιλιόμετρο
7	**lac, n.m.**	See	lake	lago	lago	λίμνη
2	**laisser, v.tr.**	lassen	to leave	dejar	deixar	αφήνω
3	**langue, n.f.**	Sprache	language	idioma	língua	γλώσσα
16	**large, adj.**	offene Meer	open sea	mar	mar	ανοιχτή θάλασσα
15	**lassitude, n.f.**	Überdruß	weariness	lasitud	enfado	κούραση
8	**lecteur, n.m.**	Leser	reader	lector	leitor	αναγνώστης
8	**lecture, n.f.**	Lektüre	reading	lectura	leitura	διάβασμα
8	**lent, adj.**	langsam	slow	lento	lento	αργός
16	**lenteur, n.f.**	Langsamkeit	slowness	lentitud	lentidão	βραδύτητα
15	**liaison, n.f.**	Liaison	liaison	relación	relação	σχέση
7	**libérer (se ... de), v.pr.**	befreien (sich)	to free oneself	liberarse	liberar (se)	απελευθερώνομαι
6	**liberté, n.f.**	Freiheit	freedom	libertad	liberdade	ελευθερία
1	**lien, n.m.**	Verbindung	bond, tie	lazo	laço	δεσμός
4	**lieu (avoir), loc.**	stattfinden	to take place	tener lugar	realizar (se)	συμβαίνει
15	**livrer, v.tr.**	liefern	to deliver	entregar	entregar	παραδίδω
11	**locataire, n.m.**	Mieter	tenant	inquilino	inquilino	ενοικιαστής
7	**location, n.f.**	Verleih	rental	alquiler	locação	ενοικίαση
5	**logement, n.m.**	Wohnung	accommodation	alojamiento	alojamento	κατοικία
12	**lointain, adj.**	entfernt	distant	lejano	longínquo	μακρινός
7	**loisir, n.m.**	Freizeit	leisure	ocio	lazer	διασκέδαση
5	**loyer, n.m.**	Miete	rent	alquiler	aluguer	νοίκι
16	**lumineux, adj.**	leuchtend	luminous	luminoso	luminoso	φωτεινός
1	**lundi, n.m.**	Montag	Monday	lunes	segunda-feira	Δευτέρα
12	**lunettes, n.f.p.**	Brille	glasses	gafas	óculos	γιαλιά
7	**luxe, n.m.**	Luxus	luxury	lujo	luxo	πολυτέλεια

M

2	**mademoiselle, n.f.**	Fräulein	miss	señora	senhorita	δεσποινίς
11	**magazine, n.m.**	Zeitschrift	magazine	revista	revista	περιοδικό
9	**magique, adj.**	magisch	magical	mágico	mágico	μαγικός
9	**magnétoscope, n.m.**	Videorecorder	video recorder	magnetoscopio, video	vídeo	βιντεοκάμερα
15	**main, n.f.**	Hand	hand	mano	mão	χέρι
3	**maire, n.m.**	Bürgermeister	mayor	alcalde	presidente da câmara	δήμαρχος
16	**maîtrise, n.f.**	Selbstbeherrschung	mastery	dominio	domínio	κυριαρχία
15	**mal à l'aise (être), loc.**	unwohl fühlen	ill at ease	incómodo	constrangido	άβολα
9	**maladie, n.f.**	Krankheit	disease	enfermedad	doença	αρρώστια
16	**mal au cœur (avoir), loc.**	(mir) schlecht ist	to feel sick	tener angustia,	enjoado (estar)	ανακατεύομαι

				marearse		
10	**malchance, n.f.**	Pech	bad luck	mala suerte	azar	ατυχία
3	**malgré, prép.**	trotz	despite	a pesar de	apesar de	παρά την αντίθεση
10	**malheureux, adj.**	unglücklich	unhappy	desdichado	infeliz	δυστυχισμένος
16	**manière, n.f.**	Art	way	manera	maneira	τρόπος
9	**manifestation, n.f.**	Demonstration	demonstration	manifestación	manifestação	εκδήλωση
16	**manifester (de l'intérêt), v.tr.**	kundtun	to show interest	manifestar interés	manifestar (interesse)	εκδηλώνω (ενδιαφέρον)
10	**manifester, v.intr.**	demonstrieren	to demonstrate	manifestar	manifestar	διαδήλωση
8	**marché, n.m.**	Markt	market	mercado	mercado	αγορά
6	**marcher (= fonctionner), v.intr.**	funktionieren	to work	marchar, funcionar	funcionar	λειτουργώ
2	**mardi, n m.**	Dienstag	Tuesday	martes	terça-feira	Τρίτη
15	**marié, adj.**	verheiratet	married	casado	casado	παντρεμένος
3	**marque, n.f.**	Marke	brand, make	marca	marca	μάρκα
10	**marre de (en avoir), loc.**	genug haben von etwas	to be fed up	estar harto de	estar farto de	βαρέθηκα
14	**mars, n.m.**	März	March	marzo	Março	Μάρτιος
15	**masque, n.m.**	Maske	mask	máscara	máscara	μάσκα
11	**match, n.m.**	Spiel	match	partido	partida	ματς
6	**matinal, adj.**	morgendlich	morning	matinal	matinal	πρωϊνός
3	**matinée, n.f.**	Morgen	morning	mañana	manhã	πρωϊνό
15	**méchant, adj.**	bôse	nasty	malo	mau	κακός
16	**mèche, n.f.**	Strähne	lock of hair	mechón	madeixa	τούφα
10	**mécontent, adj.**	unzufrieden	displeased	descontento	descontente	δυσαρεστημένος
9	**médecine, n.f.**	Medizin	medicine	medicina	medicina	ιατρική
16	**mélange, n.m.**	Mischung	mixture	mezcla	mistura	μίγμα
6	**mêler (se ... de), v.pr.**	einmischen	to pry into	inmiscuirse	meter(se ... com)	ανακατεύομαι
3	**mensuel, adj.**	monatlich	monthly	mensual	mensal	μηνιαίος
16	**mépris, n.m.**	Verachtung	contempt	desprecio	desprezo	περιφρόνηση
4	**merveilleux, adj.**	wunderbar	wonderful	maravilloso	maravilhoso	καταπληκτικός
14	**messe (de minuit), n.f.**	(Mitternachts)messe	(midnight) mass	misa de (medianoche)	missa (do galo)	λειτουργία (του μεσονυκτίου)
10	**métro, n.m.**	Metro	underground	metro	metro	μετρό
8	**mettre, v.tr.**	stellen, legen	to put	poner	pôr	βάζω
1	**mettre (se ... à), v.pr.**	machen (sich... an)	to start (to do)	ponerse a	pôr-se a	αρχίζω να
4	**mettre (la table), v.tr.**	Tisch decken	to lay (the table)	poner (la mesa)	pôr (a mesa)	στρώνω τραπέζι
15	**meurtre, n.m.**	Mord	murder	asesinato	homicídio	δολοφονία
9	**micro-trottoir, n.m.**	Umfrage auf Bürgersteig	roving reporter	reportero de calle	reportagem de rua	
6	**mignon, adj**	nett, süß	attractive	atractivo	bonito	χαριτωμένος
5	**minute, n.f.**	Minute	minute	minuto	minuto	λεπτό
13	**miracle, n.m.**	Wunder	miracle	milagro	milagre	θαύμα
16	**mi-voix (à), loc.**	halblaut	in a hushed voice	a media voz	a meia voz	χαμηλόφωνα
8	**mode de vie, n.m.**	Lebensweise	way of life	modo de vida	modo de vida	τρόπος ζωής
9	**moderne, adj.**	modern	modern	moderno	moderno	σύγχρονος
12	**moderniser (se), v.pr.**	modernisieren	to be modernized	modernizarse	modernizar (se)	εκσυγχρονίζω
11	**modeste, adj.**	bescheiden	modest	modesto	modesto	ταπεινός
4	**modestement, adv.**	bescheiden	modestly	modestamente	modestamente	περιορισμένα
13	**montagne, n.f.**	Berg	mountain	montaña	montanha	
13	**monter (la tente), v.tr.**	aufstellen	to pitch (the tent)	montar (la tienda)	montar (a tenda)	στήνω τη σκηνή
8	**montre, n.f.**	Uhr	watch	reloj	relógio	ρολόι
1	**montrer, v.tr.**	zeigen	to show	mostrar	mostrar	δείχνω
9	**moquer (se), v.pr.**	lustig machen (sich)	to poke fun at	burlarse	zombar	κοροϊδεύω
10	**morosité, n.f.**	Lustlosigkeit	sullenness	morosidad	morosidade	κατήφεια
10	**mort, n.f.**	Tod	death	muerto	morte	λέξη
1	**mot, n.m.**	Wort	word	palabra	palavra	λόγος
4	**motif, n.m.**	Motif	excuse, reason	motivo	motivo	
3	**moulin, n.m.**	Mühle	mill	molino	moinho	μύλος
16	**mouvement, n.m.**	Bewegung	movement	movimiento	movimento	κίνηση
1	**musical, adj.**	musikalisch	musical	musical	musical	μουσικός
1	**musique, n.f.**	Musik	music	música	música	μουσική

N

14	**naïf, adj.**	naif	naive	ingénuo	ingénuo	απλοϊκός
4	**naissance, n.f.**	Geburt	birth	nacimiento	nascimento	γέννηση
1	**naître, v.intr.**	geboren werden	to be born	nacer	nascer	γεννιέμαι
15	**nécessaire, adj.**	nötig	necessary	necesario	necessário	αναγκαίος

6	**négociation, n.f.**	Verhandlung	negotiation	negociación	negociação	διαπραγμάτευση
6	**négocier, v.tr.**	verhandeln	to negotiate	negociar	negociar	διαπραγματεύομαι
10	**nerfs (être sur les), loc.**	generft sein	to be on edge	nervios (al borde de un ataque de)	nervos (estar com os … à flor da pele)	είμαι νευρικός
15	**nièce, n.f.**	Nichte	niece	sobrina	sobrinha	ανιψιά
10	**n'importe qui, pr.indéf.**	irgendwer	(just) anybody	cualquiera	qualquer um	οποιοσδήποτε
13	**nomade, n.m.**	Nomade	nomade	nómada	nómada	νομάδας
2	**nombreux, adj.**	zahlreich	numerous	numerosos	numerosos	πολυάριθμος
12	**normalement, adv.**	normalerweise	normally	normalmente	normalmente	κανονικά
6	**note (scolaire), n.f.**	Note	mark	nota	nota	βαθμός
1	**noter, v.tr.**	notieren	to note (down)	anotar	anotar	σημειώνω
12	**nouveau (de/à), loc.**	Neuem (von)	again	de nuevo	novo (de)	πάλι
1	**nouvelle, n.f.**	Nachricht	piece of news	noticia	notícia	νέο
16	**nuage, n.m.**	Wolke	cloud	nube	nuvem	σύννεφο
11	**nul, adj.**	schlecht	useless, hopeless	nulo	nulo	άσχετος
5	**numéro spécial, n.m.**	Sondernummer	special issue	número especial	número especial	αφιέρωμα

O

13	**obéir, v. intr.**	gehorchen	to obey	obedecer	obedecer	υπακούω
16	**objectif, n.m.**	Ziel	target	objetivo	objectivo	στόχος
9	**objectivité, n.f.**	Objektivität	objectivity	objetividad	objectividade	αντικειμενικότητα
12	**obligatoire, adj.**	obligatorisch	compulsory	obligatorio	obrigatório	αναγκαστικός
16	**obscurité, n.f.**	Dunkelheit	darkness	oscuridad	escuro	σκοτεινιά
13	**observer, v.tr.**	beobachten	to observe	observar	observar	παρατηρώ
14	**obstiné, adj.**	eigensinnig	obstinate	obstinado	obstinado	επίμονος
12	**occitan, adj.**	okzitanisch	Occitan	occitano	provençal	οξιτανικός
4	**occuper (s'… de), v.pr.**	beschäftigen (sich…mit)	to take care of	ocuparse de	tomar conta (de)	ασχολούμαι
16	**océan, n.m.**	Ozean	ocean	océano	oceano	ωκεανός
6	**octobre, n.m.**	Oktober	October	octubre	Outubro	Οκτώβριος
16	**odeur, n.f.**	Geruch	smell	olor	cheiro	μυρωδιά
14	**œuvre, n.f.**	Werk	work	obra	obra	έργο
4	**officiel, adj.**	offiziel	formal, official	oficial	oficial	επίσημος
12	**officier, n.m.**	Offizier	officer	oficial	oficial	αξιωματικός
5	**offre, n.f.**	Angebot	offer	oferta	oferta	προσφορά
16	**oiseau, n.m.**	Vogel	bird	pájaro	pássaro	πουλί
11	**opinion, n.f.**	Meinung	opinion	opinión	opinião	κοινή γνώμη
6	**optimiste, adj.**	optimistisch	optimistic	optimista	optimista	αισιόδοξος
12	**ordre, n.m.**	Befehl	order	orden	ordem	διαταγή
7	**orée, n.f.**	Rand	edge, skirts	en la linde de	beira	παρυφή
10	**oreille, n.f.**	Ohr	ear	oreja	ouvido	αυτί
4	**organiser, v.tr.**	organisieren	to organize	organizar	organizar	οργανώνω
14	**orgueilleux, adj.**	stolz	arrogant	orgulloso	orgulhoso	περήφανος
14	**origine, n.f.**	Ursprung	origin	origen	origem	καταγωγή
2	**oser, v.tr.**	wagen	to dare	atreverse	atrever (se)	τολμώ
13	**ours, n.m.**	Bär	bear	oso	urso	αρκούδα
13	**outre-mer, n.m.**	überseeisch	over-seas	ultramar	ultramar	υπερπόντιος
2	**ouvertement, adv.**	offen	openly	abiertamente	abertamente	ανοιχτά
11	**ouverture, n.f.**	Öffnung	opening	hueco, abertura	abertura	άνοιγμα

P

12	**paire, n.f.**	Paar	pair	par	par	ζευγάρι
16	**pâle, adj.**	bleich	pale	pálido	pálido	χλωμός
16	**palmier, n.m.**	Palme (Kuchen)	heart-shaped biscuit made of flaky pastry	clase de pastel (palmera)	espécie de pastel	παλμιέ(γλυκό)
15	**panique, n.f.**	Panik	panic	pánico	pânico	πανικός
6	**paniqué, adj.**	in Panik geraten	terrified	aterrorizado	apavorado	πανικοβλημένος
8	**panne (tomber en), loc.**	Panne haben (eine)	to break down	averiar	avariar	παθαίνω βλάβη
1	**papier, n.m.**	Papier	paper	papel	papel	χαρτί
12	**papiers, n.m.p.**	Papiere	papers	documentos	documentos	χαρτιά
16	**paquet, n.m.**	Paket	packet	paquete	pacote	πακέτο
7	**paraître (pour une revue), v.intr.**	veröffentlichen	to publish	aparecer, publirar	publicar	εμφανίζομαι
9	**paraître(=sembler), v.intr.**	scheinen	to seem	parecer	parecer	κυκλοφορώ
16	**paraître(=apparaître),v.intr.**	erscheinen	to appear	aparecer	aparecer	φαίνομαι
16	**parapluie, n.f.**	Regenschirm	umbrella	paraguas	guarda-chuva	ομπρέλα

7	**parcourir, v.tr.**	gehen durch	to cover, to go all over	recorrer	percorrer	διασχίζω
2	**pardonner, v.tr.**	verzeihen, entschuldigen	to excuse	perdonar	desculpar	συγχωρώ
6	**pareil, adj.**	gleich	same, identical	parecido	igual	ίδιος
9	**paresse, n.f.**	Faulheit	laziness	pereza	preguiça	τεμπελιά
14	**paresseux, adj.**	faul	idle	perezoso	preguiçoso	τεμπέλης
1	**parisien, adj.**	pariserisch	Parisian	parisino	parisiense	παρισινός
9	**parmi, prép.**	zwischen	among	entre	dentre	ανάμεσα
8	**parole, n.f.**	Wort	speech	palabra	palavra	λόγια
1	**paroles, n.f.p.**	Worte	words, lyrics	letra	letra	λόγος
7	**partager, v.tr.**	teilen	to share	compartir	compartilhar	μοιράζω
11	**parti, n.m.**	Partei	party	partido	partido	κόμμα
13	**participation, n.f.**	Teilnahme	participation	participación	participação	συμμετοχή
1	**participer, v.tr.**	teilnehmen	to take part	participar	participar	συμμετέχω
9	**particulièrement, adv.**	besonders	particularly	particularmente	particularmente	ειδικά
6	**partie, n.f.**	Teil	part	parte	parte	μέρος
10	**partir (à ... de), loc.**	ab	starting from	a partir de	a partir de	από
2	**pas, n.m.**	Schritt	move, step	paso	passo	βήμα
4	**pas du tout, loc.**	absolut nicht	not at all	en absoluto	de modo nenhum	καθόλου
16	**passage, n.m.**	Weg	passing by	pasaje	passagem	πέρασμα
2	**passer, v.tr.**	verbringen	to spend	pasar	passar	περνάω
8	**passer, v.intr.**	werden, aufsteigen	to become	ascender	passar	γίνομαι
10	**passer de... à..., v.intr.**	gehen von ... zu	to move from...to...	pasar (a ... de)	passar de... a...	περνάω σε
13	**passionné, adj.**	leidenschaftlich	enthusiastic	apasionado	apaixonado	παθιασμένος
16	**pâtisserie, n.f.**	Konditorei	cake shop	pastelería	pastelaria	ζαχαροπλαστείο
7	**paysage, n.m.**	Landschaft	landscape	paisaje	paisagem	τοπίο
13	**pêcher, v.tr.**	fischen	to fish	pescar	pescar	ψαρεύω
7	**pédestre, adj.**	Fuß-	foot	pedestre	pedestre	πεζοπορικός
7	**peine (à), loc.**	kaum	scarcely	apenas	apenas, mal	μόλις
10	**pénible, adj.**	mühsam	difficult (to put up with)	penoso	insuportável	οδυνηρός
2	**perdu (être), adj.**	verloren	lost (to be)	perdido (estar)	perdido (estar)	έχω χαθεί
12	**périphérique, adj.**	Umfangs...	outlying	periférico	periférico	περιφερειακός
9	**personnellement, adv.**	persönlich	personally	personalmente	pessoalmente	προσωπικά
9	**perspective, n.f.**	Perspektive	perspective	perspectiva	perspectiva	προοπτική
12	**perte, n.f.**	Verlust	loss	pérdida	perda	απώλεια
15	**petit noir, n.m.**	kleiner schwarzer Kaffee	short black coffee	café solo	café preto	καφές
1	**phrase, n.f.**	Satz	sentence	frase	frase	φράση
7	**physique, adj.**	physisch	physical	físico	físico	σωματικός
5	**pied (à), loc.**	zu Fuß	on foot	a pie	a pé	με τα πόδια
7	**pittoresque, adj.**	malerisch	picturesque	pintoresco	pitoresco	γραφικός
5	**place (sur), loc.**	an Ort und Stelle	locally	ahí, en ese lugar	no mesmo lugar	επιτόπου
5	**plaindre (se), v.pr.**	beschweren (sich)	to complain	quejarse	queixar (se)	παραπονιέμαι
9	**plan, n.m.**	Plan	shot	plano	plano	πλάνο
4	**plein, adj.**	viel, voll	lots of (lit.: full)	lleno	cheio	γεμάτος
7	**plein (en ...), loc. adv.**	mitten	in the middle	lleno (de)	pleno (em)	καταμεσής
13	**pleinement, adv.**	voll, ganz	to the full	plenamente	plenamente	απόλυτα
9	**pleurer, v.intr.**	weinen	to cry	llorar	chorar	κλαίω
9	**plongée, contre-plongée, n.f.**	aus der Froschperspektive	high-angle/low-angle shot	picado, contra-picado	picado, contrapicado	πλονζέ, κοντρπλονζέ
10	**pluie, n.f.**	Regen	rain	lluvia	chuva	βροχή
12	**plupart (la... de), n.f.**	die meisten	the majority	la mayor parte	a maior parte	οι περισσότεροι
11	**plusieurs, adj.indéf.**	mehrere	several	varios	vários	πολλοί
9	**poétique, adj.**	poetisch	poetic	poético	poético	ποιητικός
9	**polar, n.m.**	Krimi	whodunnit	policiaca	policial	αστυνομικό
7	**pollution, n.f.**	Umweltverschmutzung	pollution	contaminación	poluição	μόλυνση
11	**population, n.f.**	Bevölkerung	population	población	população	πληθυσμός
12	**portefeuille, n.m.**	Brieftasche	wallet	cartera	pasta	πορτοφόλι
9	**porter (se ... bien/mal), v.pr.**	fühlen (sich gut/schlecht)	to be in good/bad health	ir (bien/mal)	ir (bem / mal)	είμαι καλά/άσχημα
12	**portière, n.f.**	Autotür	door	puerta	porta	πόρτα
11	**pose, n.f.**	Anbringen	installation	instalación	instalação	τοποθέτηση
1	**poser (des questions), v.tr.**	Fragen stellen	to ask (questions)	preguntar	perguntar	θέτω ερωτήσεις
12	**posséder, v.tr.**	besitzen	to possess	poseer	possuir	κατέχω
8	**poste, n.m.**	(Arbeits)stelle	job, position	puesto	cargo	θέση
4	**pot, n.m.**	Umtrunk	celebration, drink	fiesta, vino de honor	festa, bebida	γιορτή
2	**pot (boire un), loc.**	einen trinken	to have a drink	tomar una copa	beber um copo	πίνω ένα ποτήρι
14	**poupée, n.f.**	Puppe	doll	muñeca	boneca	κούκλα
15	**poursuivre, v.tr.**	verfolgen	to pursue	continuar, perseguir	perseguir	καταδιώκω

11	**pourtant, adv.**	trotzdem	nevertheless	por lo tanto	no entanto	και όμως
13	**pousser, v.tr.**	schieben	to push	empujar	empurrar	σπρώχνω
14	**pousser à, v.intr.**	antreiben zu	to push	llevar a, empujar a	levar a	παρακινώ
8	**pouvoir, n.m.**	Macht	power	poder	poder	εξουσία
14	**pratiquement, adv.**	fast	virtually	practicamente	praticamente	σχεδόν
13	**précédent, adj.**	vorherige	previous	precedente	precedente	προηγούμενος
16	**précipiter (se), v.pr.**	stürzen	to rush	precipitarse	precipitar (se)	ορμώ
6	**précis, adj.**	genau	precise	preciso	preciso	ακριβής
16	**précision, n.f.**	Genauigkeit	precision	precisión	precisão	ακρίβεια
15	**préférable, adj.**	vorzuziehen (ist)	preferable	preferible	preferível	προτιμότερος
2	**premier, adj.**	erste	first	primero	primeiro	πρώτος
8	**première (= classe), n.f.**	Unterprima	lower sixth form	segundo de bachiller	décimo primeiro ano	τρίτη λυκείου
5	**prendre (le temps de), v.tr.**	Zeit nehmen	to take the time to...	tomar tiempo para	dar tempo para	αφιερώνω χρόνο σε
13	**prendre pour, v.intr.**	halten für	to take s.o. for	tomar por	tomar por	παίρνω για
2	**prendre (un verre), v.tr.**	etwas trinken	to have (a drink)	tomar (una copa)	tomar (um copo)	πίνω ένα ποτήρι
3	**préparation, n.f.**	Vorbereitung	preparation	preparación	preparação	προετοιμασία
16	**près de, loc.prép.**	bei	near	cerca de	perto de	κοντά σε
1	**présent, adj.**	anwesend	present, represented	presente	presente	παρών
8	**présenter, v.tr.**	vorstellen	to present, introduce	presentar	apresentar	παρουσιάζω
9	**présidence, n f.**	Vorsitz	presidency	presidencia	presidência	προεδρία
3	**président, n.m.**	Präsident	president, chairperson	presidente	presidente	πρόεδρος
3	**presse, n.f.**	Presse	press	prensa	imprensa	τύπος
7	**prestigieux, adj.**	hochangesehen	prestigious	prestigioso	prestigioso	εκλεκτός
8	**prêt, adj.**	bereit	ready	preparado	pronto	έτοιμος
14	**prétentieux, adj.**	anmaßend	pretentious	pretencioso	pretensioso	φαντασμένος
6	**prêter, v.tr.**	leihen	to lend	prestar	emprestar	δανείζω
6	**prétexte, n.m.**	Vorwand	pretext, excuse	pretexto	pretexto	πρόφαση
4	**prévu, adj.**	vorgesehen	planned	previsto	previsto	κανονισμένος
9	**principal, adj.**	hauptsächlich	principal	principal	principal	κύριος
4	**privé, adj.**	privat	private	privado	privado	ιδιωτικός
5	**privilégié, n.m.**	privilegierte Person	privileged person	privilegiado	privilegiado	προνομιούχος
6	**privilégié, adj.**	begünstigt	privileged	privilegiado	privilegiado	προνομιακός
14	**prix (à tout), loc.**	um jeden Preis	at all cost	cueste lo que cueste	custe o que custar	πάση θυσία
14	**produit, n.m.**	Produkt	product	producto	produto	προϊόν
11	**professionnel, n.f.**	Fachmann	professional	profesional	profissional	επαγγελματικός
14	**profiter, v.tr.**	profitieren	to take advantage of	aprovechar	aproveitar	επωφελούμαι
12	**profondément, adv.**	tief	deeply	profundamente	profundamente	πολύ
11	**programme, n.m.**	Programm	programme	programa	programa	πρόγραμμα
13	**progressivement, adv.**	progressiv	gradually	progresivamente	progressivamente	σταδιακά
10	**promeneur, n.m.**	Spaziergänger	walker	paseante	passeante	περιπατητής
5	**promotion, n.f.**	Beförderung	promotion	promoción	promoção	προαγωγή
11	**proportion, n.f.**	Proportion	proportion	proporción	proporção	αναλογία
6	**proposition, n.f.**	Vorschlag	suggestion	proposición	proposta	πρόταση
15	**propriété, n.f.**	Besitz	property	propiedad	propriedade	ιδιοκτησία
15	**prototype, n.m.**	Prototyp	prototype	prototipo	protótipo	πρωτότυπο
1	**province, n.f.**	Provinz, Land	the provinces	provincia	província	επαρχία
12	**provisoire, adj.**	provisorisch	temporary	provisional	provisório	προσωρινός
11	**prudent, adj.**	vorsichtig	cautious	prudente	prudente	συνετός
1	**public, n.m.**	Publikum	audience, public	público	público	κοινό
3	**publicité, n.f.**	Werbung	advertisement, advertising	publicidad	publicidade	διαφήμιση
11	**puis, adv.**	dann	then	luego	depois	μετά

Q-R

14	**qualifié, adv.**	qualifiziert	qualified	cualificado	qualificado	ενδεδειγμένος
1	**quelqu'un, pr.indéf.**	jemand	someone	alguien	alguém	κάποιος
1	**quelque, adj.indéf.**	einige	few	alguno	algum	κάποιος
3	**quelque chose, loc.**	etwas	something	algo	algo	κάτι
6	**questionner, v.tr.**	befragen	to question	preguntar	questionar	ρωτάω
3	**quotidien, adj.**	täglich	daily	diario	diário	καθημερινός
15	**raccrocher, v.tr.**	aufhängen	to hang up	colgar	desligar	κλείνω το τηλέφωνο
6	**racheter, v.tr.**	nochmals kaufen	to buy another	comprar de nuevo	comprar de novo	ξαναγοράζω
16	**radieux, adj.**	strahlend	radiant	radiante	radiante	αστραφτερός
3	**radio-réveil, n.m.**	Radiowecker	radio-alarm	radio despertador	rádio-despertador	ραδιόφωνο-ξυπνητήρι
6	**raison, n.f.**	Grund	reason	razón	razão	λόγος
13	**ralentir, v.tr.**	verlangsamern	to slow down	frenar	travar	επιβραδύνω
10	**râler, v.intr.**	schimpfen	to moan	protestar	resmungar	γκρινιάζω

13	**ramassage, n.m.**	Sammeln	picking up	recogida	apanha	μάζεμα
16	**ramener, v.tr.**	zurückbringen	to bring back	llevar	trazer de volta	συνοδεύω
7	**randonneur, n.m.**	Wanderer	walker, hiker	caminante	caminhante	περιπατητής
6	**ranger, v.tr.**	aufräumen	to tidy up	ordenar	arrumar	τακτοποιώ
9	**rappeler, v.tr.**	erinnern	to remind	recordar	lembrar	θυμίζω
10	**ras-le-bol, n.m.**	Nase voll (haben)	discontent	hartura	saturação	βαρέθηκα
13	**rassurer, v.tr.**	versichern	to reassure	confortar	tranquilizar,dar segurança	καθησυχάζω
2	**ravi (être), adj.**	erfreut	delighted (to be)	estar contento	encantado (ficar)	είμαι ενθουσιασμένος
15	**ravissant, adj.**	entzückend	ravishing	encantador	encantador	πανέμορφος
13	**réaction, n.f.**	Reaktion	reaction	reacción	reacção	αντίδραση
13	**réagir, v.tr.**	reagieren	to react	reaccionar	reagir	αντιδρώ
11	**réaliser, v.tr.**	realisieren	to carry out	realizar	realizar	πραγματοποιώ
8	**réalité (en), loc.**	in Wirklichkeit	in fact	en realidad	na realidade	
14	**récent, adj.**	kürzlich	recent	reciente	recente	πρόσφατος
5	**rechercher, v.tr.**	suchen	to look for	buscar	procurar	ψάχνω
3	**récit, n.m.**	Erzählung	story	relato	relato	διήγηση
16	**réclamer,v.tr.**	verlangen	to demand	reclamar	reclamar	απαιτώ
10	**réconforter, v.tr.**	trösten	to comfort	reconfortar	reconfortar	παρηγορώ
2	**reconnaître, v.tr.**	erkennen	to recognize	reconocer	reconhecer	αναγνωρίζω
7	**redécouvrir, v.tr.**	wiederentdecken	to rediscover	redescubrir	redescobrir	ξαναανακαλύπτω
5	**redire, v.tr.**	wiedersagen	to say again	volver a decir	redizer	ξαναλέω
9	**réduction, n.f.**	Ermäßigung	reduction	reducción	redução	έκπτωση
5	**réécouter, v.tr.**	wiederhören	to listen again	escuchar de nuevo	escutar de novo	ξανακούω
6	**réengager, v.tr.**	wiederaufnehmen	to start up again	retomar	retomar	ξαναρχίζω
15	**refaire (se), v.pr.**	erholen	to change one's character	rehacer, reponer	refazer (se)	αλλάζω
5	**refaire, v.tr.**	wiedermachen	to do again	hacer de nuevo	fazer de novo	ξανακάνω
6	**réfléchir, v.intr.**	überlegen	to think	reflexionar	refletir	σκέφτομαι
13	**réflexion, n.f.**	Überlegung	reflection	reflexión	reflexão	σκέψη
9	**réforme, n.f.**	Reform	reform	reforma	reforma	μεταρύθμιση
6	**réfugier (se), v.pr.**	flüchten	to take refuge	refugiarse	refugiar (se)	καταφεύγω
2	**refuser, v.tr.**	weigern	to refuse	rehusar	recusar	αρνούμαι
4	**regretter, v.tr.**	bedauern	to regret	lamentar	lamentar	λυπάμαι
11	**regrouper, v.tr.**	zusammenfassen	to group together	reagrupar	reagrupar	ομαδοποιώ
2	**régulièrement, adv.**	regelmäßig	regularly	regularmente	regularmente	συχνά
1	**relations, n.f.p.**	Beziehungen	relationships	relaciones	relações	σχέσεις
12	**relativement, adv.**	relativ	relatively	relativamente	relativamente	σχετικά
11	**relié, adj.**	verbunden	connected	unido	ligado	συνδεδεμένος
16	**religieuse, n.f.**	Religieuse (Kuchen)	iced cream puff	clase de pastel	espécie de pastel	καλόγρια
8	**remarier (se), v.pr.**	wiederheiraten	to remarry	volver a casarse	tornar a casar	ξαναπαντρεύομαι
15	**remarquer, v.tr.**	bemerken	to notice	darse cuenta	notar	παρατηρώ
2	**remercier, v.tr.**	danken	to thank	agradecer	agradecer	ευχαριστώ
8	**remplacer, v.tr.**	ersetzen	to replace	sustituir	substituir	αντικαθιστώ
6	**rendre (se), v.pr.**	begeben (sich)	to go to	ir	ir	πηγαίνω
13	**renverser (se), v.pr.**	umstürzen	to overturn	volcarse	virar (se)	αναποδογυρίζω
5	**réorganiser, v.tr.**	umorganisieren	to reorganize	organizar de nuevo	reoganizar	αναδιοργανώνω
6	**reparler, v.intr.**	wiedersprechen	to speak again	hablar de nuevo, volver a hablar	voltar a falar	ξαναμιλώ
14	**repartir, v.intr.**	abfahren	to leave again	repartir	voltar, partir de novo	ξαναφεύγω
13	**repérage, n.m.**	Auskundschaften	locating	localización	localização	εντοπισμός
10	**repérer, v.tr.**	wiederholen	to spot, pick out	localizar	localizar	εντοπίζω
3	**reportage, n.m.**	Reportage	report, commentary	reportaje	reportagem	ρεπορτάζ
2	**reprendre, v.tr.**	wieder beginnen	to start again	volver a empezar	recomeçar	ξαναρχίζω
11	**représentatif, adj.**	repräsentativ	representative	representativo	representativo	αντιπροσωπευτικός
9	**représentation, n.f.**	Aufführung	performance	representación	representação	παράσταση
16	**reprises (à plusieurs), loc.**	öfter	several times	varias veces	várias vezes	πολλές φορές
10	**reproche, n.m.**	Vorwurf	reproach	reproche	reproche	μομφή
3	**réseau, n.m.**	Netz	network	red	rede	δίκτυο
15	**réservé, adj.**	reserviert	reserved	reservado	reservado	συγκρατημένος
15	**résister, v.intr.**	standhalten	to resist	resistir	resistir	αντιστέκομαι
11	**résoudre, v.tr.**	lösen	to solve	resolver	resolver	λύνω
8	**responsabilités, n.f.p.**	Verantwortung	responsibilities	responsabilidades	responsabilidades	καθήκοντα
11	**reste, n.m.**	Rest	rest	resto	resto	υπόλοιπο
6	**rester,v.intr.**	bleiben	to stay	quedarse	ficar	μένω
6	**résultat, n.m.**	Ergebnis	result, consequence	resultado	resultado	αποτέλεσμα
4	**retenir, v.tr.**	zurückhalten	to retain, delay	retener	reter	κρατώ
5	**retirer (se), v.pr.**	zurückziehen (sich)	to retire	retirarse	retirar (se)	αποσύρομαι

5 **retraite, n.f.**	Rente	retirement	jubilación	reforma	σύνταξη
1 **réunir, v.tr.**	zusammenbringen	to bring together	reunir	reunir	συγκεντρώνω
8 **réussir, v.tr.**	gelingen	to succeed	lograr	ter êxito	καταφέρνω
8 **réussite, n.f.**	Erfolg	success	éxito	êxito	επιτυχία
2 **revenir, v.intr.**	zurückkommen	to come back	volver	voltar	επιστρέφω
2 **revoir, v.tr.**	wiedersehen	to see again	volver a ver	rever	ξαναβλέπω
16 **revue, n.f.**	Zeitschrift	review	revista	revista	επιθεώρηση
14 **ridicule, adj.**	lächerlich	ridiculous	ridículo	ridículo	γελοίος
10 **ridiculiser, v.tr.**	lächerlich machen	to make s.o. look a fool	ridiculizar	ridicularizar	γελοιοποιώ
9 **rire, v.intr.**	lachen	to laugh	reir	rir	γελώ
5 **rivière, n.f.**	Fluß	river	rio	rio	ποτάμι
16 **robe, n.f.**	Kleid	dress	vestido	vestido	φόρεμα
16 **rôder, v.intr.**	herumlungern	to wander about	merodear	rodar	τριγυρίζω
12 **roi, n.m.**	König	king	rey	rei	βασιλιάς
4 **roman, n.m.**	Roman	novel	novela	romance	μυθιστόρημα
15 **rose, n.f.**	Rose	rose	rosa	rosa	τριαντάφυλλο
14 **rougir, v.intr.**	rot werden	to blush	sonrojar	avermelhar	κοκκινίζω
10 **rouspéter, v.intr.**	schimpfen	to grumble	refunfuñar	rezingar	γκρινιάζω
5 **route, n.f.**	Straße	road	carretera	estrada	δρόμος
7 **ruine, n.f.**	Ruine	ruin	ruina	ruína	ερείπιο
5 **rural, adj.**	ländlich	rural, country	rural	rural	αγροτικός
7 **rythme, n.m.**	Rhythmus	rhythm	ritmo	ritmo	ρυθμός

S

12 **sac, n.m.**	Tasche	bag	bolsa	bolsa	τσάντα
8 **sacrifier, v.tr.**	opfern	to sacrifice, give up	sacrificar	sacrificar	θυσιάζω
14 **saharien, adj.**	von der Sahara	Saharan	sahariano	sariano	κάτοικος της Σαχάρας
11 **saison, n.f.**	Saison	season	temporada	temporada	εποχή
15 **sale, adj.**	schmutzig	dirty	sucio	sujo	βρώμικος
4 **salutation, n.f.**	Grüße	greeting	saludo	saudação	χαιρετισμός
14 **sans âme, loc.**	seelenlos	heartless	sin alma	desalmado	άψυχος
10 **sans arrêt, loc.**	ohne Pause	endlessly	sin parar	sem parar	ασταμάτητα
8 **sans doute, loc.**	zweifelsohne	undoubtedly	sin duda	sem dúvida	αναμφίβολα
14 **sans prétention, loc.**	bescheiden	unpretentious	sin pretensiones	despretensioso	χωρίς αξιώσεις
14 **sapin, n.m.**	Tanne	Christmas tree	abeto	árvore de Natal	έλατο
15 **sauter, v.intr.**	springen	to leap	saltar	saltar	πηδώ
6 **scène, n.f.**	Szene	scene	escena	cena	σκηνή
9 **science-fiction, n.f.**	Science-fiction	science fiction	ciencia ficción	ficção científica	επιστημονική φαντασία
9 **sécurité sociale, n.f.**	franz. Krankenkasse	social security	seguridad social	Seguro Social	κοινωνική ασφάλεια
13 **séjour, n.m.**	Aufenthalt	stay	estancia	estada	διαμονή
14 **séjourner, v.intr.**	aufhalten (sich)	to stay	residir	residir	διαμένω
11 **sélectionner, v.tr.**	wählen	to choose	seleccionar	seleccionar	επιλέγω
13 **selle, n.f.**	Sattel	saddle	silla (de montar)	sela	σέλα
11 **selon, prép.**	laut	depending on	según	segundo	σύμφωνα
7 **sembler, v.intr.**	scheinen	to seem	parecer	parecer	φαίνεται
14 **sens, n.m.**	Richtung	direction	sentido	sentido	νόημα
9 **sensibilité, n.f.**	Sensibilität	sensitivity	sensibilidad	sensibilidade	ευαισθησία
13 **sensible, adj.**	sensibel	sensitive	sensible	sensível	ευαίσθητος
7 **sentier, n.m.**	Pfad	footpath	sendero	caminho	μονοπάτι
2 **sentiment, n.m.**	Gefühl	feeling	sentimiento	sentimento	αίσθημα
14 **sentimental, adj.**	sentimental	sentimental	sentimental	sentimental	συναισθηματικός
16 **sentir (le besoin de) v.tr.**	fühlen, müssen	to feel (the need to)	sentir la necesidad de	sentir (a necessidade de)	νοιώθω την ανάγκη
1 **sentir (se), v.pr.**	fühlen (sich)	to feel	sentirse	sentir (se)	αισθάνομαι
15 **septembre, n.m.**	September	September	septiembre	Setembro	Σεπτέμβριος
9 **séquence, n.f.**	Sequenz	sequence	secuencia	sequência	ακολουθία
13 **serein, adj.**	gelassen	serene	sereno	sereno	γαλήνιος
11 **sérieux, adj.**	seriös	serious	serio	sério	σοβαρός
9 **servante, n.f.**	Dienerin	maid-servant	sirvienta	criada	υπηρέτρια
16 **service, n.m.**	Service	service, help	servicio	ajuda	υπηρεσία
16 **serviette, n.f.**	Serviette	napkin	servilleta	guardanapo	χαρτοφύλακας
11 **servir (à), v.intr.**	dienen zu	to be useful	servir	servir	υπηρετώ
4 **servir, v.tr.**	bedienen, austeilen	to serve	servir	servir	σερβίρω
6 **sévère, adj.**	streng	severe, strict	severo	severo	αυστηρός
12 **siècle, n.m.**	Jahrhundert	century	siglo	século	αιώνας
12 **signature, n.f.**	Unterschrift	signature	firma	assinatura	υπογραφή
11 **signer, v.tr.**	unterschreiben	to sign	firmar	assinar	υπογράφω

6	**silence, n.m.**	Ruhe	silence	silencio	silêncio	σιωπή
2	**s'il vous plaît, loc.**	bitte	please	por favor	se faz favor	παρακαλώ
4	**simplement, adv.**	einfach	simply	simplemente	simplesmente	απλά
9	**sincère, adj.**	aufrichtig	sincere	sincero	sincero	ειλικρινής
7	**site, n.m.**	Umgebung	site	lugar	sítio	τοποθεσία
3	**situé, adj.**	gelegen	situated	situado	situado	τοποθετημένος
15	**société, n.f.**	Gesellschaft	company	sociedad	sociedade	κοινωνία
7	**solidarité, n.f.**	Solidarität	solidarity	solidaridad	solidariedade	συμπαράσταση
13	**solitude, n.f.**	Einsamkeit	solitude	soledad	solidão	μοναξιά
9	**sombre, adj.**	dunkel	dark	oscuro	escuro	σκοτεινός
3	**sommeil, n.m.**	Schlaf	sleep	sueño	sono	ύπνος
7	**sommet, n.m.**	Gipfel	top	cima	cimo	κορυφή
11	**sondage, n.m.**	Umfrage	poll, survey	sondeo	sondagem	δημοσκόπηση
11	**sondé, n.m.**	befragt	person polled	entrevistado	entrevistado	ερωτηθείς
9	**sortie, n.f.**	Spaziergang, Ausgang	outing	salida	saída	έξοδος
10	**sortir (s'en), v.pr.**	durchkommen	to come through all right	arreglárselas	desenrascar (se ... de)	τα βγάζω πέρα
16	**souffler, v.intr.**	blasen	to blow	soplar	soprar	φυσάω
4	**souhaiter, v.tr.**	wünschen	to wish	desear	desejar	εύχομαι
16	**souplesse, n.f.**	Biegsamkeit	suppleness	elasticidad	agilidade	ευλυγισία
5	**souriant, adj.**	lächelnd	smiling	sonriente	sorridente	χαμογελαστός
14	**spécialiser (se), v.pr.**	spezialisieren (sich)	to specialize	especializarse	especializar (se)	εξειδικεύομαι
9	**spectateur, n.m.**	Zuschauer	spectator	espectador	espectador	θεατής
8	**sports d'hiver, n.m.p.**	Wintersport	winter sports	deportes invernales	desportos de inverno	χειμερινά σπορ
15	**square, n.m.**	Grünanlage	square	plaza	praça	πλατεία
11	**stable, adj.**	stabil	stable	estable	estável	σταθερός
13	**stagiaire, n.m.**	Praktikant	trainee	cursillista	estagiário	εκπαιδευόμενος
1	**stressé, adj.**	gestreßt	tense, stressed	nervioso	nervoso	αγχωμένος
2	**suffir, v. intr.**	genügen	to be enough	bastar	bastar	αρκώ
11	**suivant, adj.**	folgende	following	siguiente	seguinte	επόμενος
6	**superbe, adj.**	toll	superb, marvellous	magnífico	estupendo	υπέροχος
9	**superficiel, adj.**	oberflächlich	superficial	superficial	superficial	επιφανειακός
8	**supérieur, adj.**	höher	higher	superior	superior	ανώτερος
8	**supérieur, n.m.**	Vorgesetzter	superior, boss	superior	superior	προϊστάμενος
10	**supporter, v.tr.**	ertragen	to put up with	soportar	suportar	αντέχω
12	**supprimer, v.tr.**	abschaffen	to suppress	suprimir	suprimir	καταργώ
7	**sûrement, adv.**	sicher	certainly	seguramente	com certeza	σίγουρα
6	**surlendemain, n.m.**	übernächster Tag	two days later	dos días después	dois dias depois	μεθεπομένη
6	**surtout, adv.**	besonders	above all	sobre todo	sobretudo	ιδίως
6	**suspecter, v.tr.**	verdächtigen	to suspect	sospechar	suspeitar	υποπτεύομαι
11	**syndic, n.m.**	Verwalter	managing agent	administrador	síndico	ένωση ιδιοκτητών
1	**syndicat d'initiative, n.m.**	Fremdenverkehrsbüro	tourist information office	oficina de turismo	posto de turismo	ομάδα πρωτοβουλίας
11	**système, n.m.**	System	system	sistema	sistema	σύστημα

T

16	**tache, n.f.**	Fleck	stain, mark	mancha	mancha	λεκές
11	**télécopie, n.f.**	Fax	facsimile	fax	fax	τηλετυπία
10	**tellement, adv.**	so	so	tanto, tan	tanto, tão	τόσο
5	**témoignage, n.m.**	Aussage	account, testimony	testimonio	testemunho	μαρτυρία
12	**temps, n.m.**	Zeit	tense, time	tiempo	tempo	χρόνος
6	**temps-ci (ces), loc.**	kürzlich	recently	en este momento	neste momento	αυτόν τον καιρό
14	**tenace, adj.**	zäh	persistent	tenaz	tenaz	επίμονος
9	**tendre, adj.**	zärtlich	tender	tierno	terno	τρυφερός
16	**tendresse, n.f.**	Zärtlichkeit	tenderness	ternura	ternura	τρυφερότητα
1	**tenir, v. tr.**	durchhalten	to keep going, to hold	resistir	aguentar	αντέχω
10	**tenir (s'en ... à), v.pr.**	halten an etwas (sich)	to know where one stands	atenerse	ater (se ... a)	κάνω (ξέρω τι να)
14	**tenir à, v.intr.**	Wert legen auf	to be eager to	querer	empenhar (se ... em)	θέλω
14	**tenir de, v..intr.**	kommen von	to come from	parecerse a	parecer (se ... com)	κατάγομαι
8	**terminale (= classe), n.f.**	Oberprima	upper sixth form	último año de bachiller	décimo segundo ano	τελευταία τάξη
5	**terrain, n.m.**	Gelände	land	terreno	terreno	έδαφος
3	**terre, n.f.**	Erde	earth	tierra	terra	γη
6	**terrible, adj.**	schrecklich	terrible	terrible	terrível	φοβερός
12	**territoire, n.m.**	Territorium	territory	territorio	território	έδαφος
9	**théâtral, adj.**	dramatisch	theatre, theatrical	teatral	teatral	θεατρικός

16	**tiède, adj.**	lauwarm	warm	tibio	morno	χλιαρός
13	**tirer, v.tr.**	ziehen	to pull	tirar	puxar	τραβώ
3	**tôt, adv.**	früh	early	pronto	cedo	νωρίς
14	**touareg, n.m.**	Tuareg	'Tuareg	tuareg	tuaregue	Τουαρέγκ
14	**toucher (un sujet), v.tr.**	berühren	to be about (a subject)	tratar (un tema)	tratar (de um assunto)	αγγίζω(ένα θέμα)
7	**tour (faire un), loc.**	Runde (drehen)	to make a tour	vuelta (dar una)	volta (dar uma)	κάνω ένα γύρο
1	**tout le monde, loc.**	alle	everyone	todo el mundo	todo o mundo	όλος ο κόσμος
16	**toutefois, adv.**	jedoch	however	sin embargo	todavia	πάντως
4	**tradition, n.f.**	Tradition	tradition	tradición	tradição	παράδοση
6	**traditionnel, adj.**	traditionnel	traditional	tradicional	tradicional	παραδοσιακός
14	**traduction, n.f.**	Übersetzung	translation	traducción	tradução	μετάφραση
14	**traduire, v.tr.**	übersetzen	to translate	traducir	traduzir	μεταφράζω
2	**train (être en ... de), loc.**	dabei sein etwas zu tun	to be in the process of	estar (+ gerundio)	estar (+ gerúndio)	(διαδικασία σε εξέλιξη)
13	**traîneau, n.m.**	Schlitten	sleigh	trineo	trenó	έλκηθρο
4	**traiteur, n.m.**	Partyservice	caterer	casa de comidas preparadas	casa de comidas feitas	κατασκευαστής έτοιμων φαγητών
6	**trajet, n.m.**	Reise	trip	trayecto	trajecto	διαδρομή
10	**transformation, n.f.**	Umformung	transformation	transformación	transformação	μετατροπή
12	**transformer (se), v.pr.**	wandeln (sich)	to be transformed	transformarse	transformar (se)	μετατρέπομαι
5	**transports en commun, n.m.p.**	Verkehrsmittel	public transport	transporte colectivo	transporte colectivo	???
4	**trentaine, n.f.**	ungefähr dreißig	about thirty	treintena	uns trinta	τριανταριά
9	**triste, adj.**	traurig	sad	triste	triste	θλιμμένος
2	**tromper (se), v.pr.**	täuschen (sich)	to be mistaken	equivocarse	enganar (se)	κάνω λάθος
13	**trou, n.m.**	Loch	hole	agujero	buraco	τρύπα
9	**truc, n.m.**	Ding	trick	artimaña	truque	τέχνασμα
13	**tuer, v.tr.**	töten	to kill	matar	matar	σκοτώνω
4	**typique, adj.**	typisch	typical	típico	típico	χαρακτηριστικός

U-V-Z

5	**urbain, adj.**	städtisch	urban, built-up	urbano	urbano	αστικός
11	**utile, adj.**	nützlich	useful	útil	útil	χρήσιμος
8	**valeur, n.f.**	Wert	value	valor	valor	αξία
12	**valise, n.f.**	Koffer	suitcase	maleta	mala	βαλίτσα
7	**vallée, n.f.**	Tal	valley	valle	vale	κοιλάδα
9	**valoir mieux, v.intr.**	besser (sein)	to be better (to do sthg)	más vale	ser melhor	είναι καλύτερα
7	**variété, n.f.**	Verschiedenartigkeit	variety	variedad	variedade	ποικιλία
16	**vedette, n.f.**	Star	star	figura	vedeta	βεντέτα
10	**veine (avoir de la), loc.**	Glück haben	to be lucky	suerte (tener la)	sorte (ter)	έχω τύχη
15	**vendange, n.f.**	Lese	grape picking	vendimia	vindima	τρύγος
15	**vendangeur, n.m.**	Weinleser	grape-picker	vendimiador	vindimador	τρυγητής
13	**véritable, adj.**	echt	veritable	verdadero	verdadeiro	αληθινός
11	**verité, n.f.**	Wahrheit	truth	verdad	verdade	αλήθεια
1	**vers, prép.**	gegen	(at) about	hacia	por volta de	προς
12	**victime, n.f.**	Opfer	victim	víctima	vítima	θύμα
12	**vide, adj.**	leer	empty	vacío	vazio	κενός
7	**vignoble, n.m.**	Weinberg	vineyard(s)	viñedo	vinhedo	αμπέλι
16	**villa, n.f.**	Villa	house	finca	vila	βίλα
3	**village, n.m.**	Dorf	village	pueblo	aldeia	χωριό
13	**virus, n.m.**	Virus	virus	virus	vírus	ιός
16	**visage, n.m.**	Gesicht	face	rostro	rosto	πρόσωπο
15	**visite, n.f.**	Besuch	visit	visita	visita	επίσκεψη
11	**visiteur, n.m.**	Besucher	visitor	visitante	visitante	επισκέπτης
7	**vitesse, n.f.**	Geschwindigkeit	speed	velocidad	velocidade	ταχύτητα
13	**vitre, n.f.**	Scheibe	(window)pane	cristal	vidraça	τζάμι
11	**vol, n.m.**	Diebstahl	theft	robo	roubos	κλοπή
16	**volet, n.m.**	Fensterladen	shutter	postigo	postigo	παραθυρόφυλλο
11	**voleur, n.m.**	Dieb	thief	ladrón	ladrão	κλέφτης
14	**volontaire, adj.**	freiwillig	self-willed	voluntario	voluntário	αποφασιστικός
2	**volontiers, adv.**	gerne	with pleasure	con mucho gusto	com muito prazer	ευχαρίστως
11	**vote, n.m.**	Abstimmung	vote	voto	voto	ψήφος
15	**vouloir (en ... à), v.intr.**	wollen	to have a grudge against s.o.	estar resentido contra alguien	querer mal (a alguém)	κρατώ κακία
5	**VTT, n.m.**	Mountain Bike	mountain bike	bicicleta todo terreno	bicicleta de todo terreno	BMX
11	**zapper, v.tr.**	zappen	to zap	cambiar de canal	mudar de canal	αλλάζω κανάλια

Tableau des contenus

		Thème	Savoir-faire	Vocabulaire	Grammaire
PARTIE 1 : ALORS À CE SOIR !	*UNITÉ 1* **Musiques**	• la musique ■ *Baisers volés 1*	• donner des informations sur soi • demander à quelqu'un des informations sur lui • comprendre un texte informatif	• des mots sur la musique	• le pronom relatif : *qui, que* • la mise en relief : *c'est ... qui, c'est ... que* • l'interrogation avec inversion du sujet
	UNITÉ 2 **Rencontres**	• la rencontre ■ *Baisers volés 2*	• entrer en contact avec quelqu'un • refuser d'entrer en contact avec quelqu'un • exposer un problème • demander, donner des conseils	• aborder quelqu'un • refuser d'entrer en contact avec quelqu'un	• le pronom personnel complément + impératif • l'interrogation indirecte
	CIVILISATION	FORMES			
	UNITÉ 3 **Contacts**	• les médias, la radio ■ *Baisers volés 3*	• parler de soi • poser des questions sur l'identité, le parcours professionnel • répondre à ces questions • comprendre un texte informatif	• révision et élargissement des mots pour exprimer son opinion	• le pronom relatif : *où, dont* • le pronom démonstratif + relative : *celui qui, celui que*
	UNITÉ 4 **Fêtes**	• l'invitation chez soi, la fête d'anniversaire ■ *Baisers volés 4*	• inviter un ami • accepter une invitation • demander de l'aide accepter, refuser d'aider • comprendre un texte informatif	• des mots dérivés • des expressions pour inviter, accepter et refuser une invitation	• le conditionnel présent • l'interrogation indirecte : la concordance des temps • le pronom relatif composé : *à qui, auquel*
	REPÉRAGES	À SAINT-MALO			TEST 1
PARTIE 2 : OUI, BIEN SÛR, MAIS...	*UNITÉ 5* **Modes de vie**	• vivre dans une grande ou une petite ville ■ *Knock 1*	• décrire le lieu où l'on vit • exprimer son opinion et la justifier • comprendre un texte argumentatif	• des mots pour exprimer les avantages et les inconvénients d'une grande ou d'une petite ville • des expressions pour donner son opinion	• la subordonnée conditionnelle : *si* + présent • la coordination : *et pourtant, quand... et que, parce que... et que* • *quelque chose à* + infinitif • *rien à* + infinitif • le discours rapporté au présent
	UNITÉ 6 **Relation familiale**	• les relations parents-enfants ■ *Knock 2*	• exprimer son opinion et la justifier • écrire une lettre à un ami pour exprimer son opinion ou demander conseil • comprendre un texte argumentatif	• des mots pour négocier • des expressions pour faire des reproches	• la subordonnée conditionnelle : *si* + imparfait • le discours rapporté au passé : la concordance des temps • *en* + pronom personnel
	CIVILISATION	GÉNÉRATIONS			
	UNITÉ 7 **Vacances**	• le choix et l'organisation des vacances ■ *Knock 3*	• exprimer son opinion et la justifier • convaincre • demander et donner des conseils • comprendre un texte argumentatif	• des mots pour parler des vacances, des voyages • des mots pour décrire un paysage	• le subjonctif • l'interrogation *qui est-ce qui, qui est-ce que,* • *lequel* • l'infinitif sujet
	UNITÉ 8 **Travail**	• la place du travail dans notre vie ■ *Knock 4*	• exprimer son opinion et la justifier • convaincre • comprendre un texte argumentatif	• des mots pour parler du travail et de ce qu'on aime faire • des expressions pour dire qu'on n'est pas d'accord	• le plus-que-parfait • le conditionnel passé • la subordonnée conditionnelle : *si* + plus-que-parfait • les pronoms personnels • des mots de coordination • révision : la subordonnée conditionnelle
	REPÉRAGES	FEMMES À PARIS ET AILLEURS			TEST 2

Tableau des contenus

PARTIE 3 : CE N'EST PAS COMPLIQUÉ...

	Thème	Savoir-faire	Vocabulaire	Grammaire
UNITÉ 9 **Loisirs**	• le cinéma, la vidéo, la télé ■ *Bouillon de culture 1*	• apprécier • donner des raisons • comprendre un texte explicatif	• des mots pour tourner une vidéo • les genres de films • des mots pour apprécier un film	• le gérondif • le subjonctif présent après les verbes de sentiment et d'opinion • *pour que, sans que* + subjonctif
UNITÉ 10 **États d'âme**	• le ras-le-bol ■ *Bouillon de culture 2*	• se plaindre • répondre aux plaintes de quelqu'un : proposer des solutions, encourager • donner des conseils • comprendre un texte explicatif	• des expressions pour se plaindre, pour réconforter	• l'emploi du conditionnel • les verbes en *-indre* • l'emploi de l'infinitif • *ne pas* + infinitif • la restriction : *ne ... que*
CIVILISATION	**FEMMES**			
UNITÉ 11 **Opinions**	• les sondages ■ *Bouillon de culture 3*	• interpréter un sondage • dire pourquoi on aime, pourquoi on n'aime pas • comprendre un texte explicatif	• le verbe *passer* • les moyens de communication • des mots dérivés	• les adverbes en *-ment* • la place des adverbes • l'expression de l'opposition : *bien que* + subjonctif, *pourtant, quand même, cependant, malgré tout*
UNITÉ 12 **En France**	• le français en France et ailleurs • les papiers d'identité ■ *Bouillon de culture 4*	• donner des explications dans un échange formel • comprendre un texte explicatif	• des mots pour faire une déclaration de perte • des mots de la même famille	• le passif • le pronom possessif : *le mien, les miens*
REPÉRAGES	**TEMPS LIBRE**			**TEST 3**

PARTIE 4 : C'ÉTAIT UNE NUIT SANS LUNE...

	Thème	Savoir-faire	Vocabulaire	Grammaire
UNITÉ 13 **Récits de voyage**	• le Grand Nord canadien • l'aventure ■ *Maigret 1*	• raconter des événements vécus • justifier un choix effectué • comprendre un récit écrit	• la formation des mots: suffixes *-tion, -age* • des expressions pour se repérer dans l'espace	• l'emploi du plus-que-parfait, • la subordonnée de comparaison
UNITÉ 14 **Autobiographie**	• un récit autobiographique ■ *Maigret 2*	• raconter des expériences professionnelles • décrire un personnage • exprimer ses sentiments • comprendre un récit écrit	• la formation des mots : préfixes *é-, a-*, suffixe *-ir* • des adjectifs pour décrire un personnage • des synonymes et des antonymes	• les conjonctions *parce que* et *puisque* • le participe présent • le participe passé • l'expression de la cause
CIVILISATION	**CULTURES**			
UNITÉ 15 **Intrigues**	• l'enquête policière ■ *Maigret 3*	• s'initier à la lecture d'un texte long • raconter une intrigue en utilisant les temps du passé : passé composé, imparfait, plus-que-parfait • comprendre un récit écrit au passé simple	• des mots pour se situer dans le temps	• le passé simple • la conséquence : *tellement...que* • l'emploi des temps du récit
UNITÉ 16 **Souvenirs**	• la rencontre amoureuse ■ *Maigret 4*	• s'initier à la lecture d'un texte long • raconter une histoire au passé • comprendre un récit au passé simple	• des mots pour décrire une jeune femme • une chanson	• révision : le discours rapporté direct, le discours rapporté indirect
REPÉRAGES	**ESCROQUERIES**			**TEST 4**

TABLE DES MATIÈRES

Imprimé en Italie par Rotolito.
Dépôt légal n° 34188-05/2003 - Collection 44 - Edition 07.
15/5093/8